JN059794

日建学院

令和**7**年度版
（2025年度版）

1級
建築施工管理技士

一次対策
問題解説集

2 施工管理法・法規

令和**6**年度試験を
本試験形式で収録・完全解説

2025

はじめに

■1級建築施工管理技士の資格について

建築工事の施工技術の高度化・多様化、さらに専門化にともない、建築施工管理技士の重要性が高まっています。

1級建築施工管理技士は、建設業法に定められた建築工事関係16業種の許可に際して、営業所ごとに置かなければならない専任の技術者並びに工事現場ごとに置かなければならない主任技術者又は監理技術者となることが認められています。また、特定建設業に係る建築工事業、鋼構造物工事業（指定建設業）については、国土交通大臣が定める国家資格を有するものとして、営業所の専任技術者及び工事現場の監理技術者となることが認められています。

■将来性・メリット

1級建築施工管理技士は、建築工事の現場監督として仕事をするために不可欠な資格です。工事に関する技術的知識と管理能力を備えた人材として確実にステップアップしていくことができ、また、資格取得が直接企業の技術力評価につながります。

■試験のポイント

近年の全国合格率は、約35%から50%となっており、その年度の問題の難易度により、大きく変動しています。それは、1級建築施工管理技士試験が、一定以上の得点者を合格させるという「基準点試験」である為です。

したがって、**基本をしっかりと理解しなければならない**厳しい試験です。

■本書のねらい

本書は、令和5年〜平成30年までの過去6年間の出題462問を分野別に①②の2分冊にまとめ、問題と解説を同一頁または見開き頁に編集したもので、非常に理解しやすく、かつ、学習を進めやすい編集となっています。そして、最新の令和6年の問題（72問）は②に「本試験にチャレンジ」として、本試験形式で掲載しています。また、全設問肢解説付きで、できるだけ図・表を配置して視覚からも理解をすることができる内容になっています。

すなわち、本書は、単に「解くだけの問題集」ではなく、「読んで理解する問題集」、「項目別の出題傾向を把握する問題集」でもあるべき、という主旨で作成されています。

合格のために必要なのは、なんといっても「繰り返し」です。「繰り返し」によって問題の解き方が徐々に身についてくるとともに、新たな発見があり、学習の楽しみが湧いてくるものです。

本試験までに本書を繰り返し解くことが、合理的で、かつ、効果的な学習方法であり、合格への最短距離となります。

本書の内容を繰り返し学習することで、試験における項目別の出題内容を理解し、一次試験に合格されますよう、心よりお祈り申し上げます。

日建学院教材研究会

令和7年度版
1級建築施工管理技士　一次問題解説集②

═══ 目　次 ═══

5　法　　規

本書の特徴と活用方法

●特　徴

① 出題傾向を把握できるよう、過去6年間の出題を、分野別に分類して①②の2分冊に編集しています（最新の問題は②に本試験形式で掲載しています）。

② 問題の難易度によって、**A～C**の3ランクに分類しています。

ランク	難　易　度
A 基本問題	比較的易しい問題で、類題も多く出題されている。 確実に解答できなければならない問題。
B 標準問題	多少難解で、正解するには応用力を必要とする。 出題頻度が高く、今後においても出題が考えられる問題。
C 難解問題	難解な問題で、正解するには幅広い知識と応用を必要とする問題。

③ 最新の法改正・基準改定に対応した内容としています。

●学習方法

　試験に合格するためには、試験傾向を把握し、過去問題は確実に正解する必要があります。そこで限られた時間内に必要な情報を効率よく習得できるよう、次のような学習方法を実施して下さい。

① 問題は解答肢を選択するだけではなく、全ての設問肢について解説を読み、何度も出題されている設問肢については、マーキングしておきましょう。

② 特に間違った設問肢については、どこを理解していなかったのかを解説でしっかりと確認しましょう。

③ 解答肢の丸暗記はしないようにしましょう。また、関連する事項や手順なども把握するようにしましょう。

④ 問題を1問でも多く把握するために、とにかく問題を解く時間をつくりましょう。

⑤ 「問題番号の左」、「解説肢番号の左」に＊のある設問は、今後の出題があまり考えられない、または、難解で学習効率が低く、試験対策として重要でない事項です。学習においては、深入りする必要はありません。

⑥ その他、問題の見出し他は、次の通りです。

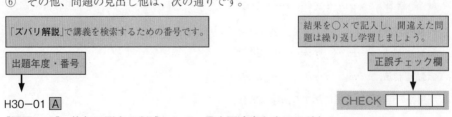

| 「ズバリ解説」で講義を検索するための番号です。 | | 結果を○×で記入し、間違えた問題は繰り返し学習しましょう。 |

| 出題年度・番号 | | 正誤チェック欄 |

H30-01 A　　　　　　　　　　　　　　　　　　CHECK ☐☐☐☐☐

【問題　1】 換気に関する記述として、**最も不適当なもの**はどれか。

出題年度・問題解説集番号　対応表

出題番号	R05	R04	R03	R02	R01	H30
40	4	13	5			
41	7	8	9			
42	77	16	78			
43	26	29	27			
44	32	1	34			
45	39	33	40			
46	42	47	43	14	6	15
47	70	50	71	10	11	12
48	56	67	57	17	20	21
49	60	110	61	18	22	23
50	103	82	105	19	24	25
51	181	104	185	79	80	81
52	88	182	89	30	28	31
53	179	86	180	35	2	3
54	93	99	94	36	37	38
55	113	130	114	48	41	49
56	117	115	116	44	45	46
57	119	118	120	51	59	52
58	122	125	121	53	54	55
59	126	123	124	72	69	73
60	129	127	128	62	58	64
61	131	136	132	68	63	66

出題番号	R05	R04	R03	R02	R01	H30
62	135	139	148	75	65	76
63	142	146	143	111	74	112
64	149	150	151	83	84	85
65	155	156	157	106	107	108
66	166	163	161	183	186	184
67	170	167	171	90	91	92
68	173	174	175	102	87	101
69	190	187	191	96	95	97
70	199	202	200	100	98	109
71	205	193	206	137	133	138
72	196	208	197	140	134	141
73				147	144	145
74				152	153	154
75				158	159	160
76				164	162	165
77				168	172	169
78				176	177	178
79				188	192	189
80				203	201	204
81				194	207	195
82				209	198	210

試験問題の構成

　試験問題は**4肢択一式**（一部：**5肢択一式**）の出題となっています。

　午前の試験問題は、建築学等の分野から出題され、午後の試験問題は、施工管理法と法規から出題されています。**建築学の一部と共通と施工管理法**の分野は、**全問**解答しなければなりませんが、**建築学・施工及び法規**は、**選択**解答となっています。

試験問題の構成

分野別区分			出題数と解答数		試験時間
区分	細分	細目	出題数	解答数	
建築学等	建築学	計画原論 一般構造	6	6	午前 2時間30分
		構造力学 建築材料	9	6	
	共通	設備関係 契約関係 その他	5	5	
	施工	躯体工事	10	8	
		仕上工事	10	7	
施工管理法		施工計画	4	4	午後 2時間00分
		施工計画 工程管理 品質管理 安全管理	6	6	
		応用能力（5肢択一）	10	10	
法規		建築基準法 建設業法 労働基準法 労働安全衛生法 その他関連法規	12	8	
計			72	60	

注）　**選択問題**は、**余分**に**解答**すると**減点**されます。

日建学院の動画を使った オンライン学習システム ズバリ解説

ネット学習なので、いつでも、どこでも、何度でも、自分のペースで受講できる！

一次問題解説集に掲載している問題について、解答までしっかり解説した「映像講義」が視聴できるシステム。理解し難い内容も、日建学院の合格ノウハウが凝縮された「映像」で視覚的に理解！期間中何度でも視聴でき、必要な解説だけをピンポイントで検索も可能。苦手分野の克服など、効率的な学習を全面的にサポート！

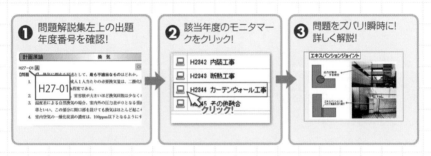

❶ 問題解説集左上の出題年度番号を確認！

❷ 該当年度のモニタマークをクリック！

❸ 問題をズバリ!瞬時に!詳しく解説！

※お申込みの前に、必ず視聴に必要なネットワーク環境等をご確認ください！
https://www.ksknet.co.jp/nikken/guidance/check2/index.aspx

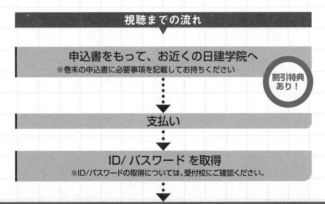

視聴までの流れ

申込書をもって、お近くの日建学院へ
※巻末の申込書に必要事項を記載してお持ちください

割引特典あり！

支払い

ID/ パスワード を取得
※ID/パスワードの取得については、受付校にご確認ください。

ログインして視聴開始＝学習スタート！
※2025 年 4 月下旬〜2025 年 7 月下旬まで視聴可能です

申 込 み 期 限 2025年 6 月 5 日 (木)

4

施工管理法

※ 20問出題され、全問を解答する。

R04-44 A　　　　　　　　　　　　　　　　　CHECK ☐☐☐☐☐

【問題　1】　建築工事における工期と費用に関する一般的な記述として、**最も不適当なも**
　　　　　　のはどれか。

　1.　直接費が最小となるときに要する工期を、ノーマルタイム(標準時間)という。

　2.　工期を短縮すると、間接費は増加する。

　3.　どんなに直接費を投入しても、ある限度以上には短縮できない工期を、クラッシュ
　　　タイム(特急時間)という。

　4.　総工事費は、工期を最適な工期より短縮しても、延長しても増加する。

■■■■　解説　■■■■

1.　直接費が**最小**となるときに要する工期を、
　　ノーマルタイム(標準時間)という。

2.　**間接費**は、工期の短縮によって完成が**早**
　　くなれば、その分**減少する**。

3.　どんなに費用をかけても作業時の短縮に
　　は限度があり、その限界の作業時間のこ
　　とを**クラッシュタイム**という。**特急時間**
　　ともいう。

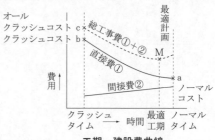

工期・建設費曲線

4.　**総工事費**は、**直接費**と**間接費**とを合わせた費用であり、工期を最適な工期より短縮す
　　ると、直接費の増加が大きくなるため総工事費は増加する。また、最適な工期を超え
　　て延長すると間接費が工期に比例し増えるため、総工事費は増加する。

R01−53 A

【問題　2】　建築工事の工期と費用の一般的な関係として、**最も不適当なもの**はどれか。

1. 工期を短縮すると、直接費は増加する。
2. 工期を短縮すると、間接費は増加する。
3. 直接費と間接費の和が最小となるときが、最適な工期となる。
4. 総工事費は、工期を最適な工期より短縮しても、延長しても増加する。

■■■■　解説　■■■■

1. **直接費**は、**工期**が短くなれば、残業や応援を頼むことが多くなり**増加**する。
2. **間接費**は、**工期の短縮**によって完成が早くなれば、その分**減少**する。
3. **最適工期**とは、経済速度で工事の施工を行う最も経済的な工期であり、直接費と間接費とを合わせた**総工事費**が最小になるときの工期である。
4. **総工事費**は、**直接費**と**間接費**とを合わせた費用であり、工期を最適な工期より短縮すると、直接費の増加が大きくなるため総工事費は増加する。また、最適な工期を超えて延長すると間接費が工期に比例し増えるため、総工事費は増加する。

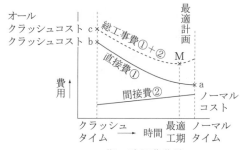

工期・建設費曲線

正答　2

CHECK ☐☐☐☐☐

【問題　3】　突貫工事になると工事原価が急増する原因として、**最も不適当なもの**はどれか。

1. 材料の手配が施工量の急増に間に合わず、労務の手待ちが生じること。
2. １日の施工量の増加に伴い、労務費が施工量に比例して増加すること。
3. 一交代から二交代、三交代へと１日の作業交代数の増加に伴う現場経費が増加すること。
4. 型枠支保工材、コンクリート型枠等の使用量が、施工量に比例的でなく急増すること。

■ **解説** ■

1. 施工量が急に増加することにより、材料の手配が間に合わなくなると、作業員の労務の手待ちが生じたり、高価な材料を買わざるを得なくなる。
2. **歩増し**、**残業手当**、**深夜手当**等の支給により、施工量に比例的でない賃金方式を採用せざるを得ないため、**工事原価**が急増する原因となる。
3. 一交代から二交代、三交代へと一日の作業交代数の増加による現場経費等の**固定費**の**増加**のため、**工事原価**が急増する原因となる。
4. 型枠等の消耗役務材料の使用量は、施工量に比例して増加するのではなく、型枠材や支保工材の転用回数等の減少により、**施工量は比例的でなく急増する**。

正答　2

施工管理法

R05-40 A　　　　　　　　　　　　　　　　　CHECK ☐☐☐☐☐

【問題　4】　事前調査や準備作業に関する記述として、**最も不適当なもの**はどれか。

1. 地下水の排水計画に当たり、公共下水道の排水方式の調査を行った。
2. タワークレーン設置による電波障害が予想されたため、近隣に対する説明を行って了解を得た。
3. ベンチマークは、移動のおそれのない箇所に、相互にチェックできるよう複数か所設けた。
4. コンクリートポンプ車を前面道路に設置するため、道路使用許可申請書を道路管理者に提出した。

■■■■　解説　■■■■■■■■■■■■■■■■■■■■■■■■■■■■■■■■■■■■■

1. 建設工事で地下水の排水に**公共下水道**を使用する場合、**公共ますの有無**、**排水能力**、**公共下水道の径**、**勾配**、**周囲の使用状況**などを調査する。

2. **鉄骨工事計画**では、**交通規制**、**周辺の埋設物**、**架空電線**、**電波障害**等を検討し、鉄骨の搬入、クレーンの機種、施工方法等の選定の資料とする。

3. **ベンチマーク**は、敷地付近の移動のおそれのない箇所に**2箇所以上**設ける。

ベンチマーク

4. 道路で工事若しくは作業をしようとする者又は、その請負人は、**道路使用許可申請書を警察署長**に提出する。

R03-40 A

CHECK ☐☐☐☐☐

【問題　5】　建築工事における事前調査や準備作業に関する記述として、**最も不適当なも**のはどれか。

1. 山留め計画に当たり、設計による地盤調査は行われていたが、追加のボーリング調査を行った。

2. 地下水の排水計画に当たり、公共下水道の排水方式の調査を行った。

3. コンクリート工事計画に当たり、コンクリートポンプ車を前面道路に設置するため、道路使用許可申請書を道路管理者に提出した。

4. 鉄骨工事計画に当たり、タワークレーンによる電波障害が予想されるため、近隣に対する説明を行って了解を得た。

解説

1. 根切り、山留め工事の計画に対して設計時の地盤調査が不十分な場合は、ボーリング箇所の追加、試験項目の追加等を行う。

2. 建設工事で地下水の排水に**公共下水道**を使用する場合、**公共ますの有無**、**排水能力**、**公共下水道の径**、**勾配**、**周囲の使用状況**などを調査する。

3. 道路で工事若しくは作業をしようとする者又は、その請負人は、**道路使用許可申請書を警察署長**に提出する。

4. **鉄骨工事計画**では、**交通規制**、**周辺の埋設物**、**架空電線**、**電波障害**等を検討し、鉄骨の搬入、クレーンの機種、施工方法等の選定の資料とする。

正答　3

R01－46 A   CHECK ☐☐☐☐☐

【問題　6】　建築工事における事前調査に関する記述として、**最も不適当なもの**はどれか。

1.　鉄骨工事の計画に当たり、周辺道路の交通規制や架空電線について調査した。

2.　セメントによって地盤改良された土の掘削に当たり、沈砂槽を設置して湧水を場外へ排水することとしたため、水質調査を省略した。

3.　解体工事の計画に当たり、近隣建物の所有者の立会いを得て、近隣建物の現状について調査した。

4.　工事車両出入口、仮囲い及び足場の設置に伴う道路占用の計画に当たり、歩道の有無と道路幅員について調査した。

■　解説

1.　**鉄骨工事計画**では、交通規制、周辺の埋設物、架空電線、電波障害等を検討し、鉄骨の搬入、クレーンの機種、施工方法等の選定の資料とする。

2.　工事現場から沈砂槽を設置して、場外に排水する場合でも、公共用水域に排出されるものはpH5.8以上8.6以下、海域に排出されるものはpH5.0以上9.0以下とされているので、**水質調査を行った上で**排水しなければならない。

3.　**解体工事**に実施により、近接建物や境界構造物に被害を与えることのないように、敷地境界や解体建物との**位置関係**を調査する。**近接建物の状態**や水平・垂直度、ひび割れの状態、建具の状態なども事前に調査しておくことにより、無用のトラブルを防止することができる。

4.　工事用の**車両出入口計画**では、前面道路の**幅員及び交通量、交差点の位置、電柱の位置**を確認し、通行人の安全や交通の妨げにならない位置に設置する。

正答　2

R05-41 A

【問題　7】　仮設設備の計画に関する記述として、**最も不適当なもの**はどれか。

1. 作業員の仮設男性用小便所数は、同時に就業する男性作業員40人以内ごとに1個を設置する計画とした。

2. 工事用電気設備の建物内幹線の立上げは、上下交通の中心で最終工程まで支障の少ない階段室に計画した。

3. 仮設電力契約は、工事完了まで変更しない計画とし、短期的に電力需要が増加した場合は、臨時電力契約を併用した。

4. 仮設の給水設備において、工事事務所の使用水量は、1人1日当たり50Lを見込む計画とした。

━━━　解説　━━━

1. 作業員の**仮設男性用小便所**の数は、同時に就業する男性作業員30人以内ごとに1個以上設置する。大便所の数は、同時に就業する男性作業員60人以内ごとに1個以上設置する。

2. 建物内部では、仕上げ工事などの支障のない場所を選択して幹線を配線し、地下階、地上階の使用場所まで供給する。

3. 電力会社との電気供給の契約は1年以上が必須だが、1年に満たない工事契約による仮設電気源では、1年以上の契約をできない。状況において、割高になるが短い期間での供給に対応するため臨時電力契約する。

4. 仮設の給水設備において、工事事務所の**使用水量**は、飲料水として30l/人・日、雑用水として10〜20l/人・日であり、計40〜50l/人・日を見込む。

施工計画 　　　　　　仮設計画

【問題　8】　仮設設備の計画に関する記述として、**最も不適当なもの**はどれか。

1. 工事用の動力負荷は、工程表に基づいた電力量山積みの50％を実負荷とする計画とした。

2. 工事用の給水設備において、水道本管からの供給水量の増減に対する調整のため、2時間分の使用水量を確保できる貯水槽を設置する計画とした。

3. アースドリル工法による掘削に使用する水量は、1台当たり$10m^3$/hとして計画した。

4. 工事用電気設備のケーブルを直接埋設するため、その深さを、車両その他の重量物の圧力を受けるおそれがある場所を除き60cm以上とし、埋設表示する計画とした。

■■　解説　■■

1. 工事用の**動力負荷**は、工事用電力量の山積みの60％を実負荷として最大使用電力量を決定する。

2. 工事用の給水設備において、水道本管からの供給水量の増減に対する調整とポンプの負担の軽減のために、**タンク容量**は、1、2時間分の使用量が確保できるものを用意する。

3. 工事用水使用量の参考値を下記に示す。

掘削に使用する水量	
リバースサーキュレーション工法	$30m^3$/時
アースドリル工法	$10m^3$/時
地下連続壁工法	$10m^3$/時
ウェルポイント工法	$25m^3$/時

4. 工事用電気設備のケーブルを**埋設配管**とする場合の深さは、重量物が通過する道路下は1.2m以上、その他は0.6m以上に埋設し、埋設表示する。

R03-41 A

【問題　9】　仮設設備の計画に関する記述として、**最も不適当なもの**はどれか。

1. 必要な工事用使用電力が60kWのため、低圧受電で契約する計画とした。

2. 工事用使用電力量の算出において、コンセントから使用する電動工具の同時使用係数は、1.0として計画した。

3. 作業員の洗面所の数は、作業員45名当たり3連槽式洗面台1台として計画した。

4. 仮設の給水設備において、工事事務所の使用水量は、1人1日当たり50Lを見込む計画とした。

解説

1. 工事用電力の申し込みは、使用電力により、契約電力が**50kW未満の場合は低圧受電、50kW以上2,000kW未満の場合は高圧受電**、2,000kW以上の場合は特別高圧受電となる。

契約電力	供給電力
50kW未満	低圧（100V、200V）
50kW以上	**高圧（6kV、3kV）**
2,000kW以上	特別高圧（20kV、30kV、60kV）

2. 工事用使用電力量の算出に用いる蛍光灯・投光器・電灯等の**照明器具の同時使用係数**は、1.0とする。

3. 洗面所はユニット式が利用され、流し台は連槽式、全槽式の2種類がある。**3連槽式1台で作業員45名程度**の目安で設置する。

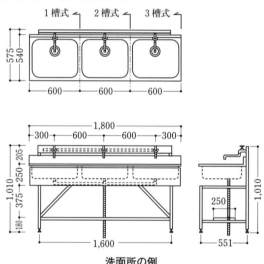

洗面所の例

4. 仮設の給水設備において、**工事事務所の使用水量は、飲料水として30***l***/人・日、雑用水として10〜20***l***/人・日**であり、計40〜50***l***/人・日を見込む。

R02-47 A

【問題　10】　仮設設備の計画に関する記述として、**最も不適当なもの**はどれか。

1. 工事用の給水設備において、水道本管からの供給水量の増減に対する調整のため、2時間分の使用水量を確保できる貯水槽を設置する計画とした。

2. 工事用の溶接用ケーブル以外の屋外に使用する移動電線で、使用電圧が300Vのものは、1種キャブタイヤケーブルを使用する計画とした。

3. 作業員の仮設便所において、男性用大便所の便房の数は、同時に就業する男性作業員が60人ごとに、1個設置する計画とした。

4. 工事用の照明設備において、普通の作業を行う作業面の照度は、150ルクスとする計画とした。

■ 解説

1. 工事用の給水設備において、水道本管からの供給水量の増減に対する調整とポンプの
   負担の軽減のために、タンク容量は、1、2時間分の使用量が確保できるものを用意
   する。

2. 屋内または屋外に施設する使用電圧が**300V以下の移動電線**は、溶接用ケーブルを使
   用する場合を除き、**1種**キャブタイヤケーブルおよび**ビニル**キャブタイヤケーブル以
   外のキャブタイヤケーブルであること。

3. 作業員の**仮設男性用大便所**の便房の数は、同時に就業する男性作業員60人以内ごと
   に1個以上設置する。

4. 仮設の照明設備において、常時就業させる普通作業の**作業面照度**は150lx以上、精密
   作業の作業面照度は300lx以上とする。

正答 2

R01−47 B

【問題　11】　仮設設備の計画に関する記述として、**最も不適当なもの**はどれか。

1. 女性作業員用の仮設便房数は、同時に就業する女性作業員20人以内ごとに1個を設置する計画とした。

2. 工事用使用電力量の算出に用いる、コンセントから使用する電動工具の同時使用係数は、1.0として計画した。

3. 工事用使用電力が60kW必要となったため、低圧受電で契約する計画とした。

4. アースドリル工法による掘削に使用する水量は、1台当たり10m³/hとして計画した。

**　　解説**

1. 事業者は、次に定めるところにより便所を設けなければならない。ただし、坑内等特殊な作業場でこれによることができないやむを得ない事由がある場合で、適当な数の便所又は便器を備えたときは、この限りでない。

①男性用と女性用に区別すること。

②**男性用大便所**の便房の数は、同時に就業する**男性労働者60人以内**ごとに1個以上とすること。

③**男性用小便所**の箇所数は、同時に就業する**男性労働者30人以内**ごとに1個以上とすること。

④女性用便所の便房の数は、同時に就業する女性労働者20人以内ごとに1個以上とすること。

⑤便池は、汚物が土中に浸透しない構造とすること。

⑥流出する清浄な水を十分に供給する手洗い設備を設けること。

2. 工事用使用電力量の算出に用いる蛍光灯・投光器・電灯等の照明器具やコンセントから使用する電動工具の**同時使用係数**は、1.0とする。

使用電力量算出の同時使用係数

機　　器	係　　数
電 動 工 具 照 明 器 具	0.70～1
全自動溶接機	0.75～1
アーク溶接機	0.2 ～1

3. 工事用電力の申し込みは、使用電力により、契約電力が50kW未満の場合は低圧受電、50kW以上2,000kW未満の場合は高圧受電、2,000kW以上の場合は特別高圧受電となる。

契約電力	供給電力
50kW未満	低圧（100V、200V）
50kW以上	高圧（6 kV、3 kV）
2,000kW以上	特別高圧（20kV、30kV、60kV）

4. 工事用水使用量の参考値を下記に示す。

掘削に使用する水量	
リバースサーキュレーション工法	30m³/時
アースドリル工法	**10m³/時**
地下連続壁工法	10m³/時
ウェルポイント工法	25m³/時

正答　3

H30—47 A

【問題　12】　仮設設備の計画に関する記述として、**最も不適当なもの**はどれか。

1.　工事用の動力負荷は、工程表に基づいた電力量山積みの60％を実負荷とする計画とした。

2.　溶接用ケーブル以外の屋外に使用する移動電線で、使用電圧が300V以下のものは、1種キャブタイヤケーブルを使用する計画とした。

3.　仮設の給水設備において、工事事務所の使用水量は、50リットル／人・日を見込む計画とした。

4.　仮設の照明設備において、普通の作業を行う作業面の照度は、150ルクス以上とする計画とした。

■■■■ 解説 ■■■■

1.　工事用の**動力負荷**は、**工事用電力量**の山積みの60％を実負荷として最大使用電力量を決定する。

2.　屋内または屋外に施設する使用電圧が**300V以下の移動電線**は、溶接用ケーブルを使用する場合を除き、1種キャブタイヤケーブルおよびビニルキャブタイヤケーブル**以外のキャブタイヤケーブル**であること。

3.　仮設の給水設備において、工事事務所の**使用水量**は、飲料水として30l／人・日、雑用水として10〜20l／人・日であり、計40〜50l／人・日を見込む。

4.　仮設の照明設備において、常時就業させる普通作業の**作業面照度**は150lx以上、精密作業の作業面照度は300lx以上とする。

正答　2

R04−40 A　　　　　　　　　　　　　　CHECK ☐☐☐☐☐

【問題　13】　仮設計画に関する記述として、**最も不適当なもの**はどれか。

1. 仮設の照明設備において、常時就業させる場所の作業面の照度は、普通の作業の場合、100ルクス以上とする計画とした。

2. 傾斜地に設置する仮囲いの下端の隙間を塞ぐため、土台コンクリートを設ける計画とした。

3. 前面道路に設置する仮囲いは、道路面を傷めないようにするため、ベースをH形鋼とする計画とした。

4. 同時に就業する女性労働者が25人見込まれたため、女性用便房を2個設置する計画とした。

━━━━　解説　━━━━

1. 仮設の照明設備において、常時就業させる普通作業の**作業面照度**は、**150lx以上**、精密作業の作業面照度は、**300lx以上**とする。

2. 傾斜している道路等に設置する**仮囲い**で、下端に隙間が生じる時は、木製の幅木を取付けたり、コンクリートを打つなどして、**隙間**を塞ぐ。

3. 仮囲い鋼板の設置場所に杭打ちや掘削等が出来ず、地面に骨組みを固定できない前面道路に設置する**仮囲い**は、道路面を傷めないようにするため、**ベースをH鋼材等の重量物**とする。

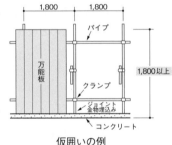

仮囲いの例

4. 事業者は、**女性用便所**の便房の数は、同時に就業する女性労働者20人以内ごとに**1個以上**とする。女性用便房を2個設置するのは、適切である。

正答　1

R02-46 A

【問題　14】　仮設計画に関する記述として、**最も不適当なもの**はどれか。

1. 塗料や溶剤等の保管場所は、管理をしやすくするため、資材倉庫の一画を不燃材料で間仕切り、設ける計画とした。

2. ガスボンベ類の貯蔵小屋は、通気を良くするため、壁の1面を開口とし、他の3面は上部に開口部を設ける計画とした。

3. 工事で発生した残材を高さ3mの箇所から投下するため、ダストシュートを設けるとともに、監視人を置く計画とした。

4. 前面道路に設置する仮囲いは、道路面を傷めないようにするため、ベースをH形鋼とする計画とした。

■■■　解説　■■■

1. 仮設の塗料置場、ボンベ置場等の**危険物貯蔵庫**は、他の倉庫や作業員詰所と**離れた場所**に設け、鉄板等の**不燃構造**とし、消防法等の関係法令の規定に準拠したものとする。

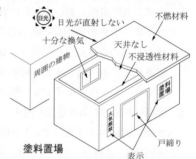

塗料置場

2. **ボンベ類の貯蔵小屋**は、通気のため、壁の**1面は開口**とし、**他の3面の壁は上部に開口部**を設ける。

3. **ダストシュート**は、落下物に対する防護対策であり、工事現場の境界線から水平距離が5m以内、かつ高さ3m以上の場所からごみなどを投下する場合、飛散防止対策として設けるものである。

4. 仮囲い鋼板の設置場所に杭打ちや掘削等ができず、地面に骨組みを固定できない前面道路に設置する仮囲いは、道路面を傷めないようにするため、ベースをH鋼材等の重量物とする。

正答　1

H30-46 A　　　　　　　　　　　　　　　　　　　CHECK ☐☐☐☐☐

【問題　15】　仮設計画に関する記述として、**最も不適当なもの**はどれか。

1. 塗料や溶剤等の保管場所は、管理をしやすくするため、資材倉庫の一画を不燃材料で間仕切り、設ける計画とした。

2. ガスボンベ類の貯蔵小屋は、壁の1面を開口とし、他の3面は上部に開口部を設ける計画とした。

3. 工事で発生した残材を、やむを得ず高所から投下するので、ダストシュートを設ける計画とした。

4. 仮囲いは、工事現場の周辺や工事の状況により危害防止上支障がないので、設けない計画とした。

■■■■　**解説**　■■■

1. 仮設の塗料置場、ボンベ置場等の危険物貯蔵庫は、他の倉庫や作業員詰所と**離れた場所**に設け、鉄板等の**不燃構造**とし、消防法等の関係法令の規定に準拠したものとする。

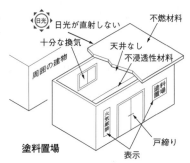

塗料置場

2. **ボンベ類の貯蔵小屋**は、通気のため、壁の**1面**は**開口**とし、他の**3面**の壁は上部に開口部を設ける。

3. **ダストシュート**は、落下物に対する防護対策であり、工事現場の境界線から水平距離が5m以内、かつ高さ3m以上の場所からごみなどを投下する場合、飛散防止対策として設けるものである。

4. **仮囲い**と**同等以上の効力**を有する他の囲いがある場合又は工事現場の周辺若しくは工事の状況により危害防止上支障がない場合においては、**設けなくてもよい**。

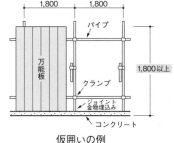

仮囲いの例

正答　1

R04-42 Ａ

CHECK ☐☐☐☐☐

【問題　16】　施工計画に関する記述として、**最も不適当な**ものはどれか。

1.　コンクリート躯体工事において、現場作業の削減と能率向上により工期短縮が図れるプレキャストコンクリート部材を使用する計画とした。

2.　大規模、大深度の工事において、工期短縮のため、地下躯体工事と並行して上部躯体を施工する逆打ち工法とする計画とした。

3.　鉄骨工事において、施工中の粉塵の飛散をなくし、被覆厚さの管理を容易にするため、耐火被覆をロックウール吹付け工法とする計画とした。

4.　既製杭工事のプレボーリング埋込み工法において、支持層への到達の確認方法として、掘削抵抗電流値と掘削時間を積算した積分電流値を用いる計画とした。

■■■　解説　■■■

1.　**プレキャストコンクリート**は、あらかじめ工場で製造した鉄筋コンクリート部材の総称である。プレキャストコンクリート部材を使用すると、現場作業の削減と能率向上により**工期短縮**が図れる。

2.　**逆打ち工法**は、１階床から地上階と地下階の工事を並行して施工できるため、全体の工期が**短縮**できる。

3.　鉄骨造建築物に対する耐火被覆材料として最も普及しているのは、**吹付けロックウール**であるが、**粉塵飛散**は多い。

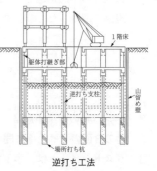

逆打ち工法

4.　支持層の確認判断基準

　　・等深線図と掘削深さの比較　・**電流値・積分電流値の変化**　・土質の確認

　　・機械の振動　・オーガー駆動用電動機の音の変化　・支持層の掘削長

正答　3

R02-48 A

【問題　17】　施工計画に関する記述として、**最も不適当なもの**はどれか。

1. 鉄骨工事において、建方精度を確保するため、建方の進行とともに、小区画に区切って建入れ直しを行う計画とした。

2. 大規模、大深度の工事において、工期短縮のため、地下躯体工事と並行して上部躯体を施工する逆打ち工法とする計画とした。

3. 鉄筋工事において、工期短縮のため、柱や梁の鉄筋を先組み工法とし、継手は機械式継手とする計画とした。

4. 鉄骨工事において、施工中の粉塵の飛散をなくし、被覆厚さの管理を容易にするため、耐火被覆はロックウール吹付け工法とする計画とした。

━━━━━　解説　━━

1. **建入れ直し**は、建方精度の確保のために行うが、建方が全て終った後に行ったのでは十分な修正が難しいので、建方の進行とともに、できるだけ**小区画**に区切って行う。

2. **逆打ち工法**は、1階床から地上階と地下階の工事を併行して施工できるため、全体の工期が短縮できる。

3. 鉄筋工事の継手は、ガス圧接より機械式継手のほうが工期短縮になる。

4. 鉄骨造建築物に対する耐火被覆材料として最も普及しているのは、**吹付けロックウール**であるが、**粉塵飛散**は多い。

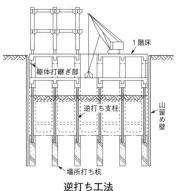

逆打ち工法

正答　4

R02-49 A

【問題　18】　躯体工事の施工計画に関する記述として、**最も不適当なもの**はどれか。

1. 場所打ちコンクリート杭工事において、安定液を使用したアースドリル工法の1次孔底処理は、底ざらいバケットにより行うこととした。

2. 鉄骨工事において、板厚が13mmの部材の高力ボルト用の孔あけ加工は、せん断孔あけとすることとした。

3. ガス圧接継手において、鉄筋冷間直角切断機を用いて圧接当日に切断した鉄筋の圧接端面は、グラインダー研削を行わないこととした。

4. 土工事において、透水性の悪い山砂を用いた埋戻しは、埋戻し厚さ300mmごとにランマーで締め固めながら行うこととした。

━━━ **解説** ━━━

1. **アースドリル工法**のスライム処理は、一次処理として**底ざらいバケット**により行う。バケットは杭径より10cm小さいものを用い、バケットの昇降によって孔壁が崩壊することのないよう緩やかに行う。

2. 高力ボルト用の**孔あけ加工**は、板厚には関係なく、**ドリルあけ**とする。高力ボルト以外のボルト、アンカーボルト、鉄筋貫通孔はドリルあけを原則とするが、板厚が13mm以下のときは、せん断孔あけとすることができる。

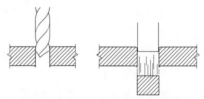

ドリルあけ　　　**せん断あけ**
　　　　　　　　　　（板厚≦13mm）

3. 鉄筋の圧接端面は、接合時に完全な金属肌でなければならず、圧接作業の当日に、圧接端面を鉄筋冷間直角切断機で切断するか、又はグラインダー研削のどちらかを行う。

4. 上から単に水を流すだけでは締固めが不十分な透水性の悪い山砂を用いる場合は、厚さ30cm程度ごとにローラー、ランマーなどで締め固めるとともに**水締め**を行う。振動や衝撃を加えることによって締固め効果を高めることができる。

R02-50 A

【問題　19】 仕上工事の施工計画に関する記述として、**最も不適当なもの**はどれか。

1. 改質アスファルトシート防水トーチ工法において、露出防水用改質アスファルトシートの重ね部は、砂面をあぶって砂を沈め、100mm重ね合わせることとした。

2. メタルカーテンウォール工事において、躯体付け金物は、鉄骨躯体の製作に合わせてあらかじめ鉄骨製作工場で取り付けることとした。

3. タイル工事において、改良圧着張り工法の張付けモルタルの1回の塗付け面積は、タイル工1人当たり4㎡とすることとした。

4. 塗装工事において、亜鉛めっき鋼面の化成皮膜処理による素地ごしらえは、りん酸塩処理とすることとした。

■　解説

1. 改質アスファルトシート防水トーチ工法において、シート相互の**重ね幅は100mm以**上とし溶融したアスファルトが重ね部からはみ出す程度とする。

2. メタルカーテンウォール工事において、躯体付け金物は、鉄骨部材へ溶接固定する場合は、本体鉄骨の製作に合わせてあらかじめ鉄骨工場で行う。

3. **改良圧着張りの張付けモルタル**は、下地側に4～6mmの厚さに、タイル裏面全面に1～3mmの厚さに平らに均し塗り付ける。張付けモルタルの**1回の塗付け面積**の限度は、張付けモルタルに触れると手に付く状態のままタイル張りが完了できることとし、**2㎡/人以内**とする。

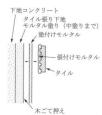

下地コンクリート
タイル張り下地
モルタル塗り（中塗りまで）
塗付けモルタル
張付けモルタル
タイル
木ごて押え

4. 亜鉛めっき鋼面の化成皮膜処理は、りん酸塩化成皮膜やクロム酸塩化成皮膜を形成させ、防食効果を高めて塗料の付着性を向上させる。

正答　**3**

*【問題　20】　鉄筋コンクリート造建築物の躯体解体工事の施工計画に関する記述として、**最も不適当なもの**はどれか。

1. 階上作業による解体では、外壁を残しながら中央部分を先行して解体することとした。

2. 階上作業による解体では、解体重機の移動にコンクリート塊を集積したスロープを利用するため、解体重機と合わせた最大荷重に対して補強することとした。

3. 地上作業による解体では、作業開始面の外壁から1スパンを上階から下階に向かって全階解体し、解体重機のオペレーターの視界を確保することとした。

4. 地上外周部の転倒解体工法では、1回の転倒解体を高さ2層分とし、柱3本を含む2スパンとした。

■■■■　解説　■■■■

1. 基本的に外壁を残しながら**中央部分**の解体を**先行**する。こうすることにより、外周方向への飛散物の減少や騒音拡散の防止を図りながら作業することが可能になる。

2. 解体機械を上の階から下の階に自走させて移動するのに、床上に解体コンクリート塊を積み上げて斜路とした場合、この部分の梁・スラブにはコンクリート塊と解体重機が同時に載荷されるため、大きな応力が発生する。必要に応じて仮設支柱で補強するなどの安全対策を計画時点で講じる必要がある。

3. 圧砕機の地上作業による解体作業では、必要部分に養生足場を仮設し、防音パネルなどの養生材を取り付け、作業開始面の外壁を**上階**から**下階**に向かって全階解体し、圧砕機オペレータの視界を確保する。

4. 外壁の転倒解体工法において、転倒体の**高さ**は原則として**1階分（1層分）**とし、幅は柱2〜3本を含む1〜2スパン程度とするのが望ましい。転倒作業に際しては、あらかじめ一定の合図を定め、関係作業者に周知させ、転倒作業は、他の作業者が避難したことを確認した後に行う。

*【問題　21】　5階建鉄筋コンクリート造建築物の解体工事の施工計画に関する記述として、**最も不適当なもの**はどれか。

1. 搬出するアスファルト・コンクリート塊及び建設発生木材の重量の合計が200tで
あったため、再生資源利用促進計画を作成しないこととした。

2. 検討用作業荷重は、振動、衝撃を考慮して、解体重機とコンクリート塊の荷重を
1.3倍程度に割り増すこととした。

3. 転倒による解体工法の場合は、倒す壁の大きさや重量に応じて、解体する部材の
大きさを検討し、倒壊時の振動を規制値以内に収めることとした。

4. 解体重機やコンクリート塊を同一の床上に長期間置くので、検討用作業荷重と固
定荷重による各部の応力度は、長期許容応力度以下に収めることとした。

■■■■■　解説　■■■■■

1. 発注者から直接建設工事を請負った建設工事事業者は、次の指定副産物を工事現場か
ら搬出する建設工事を施工する場合、あらかじめ**再生資源利用促進計画**を作成する。
①500m³以上の建設発生土
②**200t以上のコンクリート塊、アスファルト・コンクリート塊又は建設発生木材**

2. 検討用作業荷重は、振動、衝撃を考慮して、解体重機とコンクリート塊の荷重を1.3
倍程度に割り増しをする。

3. 解体作業に伴って発生する振動は、振動規制法や自治体条例などの規制基準以下とし、
かつ、周辺状況に応じた目標値以下とする。

4. 解体重機やコンクリート塊を同一の床上に長期間置く場合は、検討用作業荷重と固定
荷重による各部の応力度は、長期許容応力度以下に収める。

施工管理法

R01-49 B

【問題　22】　鉄筋コンクリート造建築物の耐震補強にかかる躯体改修工事の施工計画に関する記述として、**最も不適当なもの**はどれか。

ただし、dは異形鉄筋の呼び名の数値とする。

1.　壁上部と既存梁下との間に注入するグラウト材の練混ぜにおいて、練上り時の温度が10～35℃となるように、練り混ぜる水の温度を管理することとした。

2.　既存壁に増打ち壁を設ける工事において、シアコネクタを型枠固定用のセパレータとして兼用することとした。

3.　柱の溶接閉鎖フープ巻き工法に用いるフープ筋の継手は、溶接長さが4dの両側フレア溶接とすることとした。

4.　柱の連続繊維補強工法に用いる炭素繊維シートの水平方向の重ね継手は、柱の各面に分散して配置することとした。

解説

1.　**グラウト材**の練り上がりの**温度**は、**10～35℃**の範囲になるように、練り混ぜに用いる水の**温度を10℃以上**になるように管理する。

2.　増打ち壁の場合、既存壁との一体性を増すために、シアコネクタとして既存壁に設置したあと施工アンカーをセパレータに利用することができる。

3.　**溶接閉鎖フープ巻き工法**において、フープ筋の継手は、**溶接長さが片側10d以上のフレア溶接**とする。

フレア溶接

溶接長さ片側10d以上

4.　**炭素繊維シート**の繊維(水平)方向のラップ位置は、柱の各面に分散させることが原則であり、同一箇所、同一面に集中することは構造的な弱点となり、施工欠陥が発生しやすくなる。**ラップ長**は、既存躯体の寸法精度、施工欠陥の発生の可能性等から**200mm以上**とする。

シート貼り補強

ストランド巻き付け補強

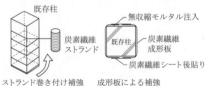

成形板による補強

炭素繊維補強工法

施工管理法

H30−49 B

CHECK ☐☐☐☐☐

*【問題　23】　鉄筋コンクリート造の躯体改修工事の施工計画に関する記述として、**最も不適当なもの**はどれか。

1. 柱のコンクリートが鉄筋位置まで中性化していたため、浸透性アルカリ性付与材を塗布することとした。

2. コンクリートのひび割れ幅が1.0mmを超えていたが、挙動しないひび割れであったため、シール工法を用いることとした。

3. コンクリート表面の欠損深さが30mm以下であったため、ポリマーセメントモルタルによる充填工法を用いることとした。

4. コンクリートの欠損部から露出している鉄筋は、周囲のコンクリートをはつり取り、錆を除去した後に防錆剤を塗布することとした。

■■■■　解説　■■■■

1. 柱のコンクリートが鉄筋位置まで中性化している場合は、浸透性アルカリ性付与材を塗布する。

2. シール工法は、主に0.2mm未満の微細なひび割れ部の改修に用いられる。幅が0.2mm以上1.0mm以下の挙動するひび割れ部及び幅が**1.0mmを超える挙動しないひび割れ部**には、可とう性エポキシ樹脂の**Uカットシール材充てん工法**を用いる。

3. コンクリート表面のはがれ、はく落の発生している欠損部改修において、ポリマーセメントモルタル充填工法は、コンクリート表面のはがれ、はく落が比較的浅い欠損部の改修に適用され、最大仕上げ厚は30mm程度以下とする。また、エポキシ樹脂モルタル充填工法は、比較的深い欠損部の改修に適用され、欠損がさらに大規模な場合は、コンクリートの打ち直しを伴う構造的補強が必要となる。

4. 部分的に露出している鉄筋及びアンカー金物等は、健全部が露出するまでコンクリートをはつり、ワイヤーブラシ等でケレンを行い、錆を除去し、鉄筋コンクリート用防錆剤等を塗り付け防錆処理を行う。

正答　2

R01-50 B　　　　　　　　　　　　　　　　　　CHECK ☐☐☐☐☐

【問題　24】　鉄筋コンクリート造建築物の仕上改修工事の施工計画に関する記述として、**最も不適当なもの**はどれか。

1. 外壁コンクリートに生じた幅が1.0mmを超える挙動しないひび割れは、可とう性エポキシ樹脂を用いたUカットシール材充填工法を用いることとした。

2. タイル張り仕上げ外壁の改修工事において、1箇所の張替え面積が0.2m²であったため、タイル部分張替え工法を用いることとした。

3. 既存合成樹脂塗床面の上に同じ塗床材を塗り重ねるため、接着性を高めるよう、既存仕上げ材の表面を目荒しすることとした。

4. 防火認定の壁紙の張替えは、既存壁紙の裏打紙の薄層の上に防火認定の壁紙を張り付けることとした。

■ 解説 ■

1. 外壁コンクリートに生じた幅が1.0mmを超える挙動しないひび割れは、**可とう性エポキシ樹脂を用いたUカットシール材充填工法**で改修をする。

2. **タイル部分張替え工法**は、タイルの部分的な張替えで、既存の下地モルタル等がある場合及び1箇所当たりの張替え面積が**0.25m²程度以下**の場合に適用する。

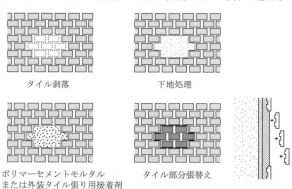

タイル剥落	下地処理

ポリマーセメントモルタル
または外装タイル張り用接着剤　　タイル部分張替え

タイル部分張替え工法

3. 既存仕上材を撤去せずに既存床仕上材と同材質の塗床材で塗重ねを行う場合は、既存仕上材の表面をディスクサンダー等により**目荒し**を行い、接着性を高める。

4. **壁紙の張替え**は、既存の壁紙を残さず**撤去**し、下地基材面を露出させてから新規の壁紙を張り付けなければ防火材料に認定されない。通常壁紙を剥がすときに裏打ち紙が層間はく離して、裏打ち紙の薄層が下地側に張付いたまま残ってしまう。残った裏打ち紙を張り付けている糊を溶解させることで剥がすことができる。

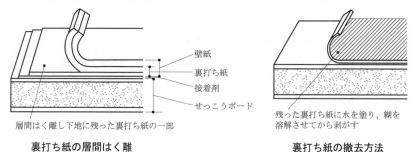

壁紙
裏打ち紙
接着剤
せっこうボード

層間はく離し下地に残った裏打ち紙の一部

残った裏打ち紙に水を塗り、糊を溶解させてから剥がす

裏打ち紙の層間はく離　　　　**裏打ち紙の撤去方法**

既存壁紙の撤去

正答　4

H30−50 B　　　　　　　　　　　　　　　　CHECK ☐☐☐☐☐

【問題　25】　鉄筋コンクリート造建築物の仕上げ改修工事の施工計画に関する記述として、**最も不適当なもの**はどれか。

1. 既存アスファルト防水層を存置する防水改修工事において、ルーフドレン周囲の既存防水層は、ルーフドレン端部から150mmまでの範囲を四角形に撤去することとした。

2. モザイクタイル張り外壁の改修工事において、タイルの浮きやはく落が見られたため、繊維ネット及びアンカーピンを併用した外壁複合改修工法を用いることとした。

3. 塗り仕上げの外壁改修工事において、広範囲の既存塗膜と素地の脆弱部を除去する必要があるため、高圧水洗工法を用いることとした。

4. かぶせ工法によるアルミニウム製建具の改修工事において、既存鋼製建具の枠の厚さが1.2mmであったため、既存枠を補強することとした。

■■■　解説　■■■

1. 保護アスファルト工法による陸屋根の保護層を残し改修用ドレンを設けない場合は、ルーフドレン回りの新規防水層をスラブコンクリートに直接300mm程度張り掛けることを考慮し、既存ルーフドレンの周囲の既存防水層の処理に当たっては、**既存ルーフドレン端部から500mm程度の範囲の既存保護層**を四角形に撤去した後、既存ルーフドレン端部から300mm程度の範囲の既存防水層を四角形に撤去する。

2. 劣化したモルタル塗り仕上げ外壁及びタイル張り仕上げ外壁等の改修方法として繊維ネット及びアンカーピンを併用した**外壁複合改修工法（ピンネット工法）**がある。この工法は、既存外壁仕上げ層を存置したまま、**アンカーピン**と**繊維ネット**を複合して用いることにより、ピンによる仕上げ層の剥落防止と、繊維ネットによる既存仕上げ層の一体化により安全性を確保しようとするものである。

3. **高圧水洗工法**は、劣化の著しい既存塗膜の除去や素地の脆弱部分の除去に適している。高圧水で物理的な力を加えて塗膜等を除去する工法で、高価であるが塗膜を**全面**的に除去する場合は効率がよい。

4. **かぶせ工法**は、既存建具の外周枠を残し、その上から新規金属製建具を取り付ける工法である。既存建具が鋼製建具の場合は、**枠の厚さが1.3mm以上**残っていなければ適用できないが、板厚が1.3mm未満の場合、1.2mm程度の鋼板又は2.0mm以上のアルミ板で既存枠を補強する。

正答　1

R05-43 Ａ　　　　　　　　　　　CHECK ☐☐☐☐☐

【問題　26】　建築工事に係る届出に関する記述として、「労働安全衛生法」上、誤っているものはどれか。

1.　高さが31mを超える建築物を建設する場合、その計画を当該仕事の開始の日の14日前までに、労働基準監督署長に届け出なければならない。

2.　共同連帯として請け負う際の共同企業体代表者届を提出する場合、当該届出に係る仕事の開始の日の14日前までに、労働基準監督署長を経由して都道府県労働局長に届け出なければならない。

3.　つり上げ荷重が３t以上であるクレーンの設置届を提出する場合、その計画を当該工事の開始の日の14日前までに、労働基準監督署長に届け出なければならない。

4.　耐火建築物に吹き付けられた石綿を除去する場合、その計画を当該仕事の開始の日の14日前までに、労働基準監督署長に届け出なければならない。

解説

1.　**高さ31mを超える建築物**または**工作物**の建設、改造、解体又は破壊の仕事を行う場合は、仕事開始の日の**14日前**までに、**労働基準監督署長**に届け出なければならない。

2.　２以上の建設業の事業者が、１の仕事を**共同連帯**で請け負った場合、そのうちの一人を代表者に選定したとき及び、共同企業体代表者を変更したときは、仕事の開始の日の**14日前**及び、変更したときは、できるだけ早めに所轄の労働基準監督署を経由して管轄の**都道府県労働局**に届け出なければならない。

3.　つり上げ荷重が**3.0t以上**の**クレーン**を設置する場合は、工事の開始の日の**30日前**までに**労働基準監督署長**に届け出なければならない。

4.　**石綿**等を除去する場合、仕事の開始日の**14日前**までに**労働基準監督署長**に届け出なければならない。

R03−43 B

【問題 27】 労働基準監督署長への計画の届出に関する記述として、「労働安全衛生法」上、誤っているものはどれか。

1. 高さが10m以上の枠組足場を設置するに当たり、組立てから解体までの期間が60日以上の場合、当該工事の開始の日の30日前までに、届け出なければならない。

2. 耐火建築物に吹き付けられた石綿を除去する場合、当該仕事の開始の日の14日前までに、届け出なければならない。

3. 掘削の深さが10m以上の地山の掘削の作業を労働者が立ち入って行う場合、当該仕事の開始の日の30日前までに、届け出なければならない。

4. 高さが31mを超える建築物を解体する場合、当該仕事の開始の日の14日前までに、届け出なければならない。

解説

1. 事業者は、足場の高さが10m以上（吊足場、張出し足場は高さに関係なく）で、組立から解体までの期間が60日以上のものを設置する場合は、「足場の組立て・解体計画届」を組立て開始の日の30日前までに労働基準監督署長に提出しなければならない。

2. 石綿等を除去する場合、仕事の開始日の14日前までに労働基準監督署長に届け出なければならない。

3. 掘削の高さ又は深さが10m以上の地山の掘削作業を労働者が立ち入って行う場合は、仕事の開始の日の14日前までに労働基準監督署長に届け出なければならない。

4. 高さ31mを超える建築物または工作物の建設、改造、解体又は破壊の仕事を行う場合は、仕事開始の日の14日前までに、労働基準監督署長に届け出なければならない。

施工計画　　　　　　　申請・届出

R01－52 A

【問題　28】　労働基準監督署長への計画の届出に関する記述として、「労働安全衛生法」上、誤っているものはどれか。

1. 積載荷重が0.25t以上でガイドレールの高さが18m以上の建設用リフトを設置する場合は、当該工事の開始の日の30日前までに、届け出なければならない。

2. つり上げ荷重が3t以上のクレーンを設置する場合は、当該工事の開始の日の30日前までに、届け出なければならない。

3. 高さが30mの建築物を解体する場合は、当該仕事の開始の日の30日前までに、届け出なければならない。

4. ゴンドラを設置する場合は、当該工事の開始の日の30日前までに、届け出なければならない。

■■■■　解説　■■

1. 積載荷重が0.25t以上でガイドレールの高さが18m以上の**建設用リフト**の設置届は、工事の開始の日の**30日前**までに**労働基準監督署長**に提出しなければならない。

2. つり上げ荷重が3.0t以上の**クレーン**を設置する場合は、工事の開始の日の**30日前**までに**労働基準監督署長**に届け出なければならない。

3. 高さ31mを超える建築物または工作物の建設、改造、解体又は破壊の仕事を行う場合は、仕事開始の日の**14日前**までに、**労働基準監督署長**に届け出なければならない。また、設問は、高さ30mと31mを超えていないため労働基準監督署長へ届け出なくてよい。

4. **ゴンドラ**を設置する場合は、工事開始の日の**30日前**までに**労働基準監督署長**に届け出なければならない。

正答　3

R04-43 A

【問題　29】 建設業者が作成する建設工事の記録に関する記述として、**最も不適当なもの**はどれか。

1. 過去の不具合事例等を調べ、あとに問題を残しそうな施工や材料については、集中的に記録を残すこととした。

2. デジタルカメラによる工事写真は、黒板の文字や撮影対象が確認できる範囲で有効画素数を設定して記録することとした。

3. 既製コンクリート杭工事の施工サイクルタイム記録、電流計や根固め液等の記録は、発注者から直接工事を請け負った建設業者が保存する期間を定め、当該期間保存することとした。

4. 設計図書に示された品質が証明されていない材料については、現場内への搬入後に行った試験の記録を保存することとした。

■■■■　解説　■■■■

1. 過去の不具合事例等を調べ、後に問題を残しそうな施工や材料については**記録**を残しておく必要がある。

2. 工事写真撮影に当たっては、原則として、工事名、工事種目、撮影部位、寸法・規格・表示マーク、撮影時期、施工状況、立会者名・受注者名等、必要な事項を記載した黒板（白板）を文字が判読できるよう撮影対象とともに写し込む。**デジタルカメラ**で撮影する工事写真の場合、**有効画素数**、**記録形式**などは、監督職員と**協議**のうえ決定する。

3. 下請業者は、オーガー掘削時に地中から受ける抵抗に係る電気的な計測値、根固め液及び杭周固定液の注入量等の施工記録を確認し、元請建設業者に報告する。元請建設業者は、**施工記録**について協議のうえ定めた期間**保管**しなければならない。

4. 設計図書に**適合しない**材料・部材・部品はもちろんのこと、たとえ適合していてもそれを**証明するもの**がないような場合には、工事現場に**搬入してはならない**。一時的に工事現場内に保管するのも、ほかの材料などと区別するのが難しくなることがあるので、好ましくない。

正答　4

CHECK ☐☐☐☐☐

【問題　30】　建設業者が作成する建設工事の記録等に関する記述として、**最も不適当なも**のはどれか。

1. 発注者から直接工事を請け負った建設業者が作成した発注者との打合せ記録のうち、発注者と相互に交付したものではないものは、保存しないこととした。
2. 承認あるいは協議を行わなければならない事項について、建設業者はそれらの経過内容の記録を作成し、監理者と双方で確認したものを監理者に提出することとした。
3. 設計図書に定められた品質が証明されていない材料について、建設業者は現場内への搬入後に試験を行い、記録を整備することとした。
4. 既製コンクリート杭工事の施工サイクルタイム記録、電流計や根固め液の記録等は、発注者から直接工事を請け負った建設業者が保存する期間を定め、当該期間保存することとした。

解説

1. 双方で確認した打合せの記録を保管することができるシステムにする。施工者が発注者と相互に交付したものではないものは、保存しなくてもよい。
2. 承認あるいは協議を行わなければならない事項について、建設業者はそれらの経過内容の記録を作成し、施工者と監理者と双方で確認し、**監理者**に提出する。
3. 設計図書に適合しない材料・部材・部品はもちろんのこと、たとえ適合していてもそれを**証明するものがない**ような場合には、工事現場**搬入してはならない**。一時的に工事現場内に保管するのも、ほかの材料などと区別するのが難しくなることがあるので、好ましくない。
4. 下請業者は、オーガー掘削時に地中から受ける抵抗に係る電気的な計測値、根固め液及び杭周固定液の注入量等の施工記録を確認し、元請建設業者に報告する。元請建設業者は、施工記録について協議のうえ定めた期間保管しなければならない。

H30-52 A　　　　　　　　　　　　　　CHECK ☐☐☐☐☐

【問題　31】　建設業者が作成する建設工事の記録等に関する記述として、**最も不適当なも**のはどれか。

1. 監理者の立会いのうえ施工するものと設計図書で指定された工事において、監理者の指示により立会いなく施工する場合は、工事写真などの記録を整備して監理者に提出することとした。

2. 工事施工により近隣建物への影響が予想される場合は、近隣住民など利害関係者立会いのもと、現状の建物の写真記録をとることとした。

3. 設計図書に定められた品質が証明されていない材料は、現場内への搬入後に試験を行い、記録を整備することとした。

4. 既製コンクリート杭工事の施工サイクルタイム記録、電流計や根固め液の記録等は、発注者から直接建設工事を請け負った建設業者が保存する期間を定め、当該期間保存することとした。

━━━　解説　━━━

1. 監理者の立会いなしでも、施工が適切に行われたことを証する見本または**工事写真等**の**記録**を**整備**し、監理者の請求があったときに提出できれば工事を施工することができる。

2. 工事の影響があると考えられる**隣地**の**既存建築物**等について**着工前**に立ち合いのうえ写真撮影等**現況調査**を行う。

3. 設計図書に適合しない材料・部材・部品はもちろんのこと、たとえ適合していてもそれを証明するものがないような場合には、工事現場に搬入してはいけない。一時的に工事現場内に保管するのも、ほかの材料などと区別するのが難しくなることがあるので、好ましくない。

4. 下請業者は、オーガー掘削時に地中から受ける抵抗に係る電気的な計測値、根固め液及び杭周固定液の注入量等の**施工記録**を確認し、元請建設業者に報告する。元請建設業者は、施工記録について協議のうえ定めた期間保管しなければならない。

正答　3

R05-44 A　　　　　　　　　　　　　　　CHECK ☐☐☐☐☐

【問題　32】　工程計画に関する記述として、**最も不適当なもの**はどれか。

1.　工程計画では、各作業の手順計画を立て、次に日程計画を決定した。

2.　工程計画では、工事用機械が連続して作業を実施し得るように作業手順を定め、工事用機械の不稼働をできるだけ少なくした。

3.　工期短縮を図るため、作業員、工事用機械、資機材等の供給量のピークが一定の量を超えないように山崩しを検討した。

4.　工期短縮を図るため、クリティカルパス上の鉄骨建方において、部材を地組してユニット化し、建方のピース数を減らすよう検討した。

解説

1.　工程を立てるにあたっては、数量や仕様を確認して仕事の順序を明らかにして手順を決定後、その手順に沿って各作業の日程を決定して工期を計算するのが一般的である。

2.　工程計画に際しては、作業に従事する作業者や使用する工事用機械が、できるだけ連続して作業を実施し得るように手順を定め、作業者の不連続な就業や工事機械の不稼働をできるだけ少なくするように心掛ける。

3.　山積工程表における**山崩し（山均し）**は、日程計算でわかっている作業の余裕日数を利用して、いくつかの作業の開始を遅らせることによって、**平均化**をはかるものである。工期短縮にはならない。

4.　算出した工期が指定工期を超える場合、全体工程を最も強く支配する**クリティカルパス**上作業を中心に、作業方法の変更、作業者の増員、工事用機械の台数や機種の変更などの検討を行う。

正答　3

R04-45 A

【問題 33】 工程計画及び工程表に関する記述として、**最も不適当なもの**はどれか。

1. 工程計画には、大別して積上方式と割付方式とがあり、工期が制約されている場合は、割付方式で検討することが多い。

2. 工程計画において、山均しは、作業員、施工機械、資機材等の投入量の均等化を図る場合に用いる。

3. 工程表は、休日や天候を考慮した実質的な作業可能日数を暦日換算した日数を用いて作成する。

4. 基本工程表は、工事の特定の部分や職種を取り出し、それにかかわる作業、順序関係、日程等を示したものである。

解説

1. **工程計画**には、**積上方式**と**割付方式**とがあり、一般には工期が制約されているので、積上方式とは逆に、竣工期日から各工種の工期を定めていく**割付方式**を採用する場合が多い。

2. 山積工程表における**山崩し**(**山均し**)は、日程計算でわかっている作業の余裕日数を利用して、いくつかの作業の開始を遅らせることによって、**平均化**をはかるものである。

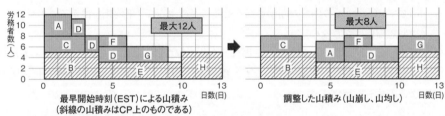

最早開始時刻(EST)による山積み
(斜線の山積みはCP上のものである)

調整した山積み(山崩し、山均し)

3. 工程表は、休日、周囲の状況、施工ができない特殊期間、季節の天候等を考慮した実質的な**作業可能日数**を算出して、**暦日換算**を行い作成する。

4. **基本工程表**は、実施する工事の進捗が理解できる程度詳細に記載し、工程に合わせて必要になる施工図・見本等の承認、検査、立会い等の日程を記入したものとする。設問は、部分(職種別)工程表のことである。

R03-44 A

【問題　34】　工程計画に関する記述として、**最も不適当なもの**はどれか。

1. マイルストーンは、工事の進捗を表す主要な日程上の区切りを示す指標で、掘削完了日、鉄骨建方開始日、外部足場解体日等が用いられる。

2. 工程短縮を図るために行う工区の分割は、各工区の作業数量がほぼ均等になるように計画する。

3. 全体工期に制約がある場合、積上方式(順行型)を用いて工程表を作成する。

4. 工程計画では、各作業の手順計画を立て、次に日程計画を決定する。

**　解説**

1. **マイルストーンは、**工事の進ちょくを表す主要な日程上の区切りを示す指標で、掘削開始日、地下躯体・屋上躯体コンクリート打設完了日、屋上防水完了日等が挙げられる。

2. 工程計画作成に当たっては、工程短縮を図るために分割した各工区の所要日数を正確に把握し、所要時間の長い作業を早期に着工させるとともに、工程全般にわたっての作業量の**平準化**を図る。

3. 工程計画には、**積上方式**と**割付方式**とがあり、一般には工期が制約されているので、積上方式とは逆に、竣工期日から各工種の工期を定めていく**割付方式**を採用する場合が多い。

4. 工程を立てるにあたっては、数量や仕様を確認して仕事の順序を明らかにして手順を決定後、その手順に沿って各作業の日程を決定して工期を計算するのが一般的である。

正答　3

【問題　35】　工程管理に関する記述として、**最も不適当なもの**はどれか。

1. バーチャート手法は、前工程の遅れによる後工程への影響を理解しやすい。

2. 工事の進捗度の把握には、時間と出来高の関係を示したSチャートが用いられる。

3. 間接費は、一般に工期の長短に相関して増減する。

4. どんなに直接費を投入しても、ある限度以上には短縮できない時間をクラッシュタイムという。

◥■■■■　解説　■■■■■■■■■■■■■■■■■■■■■■■■■■■■■■■■■■■■■

1. **バーチャート工程表**は、作業名を縦軸に、工期を横軸にとって、各作業の工事期間を横線で示したもので、**他工種との関連性**、**手順**、**各作業が全体工期に及ぼす影響**等が**明確でない**。

2. **Sチャート**は、工事の進捗に比例した出来高資(仕上がり面積、コンクリート打設量、型枠面積)等の累積値を縦軸に、時間を横軸にとって、各時点における累積値を表示した図表である。

3. **間接費**は、一般に工期の長短に相関して増減する。工期の短縮によって完成が早くなれば、その分**減少**する。

4. どんなに費用をかけても作業時の短縮には限度があり、その限界の作業時間のことを**クラッシュタイム**という。特急時間ともいう。

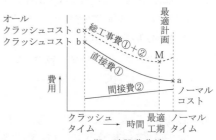

工期・建設費曲線

		図　式	長　所	短　所
横線式工程表	バーチャート	作業名 A B 予定工程 実施工程 工期→	●工期が明確 ●表の作成が容易 ●所要日数が明確	●重点管理作業が不明 ●作業の相互関係がわかりにくい
曲線式工程表	Sチャート	出来高累計 Sカーブ 工期→	●出来高の専用管理 ●工程速度の良否の判断ができる	●出来高の良否以外は不明 ●管理状態の良否が不明確
	バナナ曲線	出来高累計 工期→	●管理の限界が明確 ●出来高の専用管理	●出来高の管理以外は不明 ●各時期の進ちょく状態は不明
ネットワーク	工程表	A B C	●工期が明確 ●**重点管理作業**が明確 ●作業の**相互関係**が明確 ●複雑な工事も管理	●一目では全体の出来高が不明 ●作成がやや複雑

R02－54 A

CHECK ☐☐☐☐☐

【問題　36】　工程計画の立案に関する記述として、**最も不適当なもの**はどれか。

1. 工程計画には、大別して積上方式と割付方式とがあり、工期が制約されている場合は、割付方式を採用することが多い。

2. 算出した工期が指定工期を超える場合は、クリティカルパス上に位置する作業について、作業方法の変更や作業員増員等を検討する。

3. 作業員、施工機械、資機材等の供給量のピークが一定の量を超えないように山崩しを行うことで、工期を短縮できる。

4. 作業員、施工機械、資機材等の供給量が均等になるように、山均しを意図したシステマティックな工法の導入を検討する。

■■■　解説　■■■■■■■■■■

1. **工程計画**には、**積上方式**と**割付方式**とがあり、一般には工期が制約されているので、積上方式とは逆に、竣工期日から各工種の工期を定めていく**割付方式**を採用する場合が多い。

2. 算出した工期が指定工期を超える場合、全体工程を最も強く支配する**クリティカルパス**上作業を中心に、作業方法の変更、作業者の増員、工事用機械の台数や機種の変更などの検討を行う。

3.4. 山積工程表における**山崩し(山均し)**は、日程計算でわかっている作業の余裕日数を利用して、いくつかの作業の開始を遅らせることによって、**平均化**をはかるものである。工期短縮にはならない。

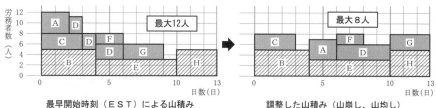

最早開始時刻（ＥＳＴ）による山積み　　　　　調整した山積み（山崩し、山均し）
（斜線の山積みはＣＰ上のものである）

正答　3

R01-54 A

CHECK ☐☐☐☐☐

【問題　37】　工程計画に関する記述として、**最も不適当な**ものはどれか。

1. 工事計画は、まず各作業の手順計画を立て、次に日程計画を決定する。
2. 全体工期に制約がある場合は、積上方式(順行型)を用いて工程表を作成する。
3. 工程短縮を図るために行う工区の分割は、各工区の作業数量がほぼ均等になるように計画する。
4. 工程表は、休日や天候を考慮した実質的な作業可能日数を暦日換算した日数を用いて作成する。

■■■　解説　■■■

1. 工程を立てるにあたっては、数量や仕様を確認して仕事の順序を明らかにして手順を決定後、その手順に沿って各作業の日程を決定して工期を計算するのが一般的である。
2. **工程計画**には、積上方式と割付方式とがあり、一般には工期が制約されているので、積上方式とは逆に、竣工期日から各工種の工期を定めていく**割付方式**を採用する場合が多い。
3. 工程計画作成に当たっては、工程短縮を図るために分割した各工区の所要日数を正確に把握し、所要時間の長い作業を早期に着工させるとともに、工程全般にわたっての作業量の**平準化**を図る。
4. 工程表は、休日、周囲の状況、施工ができない特殊期間、季節の天候等を考慮した実質的な**作業可能日数**を算出して、暦日換算を行い作成する。

正答　2

H30−54 A　　　　　　　　　　　　　　　　　CHECK ☐☐☐☐☐

【問題　38】　工程計画及び工程管理に関する記述として、**最も不適当なもの**はどれか。

1. 算出した工期が指定工期を超える場合は、作業日数を短縮するため、クリティカルパス上の作業について、作業方法の変更や作業員の増員等を検討する。

2. 工程計画の立案には、大別して積上方式と割付方式とがあり、工期が制約されている場合は、割付方式で検討することが多い。

3. 工事に投入する作業員、施工機械、資機材などの量が一定の量を超えないように山崩しを行うと、工期を短縮できる。

4. 工程計画において、山均しは、作業員、施工機械、資機材などの投入量の均等化を図る場合に用いる。

■■■■　解説　■■■■

1. 算出した工期が指定工期を超える場合、全体工程を最も強く支配する**クリティカルパス**上作業を中心に、作業方法の変更、作業者の増員、工事用機械の台数や機種の変更などの検討を行う。

2. **工程計画**には、**積上方式**と**割付方式**とがあり、一般には工期が制約されているので、積上方式とは逆に、竣工期日から各工種の工期を定めていく**割付方式**を採用する場合が多い。

3.4. 山積工程表における**山崩し(山均し)**は、日程計算でわかっている作業の余裕日数を利用して、いくつかの作業の開始を遅らせることによって、**平均化**をはかるものである。工期短縮にはならない。

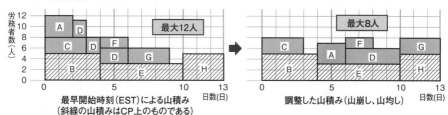

最早開始時刻(EST)による山積み　　　　　　　　調整した山積み(山崩し、山均し)
(斜線の山積みはCP上のものである)

【問題　39】　一般的な事務所ビルの鉄骨工事において、所要工期算出のために用いる各作業の能率に関する記述として、**最も不適当なもの**はどれか。

1. 鉄骨のガスシールドアーク溶接による現場溶接の作業能率は、1人1日当たり6mm換算溶接長さで80mとして計画した。

2. タワークレーンのクライミングに要する日数は、1回当たり1.5日として計画した。

3. 建方用機械の鉄骨建方作業占有率は、60％として計画した。

4. トルシア形高力ボルトの締付け作業能率は、1人1日当たり300本として計画した。

■ 解説

1. 工事現場溶接の作業能率は下表のとおり。

工事現場溶接の作業能率（6 mm換算溶接長さ／人・日）

被覆アーク溶接	25〜30m
セルフシールド アーク溶接	60〜80m
ガスシールド アーク溶接	（高層ビル）：80〜100m （一般建物）：60〜80m

2. タワークレーンの**クライミング**の1回に要する日数は、**1〜2日**とする。

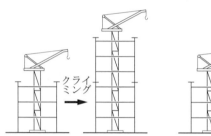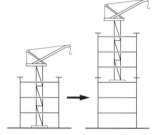

タワークレーン（クライミング方式）　タワークレーン（ベースせり上げ方式）

3. **建方用機械の鉄骨建方のみに占める割合は、おおむね60％前後**とされている。下の表に鉄骨建方作業占有率の計画を示す。

建方機械の稼働率

作業別	比率	時間 （時間：分）
鉄 骨 建 方 作 業	0.62	5：34
積 み 荷 卸 し 作 業	0.19	1：41
建方に関係のない作業	0.07	0：39
中 　 　 　 断	0.01	0：06
休 　 　 　 憩	0.11	1：00
合 　 　 計	1.00	9：00

4. トルシア形高力ボルトの締付けは、**3人1組**で1日当たり**450〜700本程度**である。

正答　4

R03-45 A

【問題　40】　一般的な事務所ビルの新築工事における鉄骨工事の工程計画に関する記述として、**最も不適当なもの**はどれか。

1. タワークレーンによる鉄骨建方の取付け歩掛りは、1台1日当たり80ピースとして計画した。

2. 建方工程の算定において、建方用機械の鉄骨建方作業の稼働時間を1台1日当たり5時間30分として計画した。

3. トルシア形高力ボルトの締付け作業能率は、1人1日当たり200本として計画した。

4. 鉄骨のガスシールドアーク溶接による現場溶接の作業能率は、1人1日当たり6mm換算で80mとして計画した。

■ 解説

1. **タワークレーンの揚重ピース数**は、高層建築の場合、1台1日当たり40～45ピース程度とされている。

1日あたりの鉄骨取付歩掛り

構　造		建方機械	ピース数(P/日)	重量(t/日)
工　場	重　量	トラッククレーン	30～45	25～30
	軽　量	トラッククレーン		10～15
重層建築		**タワークレーン**	40～45	35～40
		トラッククレーン	30～35	25～30

2. **建方用機械の鉄骨建方のみに占める割合**は、おおむね60%前後とされている。下の表に鉄骨建方作業占有率の計画を示す。

建方機械の稼働率

作業別	比率	時間 (時間：分)
鉄 骨 建 方 作 業	0.62	5：34
積 み 荷 卸 し 作 業	0.19	1：41
建方に関係のない作業	0.07	0：39
中　　　　断	0.01	0：06
休　　　　憩	0.11	1：00
合　　　計	1.00	9：00

3. **高力ボルト締付け標準作業能率**は、高力六角ボルトで150本/人・日、**トルシア形高力ボルトで250本/人・日**である。

4. 工事現場溶接の作業能率は下表のとおり。

工事現場溶接の作業能率(6mm換算溶接長さ/人・日)

被覆アーク溶接	25～30m
セルフシールド アーク溶接	60～80m
ガスシールド アーク溶接	(高層ビル)：80～100 (一般建物)：60～80m

R01−55 Ａ　　　　　　　　　　　　　　　CHECK ☐☐☐☐☐

【問題　41】　一般的な事務所ビルの新築工事における鉄骨工事の工程計画に関する記述として、**最も不適当なもの**はどれか。

1. トラッククレーンによる鉄骨建方の取付けピース数は、1台1日当たり70ピースとして計画した。

2. 鉄骨のガスシールドアーク溶接による現場溶接は、1人1日当たり6mm換算で80mとして計画した。

3. 建方用機械の鉄骨建方作業占有率は、60％として計画した。

4. タワークレーンのクライミングに要する日数は、1回当たり1.5日として計画した。

━━━　解説　━━━━━━━━━━━━━━━━━━━━━━━━━━━━━━━━━━

1. **トラッククレーンの揚重ピース数**は、高層建築の場合、1台1日当たり**30〜35**ピース程度とされている。

1日あたりの鉄骨取付歩掛り

構　造		建方機械	ピース数(P/日)	重量(t/日)
工　場	重　量	トラッククレーン	30〜45	25〜30
	軽　量	トラッククレーン		10〜15
重層建築		タワークレーン	40〜45	35〜40
		トラッククレーン	30〜35	25〜30

2. 工事現場溶接の作業能率は下表のとおり。

工事現場溶接の作業能率（6mm換算溶接長さ／人・日）

被覆アーク溶接	25〜30m
セルフシールド アーク溶接	60〜80m
ガスシールド アーク溶接	（高層ビル）：80〜100 （一般建物）：60〜80m

3. **建方用機械の鉄骨建方**のみに占める割合は、おおむね**60％前後**とされている。下の
表に鉄骨建方作業占有率の計画を示す。

建方機械の稼働率

作業別	比率	時間 （時間：分）
鉄 骨 建 方 作 業	0.62	5：34
積 み 荷 卸 し 作 業	0.19	1：41
建方に関係のない作業	0.07	0：39
中　　　　　断	0.01	0：06
休　　　　　憩	0.11	1：00
合　　　計	1.00	9：00

4. **タワークレーン**のクライミングの1回に要する日数は、**1〜2日**とする。

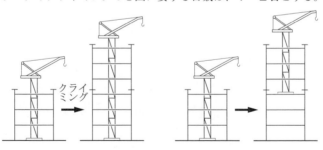

タワークレーン（クライミング方式）　　タワークレーン（ベースせり上げ方式）

【問題　42】　ネットワーク工程表に関する記述として、**最も不適当なもの**はどれか。

1. 一つの作業の最早終了時刻(EFT)は、その作業の最早開始時刻(EST)に作業日数(D)を加えて得られる。

2. 一つの作業の最遅開始時刻(LST)は、その作業の最遅終了時刻(LFT)から作業日数(D)を減じて得られる。

3. 一つの作業でトータルフロート(TF)が0である場合、その作業ではフリーフロート(FF)は0になる。

4. 一つの作業でフリーフロート(FF)を使い切ってしまうと、後続作業のトータルフロート(TF)に影響を及ぼす。

━━━ 解説 ━━━

1. イベントの**最早開始時刻**(EST)とは、作業の開始から考えて、そのイベントに至る最長経路の時刻のことで、そのイベントを始点とする作業が最も早く開始することのできる時刻のことである。最早終了時刻(EFT)とは、作業を終了し得る最も早い時刻のことである。

   ある作業のEFTは、その作業(EST+D)によって求める。

2. **最遅開始時刻**(LST)は、後続の最早結合時刻(ET)から**作業日数**(D)を**減じて**得られる。つまり、ある作業のLSTは、その作業(LFT−D)によって求めることができる。

3. **トータルフロート**は、当該作業の**最遅終了時刻**から当該作業の**最早終了時刻**を差し引いて求められる。

   ① **トータルフロート＝最遅終了時刻−最早終了時刻**

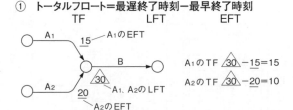

4. **フリーフロート**は、後続作業の最早開始時刻に全く影響を与えない余裕時間であり、その作業の中で使っても、**後続作業に影響しない**。

   ② **フリーフロート＝(後続作業のEST)−(当該作業のEFT)**

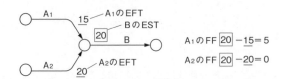

施
工
管
理
法

CHECK ☐☐☐☐☐

【問題　43】　ネットワーク工程表におけるフロートに関する記述として、**最も不適当なも**のはどれか。

1. クリティカルパス(CP)以外の作業でも、フロートを使い切ってしまうとクリティカルパス(CP)になる。

2. ディペンデントフロート(DF)は、最遅結合点時刻(LT)からフリーフロート(FF)を減じて得られる。

3. 作業の始点から完了日までの各イベントの作業日数を加えていき、複数経路日数のうち、作業の完了を待つことになる最も遅い日数が最早開始時刻(EST)となる。

4. 最遅完了時刻(LFT)を計算した時点で、最早開始時刻(EST)と最遅完了時刻(LFT)が同じ日数の場合、余裕のない経路であるため、クリティカルパス(CP)となる。

■■■■ 解説 ■■■■■■■■■■■■■■■■■■■■■■■■■

1. **フロート**とは、**作業の余裕時間**であり、フロートを消費してしまうと、クリティカルパス以外の作業でも**クリティカルパス**となる。

2. **ディペンデントフロート**は、**後続作業**の**トータルフロート**に**影響を及ぼすような**フロートをいう。トータルフロートからフリーフロートを引くことによって求めることができる。

3. 記述のとおり。**最早開始時刻**(EST)とは、作業の開始から考えて、そのイベントに至る最長経路の時刻のことで、そのイベントを始点とする作業が最も早く開始することのできる時刻のこと。

4. 記述のとおり。**最遅完了時刻**(LFT)とは、作業の終了時点から考えて、工期内に作業を完了させるためには遅くとも、そのイベントを終点とするすべての作業が完了していなければならない時刻のこと。

正答　2

【問題　44】　ネットワーク工程表に関する記述として、**最も不適当なもの**はどれか。

1. ディペンデントフロートは、後続作業のトータルフロートに影響を及ぼすようなフロートである。

2. フリーフロートは、その作業の中で使い切ってしまうと後続作業のフリーフロートに影響を及ぼすようなフロートである。

3. クリティカルパスは、トータルフロートが0の作業を開始結合点から終了結合点までつないだものである。

4. トータルフロートは、当該作業の最遅終了時刻(LFT)から当該作業の最早終了時刻(EFT)を差し引いて求められる。

■　解説

1. **ディペンデントフロート**は、**後続作業**の**トータルフロート**に**影響**を及ぼすようなフロートをいう。トータルフロートからフリーフロートを引くことによって求めることができる。

2. **フリーフロート**は、後続作業の最早開始時刻(EST)に全く影響を与えない余裕時間であり、その作業の中で使っても、**後続作業に影響しない**。

　　② フリーフロート＝(後続作業のEST)－(当該作業のEFT)

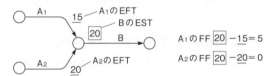

3. **クリティカルパス**は、**トータルフロートが0の作業をつないだもの**であり、余裕の全くないパスである。

4. **トータルフロート**は、当該作業の最遅終了時刻(LFT)から当該作業の最早終了時刻(EFT)を差し引いて求められる。

　　① トータルフロート＝最遅終了時刻－最早終了時刻

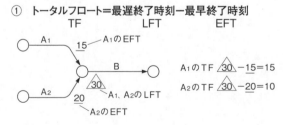

施工管理法

R01－56 B

【問題　45】　ネットワーク工程表に用いられる用語に関する記述として、**最も不適当なも
のはどれか。**

1. ディペンデントフロート(DF)は、最遅結合点時刻(LT)からフリーフロート(FF)
を減じて得られる。
2. 最遅開始時刻(LST)は、後続の最早結合時刻(ET)から作業日数(D)を減じて得
られる。
3. 最遅結合点時刻(LT)は、工期に影響することなく、各結合点が許される最も遅
い時刻である。
4. 最早終了時刻(EFT)は、最早開始時刻(EST)に作業日数(D)を加えて得られる。

■　解説

1. **ディペンデントフロート**は、後続作業のトータルフロートに影響を及ぼすようなフ
ロートをいう。トータルフロートからフリーフロートを引くことによって求めること
ができる。
2. **最遅開始時刻**(LST)は、後続の**最早結合時刻**(ET)から**作業日数**(D)を**減じて**得られる。
つまり、ある作業のLSTは、その作業(LFT－D)によって求めることができる。
3. **最遅結合点時刻**(LT)は、工期に影響することなく、各結合点が許される最も遅い時
刻である。つまり、最遅終了時刻(LFT)のことで、最も遅く終了してもよい時刻のこ
とである。
4. イベントの**最早開始時刻**(EST)とは、作業の開始から考えて、そのイベントに至る最
長経路の時刻のことで、そのイベントを始点とする作業が最も早く開始することので
きる時刻のことである。最早終了時刻(EFT)とは、作業を終了し得る最も早い時刻
のことである。
ある作業のEFTは、その作業(EST＋D)によって求める。

正答　1

【問題　46】　ネットワーク工程表に関する記述として、**最も不適当な**ものはどれか。

1. トータルフロートは、当該作業の最遅終了時刻（LFT）から当該作業の最早終了時刻（EFT）を差し引いて求められる。

2. ディペンデントフロートは、後続作業のトータルフロートに影響を与えるフロートである。

3. クリティカルパス以外の作業でも、フロートを使い切ってしまうとクリティカルパスになる。

4. フリーフロートは、その作業の中で使い切ってしまうと後続作業のフリーフロートに影響を与える。

■■■　解説　■■■

1. **トータルフロート**は、当該作業の最遅終了時刻（LFT）から当該作業の最早終了時刻（EFT）を差し引いて求められる。

① **トータルフロート＝最遅終了時刻－最早終了時刻**
　　　　　TF　　　　　　LFT　　　　　EFT

A₁のTF △30 −15＝15
A₂のTF △30 −20＝10

2. **ディペンデントフロート**は、**後続作業のトータルフロートに影響を及ぼす**ようなフロートをいう。トータルフロートからフリーフロートを引くことによって求めることができる。

3. **フロート**とは、作業の余裕時間であり、フロートを消費してしまうと、クリティカルパス以外の作業でも**クリティカルパス**となる。

4. **フリーフロート**は、後続作業の最早開始時刻（EST）に全く影響を与えない余裕時間であり、その作業の中で使っても、**後続作業に影響しない**。

② **フリーフロート＝（後続作業のEST）－（当該作業のEFT）**

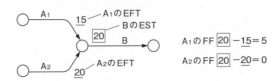

A₁のFF 20 −15＝5
A₂のFF 20 −20＝0

R04-46 A

【問題　47】　タクト手法に関する記述として、**最も不適当なもの**はどれか。

1. 作業を繰り返し行うことによる習熟効果によって生産性が向上するため、工事途中でのタクト期間の短縮や作業者の人数の削減を検討する。

2. 設定したタクト期間では終わることができない一部の作業については、当該作業の作業期間をタクト期間の整数倍に設定しておく。

3. 各作業は独立して行われるため、1つの作業に遅れがあってもタクトを構成する工程全体への影響は小さい。

4. 一連の作業は同一の日程で行われ、次の工区へ移動することになるため、各工程は切れ目なく実施できる。

■　解説 ■

1. 繰返し作業で習熟効果により生産性が向上するので、工事途中でタクト期間を短縮するか、作業者の人数削減を考慮する。

2. タクト手法は、同種作業を繰返し実施する場合、作業の所要期間を一定にして順次作業が連続実施できるようにした工程手法である。タクト期間で終わらない一部の作業は、作業期間をタクト期間の**整数倍**（2倍又は3倍）に設定する。

3. **タクト手法**は、各作業が**連動**して進むため、1つの作業の遅れは全体の作業を停滞させる原因となる。

4. 一連の作業は、同一の日程で開始されまた終了する。このため、各作業者は同じ日程で次の作業工区へ移動して作業を始めることになり、一連の作業は就業の切れ目なく実施することができる。

5階					作業A	作業B	作業C
4階				作業A	作業B	作業C	
3階			作業A	作業B	作業C		
2階		作業A	作業B	作業C			
1階	作業A	作業B	作業C				

全ての作業が同じタクト期間を有するときの工程

タクト手法

正答　3

R02-55 A

【問題　48】　タクト手法に関する記述として、**最も不適当なもの**はどれか。

1. 作業を繰り返し行うことによる習熟効果によって生産性が向上するため、工事途中でのタクト期間の短縮や作業者数の削減を検討する。

2. タクト手法は、同一設計内容の基準階を多く有する高層建築物の仕上工事の工程計画手法として、適している。

3. 設定したタクト期間では終わることができない一部の作業については、当該作業の作業期間をタクト期間の整数倍に設定する。

4. 各作業が独立して行われているため、1つの作業に遅れがあってもタクトを構成する工程全体への影響は小さい。

■■■■ **解説** ■■■■■■■■■■■■■■■■■■■■■■■■■■■■

1. 繰返し作業で習熟効果により生産性が向上するので、工事途中でタクト期間を短縮するか、作業者の人数削減を考慮する。

2. 各住戸の仕上げ工事は、各工事がほぼ同じ速さと所要時間の繰り返し作業となるので、各作業が順々に移動しながら反復作業の工程を編成するタクト工程とすることができる。

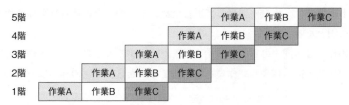

全ての作業が同じタクト期間を有するときの工程

タクト手法

3. タクト手法は、同種作業を繰返し実施する場合、作業の所要期間を一定にして順次作業が連続実施できるようにした工程手法である。タクト期間で終わらない一部の作業は、作業期間をタクト期間の**整数倍**（2倍又は3倍）に設定する。

4. **タクト手法**は、各作業が**連動**して進むため、1つの作業の遅れは全体の作業を**停滞**させる原因となる。

H30—55 A　　　　　　　　　　　　　　　CHECK ☐☐☐☐☐

【問題　49】　タクト手法に関する記述として、**最も不適当なものはどれか。**

　1.　作業を繰り返し行うことによる習熟効果によって生産性が向上するため、工事途中でのタクト期間の短縮又は作業者数の削減をすることができる。

　2.　設定したタクト期間では終わることができない一部の作業については、当該作業の作業期間をタクト期間の整数倍に設定する。

　3.　各作業は独立して行われるので、1つの作業に遅れがあってもタクトを構成する工程全体への影響は小さい。

　4.　一連の作業は同一の日程で行われ、次の工区へ移動することになるので、各工程は切れ目なく実施できる。

■■■　解説　■■■■■■■■■■■■■■■■■■■■■■■■■■■■■■■■■■■

　1.　繰返し作業で習熟効果により生産性が向上するので、工事途中でタクト期間を短縮するか、作業者の人数削減を考慮する。

　2.　タクト手法は、同種作業を繰返し実施する場合、作業の所要期間を一定にして順次作業が連続実施できるようにした工程手法である。タクト期間で終わらない一部の作業は、作業期間をタクト期間の**整数倍**（2倍又は3倍）に設定する。

　3.　**タクト手法**は、各作業が**連動**して進むため、1つの作業の遅れは全体の作業を停滞させる原因となる。

　4.　一連の作業は、同一の日程で開始されまた終了する。このため、各作業者は同じ日程で次の作業工区へ移動して作業を始めることになり、一連の作業は就業の切れ目なく実施することができる。

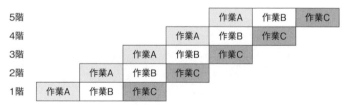

全ての作業が同じタクト期間を有するときの工程

タクト手法

正答　3

R04-47 A

【問題　50】　品質管理に関する記述として、**最も適当なもの**はどれか。

 1. 品質管理は、品質計画の目標のレベルにかかわらず、緻密な管理を行う。

 2. 品質の目標値を大幅に上回る品質が確保されていれば、優れた品質管理といえる。

 3. 品質確保のための作業標準を作成し、作業標準どおり行われているか管理を行う。

 4. 品質管理は、計画段階より施工段階で検討するほうが、より効果的である。

■■■■　解説　■■■■

1. **品質管理**は、全ての品質について同じレベルで行うよりは、重点指向により**重点的な管理**等を行うことが要求品質に合致したものを作ることにつながる。

2. 品質の目標値を大幅に上回る品質は、過剰品質で優れた品質管理とはならない。**最小**の**コスト**で**目標値**を**確保**することが最良の管理となる。

3. 目標とする品質を確保する適正な工程計画ができた以後は、**作業**が**工程どおり**に行われているか否かに重点をおいて管理する。

4. **品質管理**は、品質に与える影響が大きい**上流管理**(生産工程の上流でできるだけ手を打つこと)を行うことが望ましく、施工段階より**計画段階**で検討する方が効果的である。

R02-57 A

【問題 51】 品質管理に関する記述として、**最も適当なもの**はどれか。

1. 品質管理は、計画段階より施工段階で検討するほうが、より効果的である。

2. 品質確保のための作業標準を作成し、作業標準どおり行われているか管理を行う。

3. 工程（プロセス）の最適化より検査を厳しく行うことのほうが、優れた品質管理である。

4. 品質管理は、品質計画の目標のレベルにかかわらず、緻密な管理を行う。

■ 解説 ■

1. **品質管理**は、品質に与える影響が大きい**上流管理**（生産工程の上流でできるだけ手を打つこと）を行うことが望ましく、施工段階より**計画段階**で検討する方が効果的である。

2. 目標とする品質を確保する適正な工程計画ができた以後は、**作業が工程どおり**に行われているか否かに重点をおいて管理する。

3. 品質は、工程で造り込むのがよく、**工程の最適化**を図ることが望ましい。検査に重点をおく品質管理は、手直しを必要とする等適切な管理にはならない。

4. **品質管理**は、全ての品質について同じレベルで行うよりは、重点指向により**重点的な管理**等を行うことが要求品質に合致したものを作ることにつながる。

H30-57 A

【問題　52】　品質管理に関する記述として、**最も適当な**ものはどれか。

1. 品質管理は、品質計画の目標のレベルにかかわらず緻密な管理を行う。
2. 品質管理は、計画段階よりも施工段階で施工情報を検討する方がより効率的である。
3. 品質確保のための作業標準が計画できたら、作業がそのとおり行われているかどうかの管理に重点をおく。
4. 品質の目標値を大幅に上回る品質が確保されていれば、優れた品質管理といえる。

━━━　解説　━━━

1. **品質管理**は、全ての品質について同じレベルで行うよりは、重点指向により**重点的な管理**等を行うことが要求品質に合致したものを作ることにつながる。
2. 品質管理は、品質に与える影響が大きい**上流管理**(生産工程の上流でできるだけ手を打つこと)を行うことが望ましく、施工段階より**計画段階**で検討する方が効果的である。
3. 目標とする品質を確保する適正な工程計画ができた以後は、**作業**が**工程どおり**に行われているか否かに重点をおいて管理する。
4. 品質の目標値を大幅に上回る品質は、過剰品質で優れた品質管理とはならない。**最小**の**コスト**で**目標値を確保**することが最良の管理となる。

R02-58 A

CHECK ☐☐☐☐☐

【問題　53】　品質管理の用語に関する記述として、**最も不適当なもの**はどれか。

1. 目標値とは、仕様書で述べられる、望ましい又は基準となる特性の値のことをいう。

2. ロットとは、等しい条件下で生産され、又は生産されたと思われるものの集まりをいう。

3. かたよりとは、観測値又は測定結果の大きさが揃っていないことをいう。

4. トレーサビリティとは、対象の履歴、適用又は所在を追跡できることをいう。

■　解説

1. **目標値**とは、仕様書で述べられる、望ましい又は基準となる特性の値をいう。

2. **ロット**とは、等しい条件下で生産され、又は生産されたと思われる品物の集まりのことである。

3. **かたより**とは、観測値・測定結果の**期待値**から**真の値を引いた差**である。設問は、**ばらつき**のことである。

4. **トレーサビリティ**とは、対象として認識できるもの又は考えられるもの全ての履歴、適用又は所在を追跡できることをいう。

【問題　54】　品質管理の用語に関する記述として、**最も不適当なもの**はどれか。

1.　品質マニュアルとは、品質に関して組織を指揮し、管理するためのマネジメントシステムを規定する文書のことである。

2.　工程（プロセス）管理とは、工程（プロセス）の出力である製品又はサービスの特性のばらつきを低減し、維持する活動のことである。

3.　是正処置とは、起こりうる不適合又はその他の望ましくない起こりうる状況の原因を除去するための処置のことである。

4.　母集団の大きさとは、母集団に含まれるサンプリング単位の数のことである。

━━━ 解説 ━━━

1.　**品質マニュアル**とは、「組織の品質マネジメントシステムについての仕様書」である。ここでいう品質マネジメントシステムとは、品質に関する、マネジメントシステム（方針及び目標、並びにその目標を達成するためのプロセスを確立するための組織の一連の要素）の一部のことをいう。

2.　**工程管理**とは、工程の出力である製品又はサービスの特性のばらつきを低減し、維持する活動のことである。その活動過程で、工程の改善、標準化、及び技術蓄積を進めていくことにある。

3.　**是正処置**とは、不適合（要求事項を満たしていないことであり、複数の原因がある場合がある）の原因を除去し、再発を防止するための処置である。設問は、予防処置のことである。

4.　**母集団の大きさ**とは、母集団に含まれるサンプリング単位の数である。

H30-58 A　　　　　　　　　　　　　　　　　CHECK ☐☐☐☐☐

【問題　55】　品質管理の用語に関する記述として、**最も不適当なもの**はどれか。

　　1.　誤差とは、試験結果又は測定結果の期待値から真の値を引いた値のことである。

　　2.　目標値とは、仕様書で述べられる、望ましい又は基準となる特性の値のことである。

　　3.　不適合とは、要求事項を満たしていないことである。

　　4.　トレーサビリティとは、対象の履歴、適用又は所在を追跡できることである。

解説

1.　**誤差**とは、**観測値・測定結果**から**真の値を引いた値**である。観測値・測定結果の期待値から真の値を引いた差は、か̇た̇よ̇り̇である。

2.　**目標値**とは、仕様書で述べられる、望ましい又は基準となる特性の値をいう。

3.　**不適合**とは、要求事項(社内ルール、規格、法規制、顧客要求)を満たしていないことである。

4.　**トレーサビリティ**とは、対象として認識できるもの又は考えられるもの全ての履歴、適用又は所在を追跡できることをいう。

正答　1

R05-48 A

【問題　56】　品質管理に用いる図表に関する記述として、**最も不適当なもの**はどれか。

1. ヒストグラムは、観測値若しくは統計量を時間順又はサンプル番号順に表し、工程が管理状態にあるかどうかを評価するために用いられる。

2. 散布図は、対応する2つの特性を横軸と縦軸にとり、観測値を打点して作るグラフ表示で、主に2つの変数間の相関関係を調べるために用いられる。

3. パレート図は、項目別に層別して、出現度数の大きさの順に並べるとともに、累積和を示した図である。

4. 系統図は、設定した目的や目標と、それを達成するための手段を系統的に展開した図である。

■ 解説 ■

1. **ヒストグラム**は、柱状図ともいい、**データの分布状態**、工程平均やばらつき、不良・不具合の発生状況等が把握できる。

2. **散布図**は、関係のある2つの対になったデータを横軸と縦軸にとり測定値を打点して作る図で、対応する2つのデータの**関係の有無**を調べるものである。

3. **パレート図**は、問題点をその現象別や要因別に集計し、**出現度数**の大きい順に並べて棒グラフで表し、さらに累計した和を折れ線グラフにした図をいう。

4. **系統図**とは、目的と手段を系統的に整理して、その体系を**樹形図**のような形式に表した図をいう。

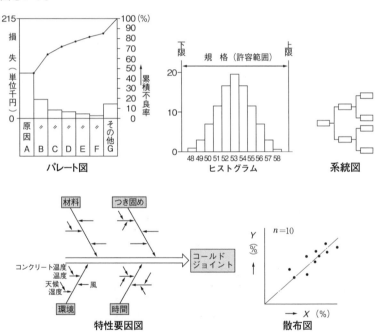

パレート図　　　　　　　ヒストグラム　　　　系統図

特性要因図　　　　　　　散布図

正答　1

R03-48 B

【問題　57】　品質管理に用いる図表に関する記述として、**最も不適当なもの**はどれか。

1. ヒストグラムは、観測値若しくは統計量を時間順又はサンプル番号順に表し、工程が管理状態にあるかどうかを評価するために用いられる。

2. 特性要因図は、特定の結果と原因系の関係を系統的に表し、重要と思われる原因への対策の手を打っていくために用いられる。

3. 散布図は、対応する2つの特性を横軸と縦軸にとり、観測値を打点して作るグラフ表示で、主に2つの変数間の相関関係を調べるために用いられる。

4. パレート図は、項目別に層別して、出現度数の大きさの順に並べるとともに、累積和を示した図である。

解説

1. **ヒストグラム**は、柱状図ともいい、**データの分布状態**、工程平均やばらつき、不良・不具合の発生状況等が把握できる。設問は管理図についての記述である。

2. **特性要因図**は、魚の骨図ともいい、特定の**結果**と**原因**系の関係を系統的に表した図で、重要と思われる原因への対策の手を打っていくために用いられる。

3. **散布図**は、関係のある2つの対になったデータを横軸と縦軸にとり測定値を打点して作る図で、対応する2つのデータの**関係の有無**を調べるものである。

4. **パレート図**は、問題点をその現象別や要因別に集計し、**出現度数**の大きい順に並べて棒グラフで表し、さらに累計した和を折れ線グラフにした図をいう。

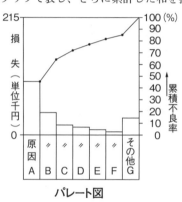

パレート図

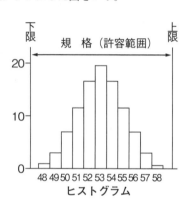

ヒストグラム

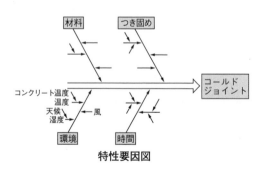

特性要因図

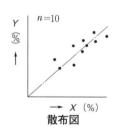

散布図

正答　1

R01-60 A

【問題　58】　品質管理に用いる図表に関する記述として、**最も不適当なもの**はどれか。

1. パレート図は、観測値若しくは統計量を時間順又はサンプル番号順に表し、工程が管理状態にあるかどうかを評価するために用いられる。

2. ヒストグラムは、計量特性の度数分布のグラフ表示で、製品の品質の状態が規格値に対して満足のいくものか等を判断するために用いられる。

3. 散布図は、対応する2つの特性を横軸と縦軸にとり、観測値を打点して作るグラフ表示で、主に2つの変数間の相関関係を調べるために用いられる。

4. チェックシートは、欠点や不良項目などのデータを取るため又は作業の点検確認をするために用いられる。

■■■　解説　■■■■■■■■■■■■■

1. **パレート図**は、問題点をその現象別や要因別に集計し、**出現度数の大きい順**に並べて棒グラフで表し、さらに累計した和を折れ線グラフにした図をいう。設問は、管理図についての記述である。

2. **ヒストグラム**は、柱状図ともいい、**データの分布状態**、工程平均や**ばらつき**、不良・不具合の発生状況等が把握できる。

3. **散布図**は、関係のある2つの対になったデータを横軸と縦軸にとり測定値を打点して作る図で、対応する2つのデータの**関係の有無**を調べるものである。

4. **チェックシート**とは、計数値(不良数、欠点数など)を分類別に集計、整理し、分布が判断しやすく記入できるようにしたものである。

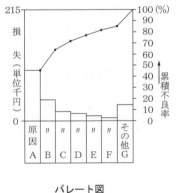

パレート図

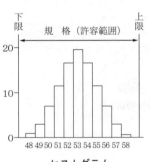

ヒストグラム

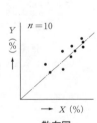

散布図

正答　1

R01-57 A   CHECK ☐☐☐☐☐

【問題　59】　施工品質管理表（QC工程表）に関する記述として、**最も不適当なもの**はどれか。

1. 管理項目には、重点的に実施すべき項目を取り上げる。
2. 工事監理者、施工管理者及び専門工事業者の役割分担を明記する。
3. 管理値を外れた場合の処置をあらかじめ定めておく。
4. 工種別又は部位別とし、管理項目は作業の重要度の高い順に並べる。

■■■■ **解説** ■■■■■■■■■■■■■■■■■■■■■■■■■■■■■■■■■■

1.2.3. **工程品質管理表（QC工程表）**は，各工程において品質特性を確保するために，工程ごとに，工法・手順，資材の品質特性、管理項目、管理及び検査の方法・時期、目標を外れた場合の処理方法などを定めて表にまとめたものである。

① **検査の時期、頻度、方法**を明確にする。
② 管理項目は、**重点的**に実施すべき項目を取上げる。
③ **工種別**または**部位別**に一連の作業の流れに沿ってまとめ、ステップ毎に確実に品質がつくり込めるように作成する。
④ 工事監理者、施工管理者、専門工事業者の**役割分担**を明確にする。

4. **QC工程表**は、**工種別**又は**部位別**に作成し、品質確認の**作業の流れ**に沿って、材料、作業員、作業のやり方等をプロセスでの作りこみとチェック事項をまとめたもので、重要度の高い順に並べることはない。

正答   4

R05−49 Ａ

【問題　60】　品質管理における検査に関する記述として、**最も不適当なもの**はどれか。

1. 中間検査は、製品として完成したものが要求事項を満足しているかどうかを判定する場合に適用する。

2. 無試験検査は、サンプルの試験を行わず、品質情報、技術情報等に基づいてロットの合格、不合格を判定する。

3. 購入検査は、提出された検査ロットを、購入してよいかどうかを判定するために行う検査で、品物を外部から受け入れる場合に適用する。

4. 抜取検査は、ロットからあらかじめ定められた検査の方式に従ってサンプルを抜き取って試験し、その結果に基づいて、そのロットの合格、不合格を判定する。

■■■　解説　■■■

1. **中間検査**は、不良なロットが次工程に渡らないように事前に取り除くことによって損害を少なくするために行う。

2. **無試験検査**とは、品質情報、技術情報等に基づいてサンプル等の試験を省略する検査である。

3. 外部からの購入品の検査を**購入検査**という。提供品の受入可否の判定をするための検査である。

4. ロットからあらかじめ定められた検査方法に従って、サンプルを採ることができる場合には、**抜取検査**とするが、ロット処理ができない場合は、抜取検査はできない。

R03−49 [A]　　　　　　　　　　　　　　　　　　CHECK ☐☐☐☐☐

【問題　61】　品質管理における検査に関する記述として、**最も不適当なもの**はどれか。

1. 購入検査は、提出された検査ロットを購入してよいかどうかを判定するために行う検査で、品物を外部から購入する場合に適用する。

2. 巡回検査は、検査を行う時点を指定せず、検査員が随時、工程をパトロールしながら検査を行うことができる場合に適用する。

3. 無試験検査は、工程が安定状態にあり、品質状況が定期的に確認でき、そのまま次工程に流しても損失は問題にならない場合に適用する。

4. 抜取検査は、継続的に不良率が大きく、決められた品質水準に修正しなければならない場合に適用する。

■■■■　解説　■■■■

1. 外部からの購入品の検査を**購入検査**という。提供品の受入可否の判定をするための検査である。

2. **巡回検査**とは、検査場所により分類される検査方法の1つで、検査員が適時、製造現場を巡回して品目を検査する方法をいう。したがって、一定の検査工程は設けられない。これは、検査場所への品目の移動が不要となり、製造リードタイムの短縮につながる。

3. **無試験検査**は、工程が安定状態にあり、品質状況が定期的に確認でき、そのまま次工程に流しても損失は問題にならない状態となり、管理図に異常が出ない限りロットの試験を省略する場合に適用される。

4. 継続的に不良率が大きく、決められた品質水準に達していないときは、**全数検査**とする。

正答　4

R02-60 A

【問題　62】　品質管理における検査に関する記述として、**最も不適当なもの**はどれか。

1. 中間検査は、不良なロットが次工程に渡らないよう事前に取り除くことによって、損害を少なくするために行う検査である。

2. 間接検査は、購入者側が受入検査を行うことによって、供給者側の試験を省略する検査である。

3. 非破壊検査は、品物を試験してもその商品価値が変わらない検査である。

4. 全数検査は、工程の品質状況が悪いために不良率が大きく、決められた品質水準に修正しなければならない場合に適用される検査である。

━━━━　解説　━━━━

1. **中間検査**は、不良なロットが次工程に渡らないように事前に取り除くことによって損害を少なくするために行う。

2. **間接検査**とは、購入検査で、供給者が行った検査結果を必要に応じて確認することによって、購入者の試験を省略する検査である。

3. **非破壊検査**とは、非破壊試験の結果から、規格などによる基準に従って合否を判定する方法をいう。

4. **全数検査**は、次のような場合に行われる。

① 不良品が流れると人命に危険を与えたり、わずかな不良品が混入しても経済的に大きな損失となるとき。

② 自動検査機あるいは検査用ゲージなどで能率よく検査ができるなど製品価格に比べて検査費用が十分安いとき。

③ 工程の品質状況が悪く継続的に不良率が大きく、決められた品質水準に修正しなければならないとき。

④ ロットの大きさが小さく、その品物の流れの回数が少ないとき。

この肢の場合、上記③より検査は、全数検査を行う必要がある。

R01−61 B

CHECK ☐☐☐☐☐

【問題 63】 品質管理における検査に関する記述として、**最も不適当なもの**はどれか。

1. 購入検査は、提出された検査ロットを購入してよいかどうかを判定するために行う検査で、品物を外部から購入する場合に適用する。

2. 中間検査は、製品として完成したものが要求事項を満足しているかどうかを判定する場合に適用する。

3. 間接検査は、長期にわたって供給側の検査結果が良く、使用実績も良好な品物を受け入れる場合に適用する。

4. 巡回検査は、検査を行う時点を指定せず、検査員が随時工程をパトロールしながら行う場合に適用する。

■ 解説 ■

1. 外部からの購入品の検査を**購入検査**という。提供品の受入可否の判定をするための検査である。

2. **中間検査**は、不良なロットが次工程に渡らないように事前に取り除くことによって損害を少なくするために行う。

3. **間接検査**とは、供給者が行った検査を必要に応じて確認することにより、購入者の試験を省略する検査である。長期にわたって供給側の検査結果が良く、使用実績も良好な品物の受入検査の場合に適用される。

4. **巡回検査**とは、検査場所により分類される検査方法の1つで、検査員が適時、製造現場を巡回して品目を検査する方法をいう。したがって、一定の検査工程は設けられない。これは、検査場所への品目の移動が不要となり、製造リードタイムの短縮につながる。

正答 2

H30-60 B

【問題 64】 品質管理における検査に関する記述として、**最も不適当なもの**はどれか。

1. 無試験検査は、工程が安定状態にあり、品質状況が定期的に確認でき、そのまま次工程に流しても損失は問題にならない場合に適用される。

2. 間接検査は、購入者側が受入検査を行うことによって、供給者側の試験を省略する検査である。

3. 非破壊検査は、品物を試験してもその商品価値が変わらない検査である。

4. 全数検査は、工程の品質状況が悪く継続的に不良率が大きく、決められた品質水準に修正しなければならない場合に適用される。

解説

1. **無試験検査**は、工程が安定状態にあり、品質状況が定期的に確認でき、そのまま次工程に流しても損失は問題にならない状態となり、管理図に異常が出ない限りロットの試験を省略する場合に適用される。

2. **間接検査**とは、購入検査で、供給者が行った検査結果を必要に応じて確認することによって、購入者の試験を省略する検査である。

3. **非破壊検査**とは、非破壊試験の結果から、規格などによる基準に従って合否を判定する方法をいう。

4. **全数検査**は、次のような場合に行われる。

　① 不良品が流れると人命に危険を与えたり、わずかな不良品が混入しても経済的に大きな損失となるとき。

　② 自動検査機あるいは検査用ゲージなどで能率よく検査ができるなど製品価格に比べて検査費用が十分安いとき。

　③ 工程の品質状況が悪く継続的に不良率が大きく、決められた品質水準に修正しなければならないとき。

　④ ロットの大きさが小さく、その品物の流れの回数が少ないとき。

この肢の場合、上記③より検査は全数検査を行う必要がある。

R01－62 A

【問題 65】 鉄筋のガス圧接継手の外観検査の結果、不合格となった圧接部の処置に関する記述として、**最も不適当なもの**はどれか。

1. 圧接部のふくらみの直径や長さが規定値に満たない場合は、再加熱し加圧して所定のふくらみに修正する。

2. 圧接部の折曲がりが規定値を超えた場合は、再加熱して折曲がりを修正する。

3. 圧接部における鉄筋中心軸の偏心量が規定値を超えた場合は、再加熱し加圧して偏心を修正する。

4. 圧接面のずれが規定値を超えた場合は、圧接部を切り取って再圧接する。

■■■■ **解説** ■■■■■■■■■■■■■

1. 圧接部のふくらみの**直径**または**長さ**が規定値に満たない場合は、**再加熱**し圧力を加えて所定のふくらみに修正する。

2. 圧接部に明らかな**折れ曲がり**が生じた場合は、**再加熱**して修正する。

3. 圧接部における相互の鉄筋の**偏心量**が規定値を超えた場合は、圧接部を切り取って**再圧接**する。

4. 圧接面の**ずれ**が規定値を超えた場合は、圧接部を切り取って**再圧接**する。

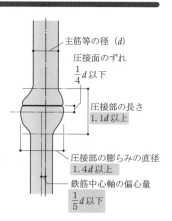

主筋等の径 (d)
圧接面のずれ $\frac{1}{4}d$ 以下
圧接部の長さ 1.1d 以上
圧接部の膨らみの直径 1.4d 以上
鉄筋中心軸の偏心量 $\frac{1}{5}d$ 以下

【ポイント】　圧接部の補正

偏　心　量 形　状　不　良 圧接面のずれ	切　り　取　り ⇩ 再　圧　接
直径・長さの不足 曲　　が　　り	再　加　熱

H30-61 B

【問題　66】　鉄筋のガス圧接工事の試験及び検査に関する記述として、**最も不適当なもの**はどれか。

1.　外観検査は、圧接部のふくらみの直径及び長さ、鉄筋中心軸の偏心量、折曲がりなどについて行った。

2.　超音波探傷試験における抜取検査ロットの大きさは、1組の作業班が1日に施工した圧接箇所とした。

3.　超音波探傷試験の抜取検査は、1検査ロットに対して無作為に3か所抽出して行った。

4.　超音波探傷試験による抜取検査で不合格となったロットについては、試験されていない残り全数に対して超音波探傷試験を行った。

━━ 解説 ━━

1. **外観検査**は、全数検査とし、圧接部のふくらみの**直径**、ふくらみの**長さ**、圧接面のずれ、鉄筋中心軸の**偏心量**、圧接面の折れ曲がりについて行う。

2. 1検査ロットの大きさは、1組の作業班が1日に実施した圧接箇所とする。

3. **抜取検査**の**超音波探傷試験**は、非破壊試験で、1検査ロットに対して30箇所行う。

抜取検査による超音波探傷試験

検査数量	1検査ロットからランダムに**30箇所**	
判　　定	不合格箇所数が**1箇所以下**のとき、そのロットを**合格**とする。
	不合格箇所数が**2箇所以上**のとき、そのロットを**不合格**とする。

4. 抜取検査で不合格になったロットについては、不合格ロットとして扱い、不合格ロットの残り**全数**に対して**超音波探傷試験**を行う。

正答　3

R04−48 A

【問題 67】 鉄筋コンクリート工事における試験及び検査に関する記述として、**最も不適当なもの**はどれか。

1. スランプ18cmのコンクリートの荷卸し地点におけるスランプの許容差は、±2.5cmとした。

2. 鉄筋圧接部における超音波探傷試験による抜取検査で不合格となったロットについては、試験されていない残り全数に対して超音波探傷試験を行った。

3. 鉄筋圧接部における鉄筋中心軸の偏心量が規定値を超えたため、再加熱し加圧して偏心を修正した。

4. 空気量4.5％のコンクリートの荷卸し地点における空気量の許容差は、±1.5％とした。

■ 解説

1. スランプ 8 cm以上18cm以下のコンクリートの荷卸し地点におけるスランプの許容差は、±2.5cmとする。

指定したスランプ(cm)	許容差(cm)
5、6.5	± 1.5
8以上18以下	± 2.5
21	± 1.5 *

*呼び強度27以上で高性能AE減水剤を使用する場合は、±2とする。

2. **抜取検査**で不合格になったロットについては、不合格ロットとして扱い、不合格ロットの残り**全数**に対して**超音波探傷試験**を行う。

3. 鉄筋中心軸の**偏心量**、圧接面の**ずれ**が規定値を超えた場合及び形状が著しく不良なものについては、圧接部を切り取って**再圧接**する。

【ポイント】 圧接部の補正

偏 心 量 形 状 不 良 圧接面のずれ	切 り 取 り ⇩ 再 圧 接
直径・長さの不足 曲 が り	再 加 熱

4. 普通コンクリートの荷卸し時におけるフレッシュコンクリートの**空気量の許容差**は、±1.5%である。

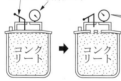

作動弁 初期圧力

作業弁を開いて
空気圧をコンクリートに加え、
圧力計で見かけの空気量を求める

コンクリート → コンクリート

空気量試験

正答 3

R02−61 **A**

【問題　68】　普通コンクリートの試験及び検査に関する記述として、**最も不適当なものは**どれか。

1.　スランプ18cmのコンクリートの荷卸し地点におけるスランプの許容差は、±2.5cmとした。

2.　1回の構造体コンクリート強度の判定に用いる供試体は、レディーミクストコンクリートの受入れ検査と併用しないこととしたので、複数の運搬車のうちの1台から採取した試料により、3個作製した。

3.　構造体コンクリート強度の判定は、材齢28日までの平均気温が20℃であったため、工事現場における水中養生供試体の1回の試験結果が調合管理強度以上のものを合格とした。

4.　空気量4.5％のコンクリートの荷卸し地点における空気量の許容差は、±1.5％とした。

■ 解説

1. スランプ8cm以上18cm以下のコンクリートの荷卸し地点における**スランプの許容差**は、**±2.5cm**とする。

指定したスランプ（cm）	許容差（cm）
5、6.5	± 1.5
8以上18以下	**± 2.5**
21	± 1.5 *

*呼び強度27以上で高性能AE減水剤を使用する場合は、±2とする。

2. **構造体コンクリート強度**の判定において、1回の試験に使用する供試体の数は3個とする。また、受入れ検査と併用しない場合、適切な間隔をあけた**3台の運搬車**から、それぞれ試料を採取し、**1台につき1個（合計3個）**の供試体を作製する。

3. **構造体コンクリートの圧縮強度**の判定基準は、強度管理材齢を28日とし、標準養生の供試体を用いた場合には、1回の試験における3個の供試体の圧縮強度の平均値が**調合管理強度以上**とする。また、現場水中養生とする場合において、材齢28日までの平均気温が20℃以上では調合管理強度以上とする。

4. **普通コンクリート**の荷卸し時におけるフレッシュコンクリートの**空気量の許容差**は、**±1.5%**である。

作動弁　初期圧力

作業弁を開いて
空気圧をコンクリートに加え、
圧力計で見かけの空気量を求める

コンクリート　→　コンクリート

空気量試験

正答　2

【問題　69】　コンクリート工事における品質を確保するための管理値に関する記述として、最も不適当なものはどれか。

1.　普通コンクリートの荷卸し地点における空気量の許容差は、±2.5％とした。

2.　目標スランプフローが60cmの高流動コンクリートの荷卸し地点におけるスランプフローの許容差は、±7.5cmとした。

3.　スランプ18cmの普通コンクリートの荷卸し地点におけるスランプの許容差は、±2.5cmとした。

4.　構造体コンクリートの部材の仕上りにおける柱、梁、壁の断面寸法の許容差は、0 mm〜＋15mmとした。

━━ 解説 ━━

1. **普通コンクリート**の荷卸し時におけるフレッシュコンクリートの**空気量**の**許容差**は、**±1.5%**である。

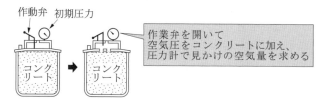

作動弁　初期圧力

作業弁を開いて
空気圧をコンクリートに加え、
圧力計で見かけの空気量を求める

コンクリート → コンクリート

空気量試験

2. **高流動コンクリート**の荷卸し地点における**スランプフロー**の**許容差**は、45・50・55cmの場合は±7.5cm、60cmの場合は±10cmとする。

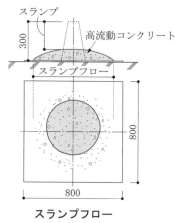

スランプ

300

高流動コンクリート

スランプフロー

800

800

スランプフロー

3. スランプ8cm以上18cm以下のコンクリートの荷卸し地点における**スランプの許容差**は、**±2.5cm**とする。

指定したスランプ(cm)	許容差(cm)
5、6.5	± 1.5
8以上18以下	± 2.5
21	± 1.5 *

*呼び強度27以上で高性能AE減水剤を使用する場合は、±2とする。

4. **構造体コンクリート**の部材の断面寸法の許容差は、**柱・梁・壁**においては、**−5mm**から**+20mm**とする。

R05-47 A

【問題　70】　建築施工の品質を確保するための管理値に関する記述として、**最も不適当な**ものはどれか。

1.　鉄骨工事において、スタッド溶接後のスタッドの傾きの許容差は、5°以内とした。
2.　構造体コンクリートの部材の仕上がりにおいて、柱、梁、壁の断面寸法の許容差は、0〜+20mmとした。
3.　鉄骨梁の製品検査において、梁の長さの許容差は、±7mmとした。
4.　コンクリート工事において、薄いビニル床シートの下地コンクリート面の仕上がりの平坦さは、3mにつき7mm以下とした。

■■■　解説　■■■

1.　スタッド溶接後の**スタッドの傾き**の**管理許容差は±3°以内**、**限界許容差は±5°以内**とする。
2.　構造体コンクリートの部材の**断面寸法**の**許容差**は、**柱・梁・壁**においては、**−5mm**から**+20mm**とする。
3.　鉄骨精度検査基準では、鉄骨の製品検査において、**梁の長さ**の**管理許容差は±3mm以内**、**限界許容差は±5mm以内**である。

建　方　精　度

名　　称	図	管理許容差	限界許容差	備　　　　考
はりの長さ ΔL	$L+\varDelta L$	$-3\,mm\leqq$ $\varDelta L\leqq+3\,mm$	$-5\,mm\leqq$ $\varDelta L\leqq+5\,mm$	

4.　ビニル床シートのように仕上げ厚さが極めて薄い場合、その他良好な表面状態が必要な場合には、**仕上がりの平坦さは3mにつき7mm以下**とする。

R03−47 B

【問題　71】　建築施工における品質管理に関する記述として、**最も不適当なものはどれか。**

1. コンクリート工事において、コンクリート部材の設計図書に示された位置に対する各部材の位置の許容差は、±20mmとした。

2. コンクリートの受入検査において、目標スランプフローが60cmの高流動コンクリートの荷卸し地点におけるスランプフローの許容差は、±7.5cmとした。

3. 鉄骨工事において、スタッド溶接後のスタッドの傾きの管理許容差は、3°以内とした。

4. 鉄骨梁の製品検査において、梁の長さの管理許容差は、±7.5mmとした。

■■■　解説　■■■

1. コンクリート部材の設計図に示された位置に対する各部材の**位置の許容差**は、±20mmである。

構造体の位置および断面寸法の許容差の標準値

項	目	許容差(mm)
位　置	設計図に示された位置に対する各部材の位置	±20
構造体および部材の断面寸法	柱・梁・壁の断面寸法	− 5, ＋20
	床スラブ・屋根スラブの厚さ	
	基礎の断面寸法	−10, ＋50

2. 高流動コンクリートの荷卸し地点における**スランプフローの許容差**は、40・50・55cmの場合は±7.5cm、60cmの場合は±10cmとする。

3. スタッド溶接後の**スタッドの傾きの管理許容差は±3°以内**、限界許容差±5°以内とする。

4. 鉄骨精度検査基準では、鉄骨の製品検査において、**梁の長さの管理許容差は±3mm以内**、限界許容差は、±5mm以内である。

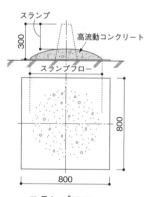

スランプフロー

正答　4

R02-59 A

【問題　72】　建築施工の品質を確保するための管理値に関する記述として、**最も不適当な**
ものはどれか。

1. 鉄骨工事において、一般階の柱の階高寸法は、梁仕口上フランジ上面間で測り、
   その管理許容差は、±3mmとした。

2. コンクリート工事において、ビニル床シート下地のコンクリート面の仕上がりの
   平坦さは、3mにつき7mm以下とした。

3. カーテンウォール工事において、プレキャストコンクリートカーテンウォール部
   材の取付け位置の寸法許容差のうち、目地の幅は、±5mmとした。

4. 断熱工事において、硬質吹付けウレタンフォーム断熱材の吹付け厚さの許容差は、
   ±5mmとした。

解説

1. 柱の製品検査における一般階の階高寸法は、梁仕口上フランジ上面間で測り、その管
   理許容差は±3mmとする。限界許容差は±5mmとする。

2. ビニル床シートのように仕上げ厚さが極めて薄い場合、その他良好な表面状態が必要
   な場合には、**仕上がりの平坦さは3mにつき7mm以下**とする。

コンクリートの内外装仕上げ	平たんさ	適用部位による仕上げの目安	
		柱・梁・壁	床
コンクリートが見え掛りとなる場合又は仕上げ厚さが極めて薄い場合その他良好な表面状態が必要な場合	**3mにつき7mm以下**	**化粧打放しコンクリート**、塗装仕上げ、壁紙張り、接着剤による陶磁器質タイル張り	合成樹脂塗床、ビニル系床材張り、床コンクリート直均し仕上げ、フリーアクセスフロア(置敷式)
仕上げ厚さが7mm未満の場合その他かなり良好な平たんさが必要な場合	3mにつき10mm以下	仕上げ塗材塗り	カーペット張り、防水下地、セルフレベリング材塗り
仕上げ厚さが7mm以上の場合又は下地の影響をあまり受けない仕上げの場合	1mにつき10mm以下	セメントモルタルによる陶磁器質タイル張り、モルタル塗り、胴縁下地	タイル張り、モルタル塗り、二重床

3. **プレキャストコンクリートカーテンウォール部材**の取付け位置の寸法許容差のうち、
   目地の幅については、**±5mm**とする。

4. 吹付け作業は、総厚さが30mm以上の場合は多層吹きとし、各層の厚さは各々30mm
   以下とする。随時、厚さを測定しながらの作業は、**吹付け厚さの許容誤差は0から＋**
   10mmとする。

H30-59 B

施工管理法

【問題　73】　建築施工の品質を確保するための管理値に関する記述として、**最も不適当な**ものはどれか。

1. 鉄骨柱据付け面となるベースモルタル天端の高さの管理許容差は、±３mmとした。
2. 硬質吹付けウレタンフォーム断熱材の吹付け厚さの許容差を、±５mmとした。
3. 鉄骨梁の製品検査において、梁の長さの管理許容差は、±３mmとした。
4. 化粧打放しコンクリート仕上げ壁面の仕上がり平坦さを、３mにつき７mm以下とした。

解説

1. **ベースモルタルの仕上面**は、柱の建方前にレベル検査を行い、仕上面の精度は、特記のないかぎり、**柱据付け面の高さの管理許容差を±３mm**、限界許容差を±５mmとする。

2. 吹付け作業は、総厚さが30mm以上の場合は多層吹きとし、各層の厚さは各々30mm以下とする。随時、厚さを測定しながら作業し、**吹付け厚さの許容誤差は０から＋10mm**とする。

3. 鉄骨精度検査基準では、鉄骨の製品検査において、**梁の長さの管理許容差は±３mm**以内、限界許容差は、±５mm以内である。

4. コンクリートの仕上りの平たんさの標準値を下記に記す。

コンクリートの内外装仕上げ	平たんさ	適用部位による仕上げの目安	
		柱・梁・壁	床
コンクリートが見え掛りとなる場合又は仕上げ厚さが極めて薄い場合その他良好な表面状態が必要な場合	**3mにつき7mm以下**	**化粧打放しコンクリート**、塗装仕上げ、壁紙張り、接着剤による陶磁器質タイル張り	合成樹脂塗床、ビニル系床材張り、床コンクリート直均し仕上げ、フリーアクセスフロア（置敷式）
仕上げ厚さが7mm未満の場合その他かなり良好な平たんさが必要な場合	3mにつき10mm以下	仕上げ塗材塗り	カーペット張り、防水下地、セルフレベリング材塗り
仕上げ厚さが7mm以上の場合又は下地の影響をあまり受けない仕上げの場合	1mにつき10mm以下	セメントモルタルによる陶磁器質タイル張り、モルタル塗り、胴縁下地	タイル張り、モルタル塗り、二重床

CHECK ☐☐☐☐☐

【問題　74】　仕上げ工事における試験及び検査に関する記述として、**最も不適当なもの**はどれか。

1. アルミニウム製外壁パネルの陽極酸化皮膜の厚さの測定は、渦電流式測定器を用いて行った。
2. 室内空気中に含まれるホルムアルデヒドの濃度測定は、パッシブ型採取機器を用いて行った。
3. 現場搬入時の造作用針葉樹製材の含水率は、高周波水分計を用いて15%以下であることを確認した。
4. 塗装素地のモルタル面のアルカリ度は、pHコンパレータを用いて塗装直前にpH12以下であることを確認した。

解説

1. **陽極酸化皮膜の厚さ**の測定には、顕微鏡による方法と渦電流による方法があり、渦電流厚さ測定器は、**高周波渦電流**を用いて非破壊で皮膜の厚さを測定できる。
2. 室内空気中に含まれるホルムアルデヒド等の濃度測定は、**パッシブ型採取機器**を用いて行う。
3. 木材の工事現場搬入時の**含水率**は、造作材、**下地材**では**15%以下**、**構造材**では**20%以下**である。含水率は、全断面の平均の推定値とし、**電気抵抗式水分計**または**高周波水分計**により測定する。
4. 塗装工事の**アルカリ度検査**の方法には、**pHコンパレーター**、pH指示薬溶液、pH試験紙等があり、pH（水素イオン濃度）の測定を行う。塗装可能な下地のアルカリ度の一般的な目安は、**コンクリート**、**モルタル面**では**pH 9以下**、プラスター面ではpH 8以下である。

正答　4

【問題　75】　壁面の陶磁器質タイル張り工事における試験に関する記述として、**最も不適当なもの**はどれか。

1. 引張接着力試験の試験体の個数は、300m^{2}ごと及びその端数につき1個以上とした。

2. 接着剤張りのタイルと接着剤の接着状況の確認は、タイル張り直後にタイルをはがして行った。

3. セメントモルタル張りの引張接着力試験は、タイル張り施工後、2週間経過してから行った。

4. 二丁掛けタイル張りの引張接着力試験は、タイルを小口平の大きさに切断した試験体で行った。

■■■　解説　■■■

1. **接着力試験**は、引張接着強度を確認するもので、試験体の個数は、**100m^{2}ごと及びその端数につき1個以上**、かつ、**全体で3個以上**とする。

2. 接着剤張りのタイルと接着剤の接着状況の検査方法としては、タイル張り**直後**にタイルをはがし、接着剤の接着状況を確認する。

3. セメントモルタル張りの引張接着力試験の時期は、タイル張り施工後、**2週間経過**してから実施する。

4. 測定するタイルの大きさが小口平の大きさより大きい場合は、タイルを小口平の大きさに切断し**小口平**の大きさとする。

H30−62 A

【問題　76】　壁面の陶磁器質タイル張り工事における試験に関する記述として、**最も不適当なもの**はどれか。

1.　有機系接着剤によるタイル後張り工法において、引張接着力試験は、タイル張り施工後、2週間経過してから行った。

2.　セメントモルタルによるタイル後張り工法において、引張接着力試験に先立ち、試験体周辺部をコンクリート面まで切断した。

3.　引張接着力試験の試験体の個数は、300m²ごと及びその端数につき1個以上とした。

4.　二丁掛けタイルの引張接着力試験の試験体は、タイルを小口平の大きさに切断して行った。

■■■　解説　■■■

1.　**施工後2週間以上**経過した時点で、引張試験機を用いて**引張接着強度**を測定する。

2.　試験体は、タイル周辺を**カッター**でコンクリート面まで切断したものとする。これは、タイルの剥落がタイルだけではなく、下地のモルタルから剥落することが多いので、この部分まで試験するためである。

3.　**接着力試験**は、引張接着強度を確認するもので、試験体の個数は、100m²ごと及びその端数につき1個以上、かつ、全体で**3個以上**とする。

4.　測定するタイルの大きさが小口平の大きさより大きい場合は、タイルを小口平の大きさに切断し**小口平の大きさ**とする。

品質管理　　　各種材料の保管

【問題　77】　工事現場における材料の保管に関する記述として、**最も不適当なもの**はどれか。

1. 長尺のビニル床シートは、屋内の乾燥した場所に直射日光を避けて縦置きにして保管した。
2. 砂付ストレッチルーフィングは、ラップ部(張付け時の重ね部分)を下に向けて縦置きにして保管した。
3. フローリング類は、屋内のコンクリートの床にシートを敷き、角材を並べた上に保管した。
4. 木製建具は、取付け工事直前に搬入し、障子や襖は縦置き、フラッシュ戸は平積みにして保管した。

━━━ **解説** ━━━━━━━━━━━━━━━━━━━━━━━━━━━━━━━━

1. **床シート類**は、横積みにすると重量で変形するおそれがあるので、屋内の乾燥した場所に直射日光を避けて**縦置き**にし、転倒防止のためロープ等で固定し保管する。
2. **砂付ストレッチルーフィング**は、ラップ部分を上にして、**立てて保管**する。
3. **フローリング類**は、湿気を含むと変形するので、屋内の床にシートを敷き、角材を並べた上に**積み重ねて**保管する。
4. **フラッシュ戸は平積み**とし、格子戸・ガラス戸・板戸は立てかけ、または平積み、障子・襖は立てかけとして変形を防ぐ。いずれも、種別ごと及び同寸法ごとに框・桟の位置をそろえて保管する。

【問題　78】　工事現場における材料の取扱いに関する記述として、**最も不適当なもの**はどれか。

1. 既製コンクリート杭は、やむを得ず2段に積む場合、同径のものを並べ、まくら材を同一鉛直面上にして仮置きする。

2. 被覆アーク溶接棒は、吸湿しているおそれがある場合、乾燥器で乾燥してから使用する。

3. 砂付ストレッチルーフィングは、ラップ部（張付け時の重ね部分）を下に向けて縦置きにする。

4. プレキャストコンクリートの床部材を平積みで保管する場合、台木を2箇所とし、積み重ね段数は6段以下とする。

■■■ 解説 ■■■

1. **既製コンクリート杭**は、角材を支持点として**1段**に並べ、やむを得ず2段以上に積む場合には、同径のものを並べるなど有害な応力が生じないよう仮置きする。

2. **被覆アーク溶接棒**は、吸湿しやすいため、吸湿しているおそれのある場合には、乾燥器で**乾燥**してから使用する。

3. **砂付ストレッチルーフィング**は、ラップ部分を上にして、立てて保管する。

4. **PCコンクリート部材**を平置きで貯蔵する場合は、まくら木を**2本**並べて**6段**程度まで積み重ねる。まくら木は、部材の大きさにかかわらず2本を原則とする。また、柱部材は、2段までとする。

R02−51 **B**

【問題 79】 工事現場における材料の保管に関する記述として、**最も不適当なもの**はどれか。

1. 押出成形セメント板は、平坦で乾燥した場所に平積みとし、積上げ高さを1mまでとして保管した。

2. 板ガラスは、車輪付き裸台で搬入し、できるだけ乾燥した場所にそのまま保管した。

3. 長尺のビニル床シートは、屋内の乾燥した場所に直射日光を避けて縦置きにして保管した。

4. ロール状に巻いたカーペットは、屋内の平坦で乾燥した場所に、4段までの俵積みにして保管した。

■ 解説 ■

1. **押出成形セメント板**は、水濡れを防止し、ねじれ反りが生じないように平坦で乾燥した場所を選定し、養生を行い、積置き高さは、**1m以下**とする。

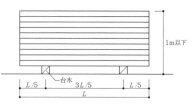

2. 裸台で運搬してきた**板ガラス**は、床への平置きは避け、床にゴム又は木板を敷き、壁にもゴム板等を配し、ガラスを立てかけるが、木箱、パレットあるいは車輪付き裸台で運搬してきたガラスは、乗せたままで保管する。

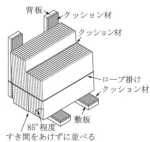

3. **床シート類**は、横積みにすると重量で変形するおそれがあるので、屋内の乾燥した場所に直射日光を避けて**縦置き**にし、転倒防止のためロープ等で固定し保管する。

4. **カーペット**は、保管場所の床に直接置かないように配慮し、ほこりや床材からの湿気の影響を直接受けないようにする。タイルカーペットは5〜6段積みまでとする。また、ロールカーペットは、縦置きせず、必ず横に倒して、**2〜3段**までの**俵積み**で静置する。

正答 **4**

【問題　80】　工事現場における材料の保管に関する記述として、**最も不適当なもの**はどれ
か。

1. 既製コンクリート杭は、やむを得ず2段に積む場合、同径のものを並べ、まくら
材を同一鉛直面上にして仮置きする。

2. 高力ボルトは、工事現場受入れ時に包装を開封し、乾燥した場所に、使用する順
序に従って整理して保管する。

3. フローリング類は、屋内のコンクリートの上に置く場合、シートを敷き、角材を
並べた上に保管する。

4. 防水用の袋入りアスファルトは、積重ねを10段以下にし、荷崩れに注意して保
管する。

■■■　　解説　■■■

1. **既製コンクリート杭**は、角材を支持点として**1段**
に並べ、やむを得ず2段以上に積む場合には、同
径のものを並べるなど有害な応力が生じないよう
仮置きする。

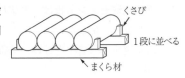

くさび

1段に並べる

まくら材

2. **高力ボルト**は、包装の完全なものを**未開封**状態のまま工事現場へ搬入し、乾燥した場
所に規格種別、径別、長さ別に整理して保管し、施工直前に包装を開封する。

3. **フローリング類**は、湿気を含むと変形するので、屋内の床にシートを敷き、角材を並
べた上に積み重ねて保管する。

4. 防水用の**袋入りアスファルト**を積み重ねて保管するときは、**10段**を超えて積まない
ようにし、荷崩れが起きないよう注意する。

H30–51 B　　　　　　　　　　　　　　　　CHECK ☐☐☐☐☐

【問題　81】　工事現場における材料の保管に関する記述として、**最も不適当なもの**はどれか。

1. ALCパネルは、平積みとし、1段の積上げ高さは1.5m以下とし2段までとする。
2. 砂付ストレッチルーフィングは、屋内の乾燥した場所に、砂の付いていない部分を上にして縦置きとする。
3. ロール状に巻いたカーペットは、屋内の乾燥した平坦な場所に、2段程度の俵積みとする。
4. 木製建具は、取付け工事直前に搬入するものとし、障子や襖は縦置き、フラッシュ戸は平積みとする。

━━━　解説　━━━━━━━━━━━━━━━━━━━━━━━━━

1. **ALCパネル**の積上げは、反りやねじれ、損傷が生じないように、所定の位置に台木を水平に置き、**積上げ高さは1段を1.0m以下**として2段までとする。

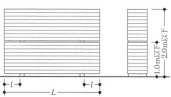

2. **ルーフィング類**は、湿気の少ない室内に保管し、耳がつぶれないように**たて積み**にする。また、砂付ストレッチルーフィングは、ラップ部分（張付け時の重ね部分）を上にし、ラップ部分の保護のため**2段積み**にしてはならない。

雨露や直射日光をさける
砂付きルーフィングはラップ部分を上にして1段積み

原則としてたて積み1段

湿気の少ない場所

日光

3. カーペットは、保管場所の床に直接置かないように配慮し、ほこりや床材からの湿気の影響を直接受けないようにする。**タイルカーペットは5〜6段積み**までとする。また、**ロールカーペット**は、縦置きせず、必ず横に倒して、2〜3段までの**俵積み**で静置する。

4. フラッシュ戸は平積みとし、格子戸・ガラス戸・板戸は立てかけ、または平積み、障子・襖は立てかけとして変形を防ぐ。いずれも、種別ごと及び同寸法ごとに框・桟の位置をそろえて保管する。

R04-50 A

【問題 82】 労働災害に関する記述として、**最も不適当なもの**はどれか。

1. 労働災害における労働者とは、事業又は事務所に使用される者で、賃金を支払われる者をいう。

2. 労働災害の重さの程度を示す強度率は、1,000延労働時間当たりの労働損失日数の割合で表す。

3. 労働災害における重大災害とは、一時に3名以上の労働者が業務上死傷又は罹病した災害をいう。

4. 労働災害には、労働者の災害だけでなく、物的災害も含まれる。

解説

1. 労働災害における労働者とは、職業の種類を問わず、事業又は事業所に使用される者で、賃金を支払われる者をいう。

2. **強度率**は次式で示され、**1,000延労働時間当たりの労働損失日数**により、災害の程度を示したものである。

$$強度率 = \frac{労働損失日数}{延労働時間数} \times 1,000（小数点3位以下四捨五入）$$

3. **重大災害**とは、一時に**3人以上**の労働者が業務上死傷又は罹病した災害をいい、特別に調査、分析の対象としている。

4. **労働災害**には、単なる物的災害は含まれず、就業場所等に起因して、**労働者**が**負傷**や**疾病**にかかったり、**死亡**する場合をいう。

R02−64 B

【問題　83】　労働災害に関する記述として、**最も不適当なもの**はどれか。

1.　労働損失日数は、一時労働不能の場合、暦日による休業日数に300／365を乗じて算出する。

2.　労働災害における労働者とは、所定の事業又は事務所に使用される者で、賃金を支払われる者をいう。

3.　度数率は、災害発生の頻度を表すもので、100万延べ実労働時間当たりの延べ労働損失日数を示す。

4.　永久一部労働不能で労働基準監督署から障がい等級が認定された場合、労働損失日数は、その等級ごとに定められた日数となる。

■■■■　解説　■■■■

1.　**労働損失日数**とは、強度率を算出する際に用いる係数で、労働災害により失われた日数を評価したもの。休業のみの場合は、**休業日数×300／365**で表し、死亡や障害が残った場合は等級により損失日数が定められている。なお、一時労働不能とは、災害発生の翌日以降、少なくとも1日以上は負傷のため労働できないが、ある期間を経過すると治ゆし、身体障害等級表の第1級～第14級に該当する障害を残さないものをいう。

2.　**労働災害における労働者**とは、職業の種類を問わず、事業又は事業所に使用される者で、賃金を支払われる者をいう。

3.　**度数率**は次式で表され、災害発生の頻度を示し、**100万延労働時間当たりの死傷者**数を示したものである。

$$度数率 = \frac{死傷者数}{延労働時間数} \times 1,000,000（小数点3位以下四捨五入）$$

4.　永久一部労働不能で労働基準監督署から障がい等級が認定された場合、労働損失日数は、その等級ごとに定められた日数となる。永久一部労働不能は、身体障害等級表の第4級～第14級に該当する。

【問題　84】　労働災害に関する記述として、**最も不適当なもの**はどれか。

1. 一般に重大災害とは、一時に３名以上の労働者が死傷又は罹病した災害をいう。
2. 年千人率は、1,000人当たりの１年間に発生した死傷者数で表すもので、災害発生の頻度を示す。
3. 労働損失日数は、死亡及び永久全労働不能の場合、１件につき5,000日としている。
4. 強度率は、1,000延労働時間当たりの労働損失日数で表すもので、災害の重さの程度を示す。

■■■■　解説　■■■■■■■■■■■■■■■■■■■■■■■■■■■■■■■■■■■■

1. **重大災害**とは、一時に**３人以上**の労働者が業務上死傷又は罹病した災害をいい、特別に調査、分析の対象としている。

2. **年千人率**は次式で表され、発生頻度を示し、**労働者1,000人当たりの１年間の死傷者数**を示したものである。

$$年千人率 = \frac{年間死傷者数}{年間平均労働者数} \times 1,000 （小数点３位以下四捨五入）$$

3. **労働損失日数**を算出する基準では、死亡及び永久全労働不能障害の場合、１件につき**7,500日**と定められている。

4. **強度率**は次式で示され、**1,000延労働時間当たりの労働損失日数**により、災害の程度を示したものである。

$$強度率 = \frac{労働損失日数}{延労働時間数} \times 1,000 （小数点３位以下四捨五入）$$

H30−64 A

【問題　85】　次に示すイ～ニの災害を、平成28年の建築工事における死亡災害の発生件数の多い順から並べた組合せとして、**適当なもの**はどれか。

（災害の種類）

イ．建設機械等による災害

ロ．墜落による災害

ハ．電気、爆発火災等による災害

ニ．飛来、落下による災害

1.　イ　ロ　ニ　ハ

2.　ロ　イ　ニ　ハ

3.　イ　ハ　ロ　ニ

4.　ロ　ハ　イ　ニ

　　　解説

1.～4.　平成28年建設業における死亡災害の工事の種類・災害の種類別発生状況は、

①「墜落による災害」　　　　　　85件

②「建設機械等による災害」　　　11件

③「飛来・落下による災害」　　　 8件

④「電気・爆発火災等による災害」 4件

正答　2

R04-53 A

【問題　86】　事業者の講ずべき措置に関する記述として、「労働安全衛生規則」上、誤っ
　　　ているものはどれか。

1.　強風、大雨、大雪等の悪天候のため危険が予想されるとき、労働者を作業に従事
　　させてはならないのは、作業箇所の高さが3m以上の場合である。

2.　安全に昇降できる設備を設けなければならないのは、原則として、高さ又は深さ
　　が1.5mをこえる箇所で作業を行う場合である。

3.　自動溶接を除くアーク溶接の作業に使用する溶接棒等のホルダーについて、感電
　　の危険を防止するため必要な絶縁効力及び耐熱性を有するものでなければ、使用
　　させてはならない。

4.　明り掘削の作業において、掘削機械の使用によるガス導管、地中電線路等地下工
　　作物の損壊により労働者に危険を及ぼすおそれがあるときは、掘削機械を使用さ
　　せてはならない。

■　解説　■

1.　強風、大雨等の悪天候のため危険が予想されるとき、労働者を作業に従事させてはな
　　らないのは、**作業箇所の高さが2m以上**の場合である。

2.　高さ又は深さが1.5mを超える箇所で作業を行うときは、当該作業に従事する労働者
　　が安全に**昇降するための設備**等を設けなければならない。

3.　自動溶接を除くアーク溶接の作業に使用する溶接棒等のホルダーについて、感電の危
　　険を防止するため必要な絶縁効力及び耐熱性を有するものでなければ、使用させては
　　ならない。

4.　明り掘削の作業において、掘削機械の使用によるガス導管、地中電線路等工作物の損
　　壊により労働者に危険を及ぼすおそれのあるときは、掘削機械を使用してはならない。

正答　1

R01-68 A　　　　　　　　　　　　　CHECK ☐☐☐☐☐

【問題　87】　事業者の講ずべき措置に関する記述として、「労働安全衛生規則」上、**誤っ
ているもの**はどれか。

1. 事業者は、高さが 2 m 以上の箇所で作業を行う場合、強風、大雨、大雪等の悪天候のため危険が予想されるときは、労働者を作業に従事させてはならない。
2. 事業者は、2 m 以上の箇所から物体を投下する場合、適当な投下設備を設け、監視人を置く等労働者の危険を防止するための措置を講じなければならない。
3. 事業者は、高さが 2 m 以上の箇所で作業を行う場合、作業に従事する労働者が墜落するおそれのあるとき、作業床を設けなければならない。
4. 事業者は、高さが 2 m 以上の箇所で作業を行う場合、作業を安全に行うため必要な照度を保持しなければならない。

解説

1. 事業者は、高さ **2 m 以上**の箇所で作業を行う場合、強風、大雨、大雪等の悪天候のため、作業の実施について危険が予想されるときは、作業に労働者を従事させてはならない。

2. 事業者は、**3 m 以上**の高所から物体を投下するときは、適当な**投下設備**を設け、**監視人**を置く等労働者の危険を防止するための措置を講じなければならない。

3. 事業者は、**高さが 2 m 以上**の箇所で作業を行う場合、墜落により労働者に危険を及ぼすおそれがあるときは、足場を組み立てる等の方法により**作業床**を設けなければならない。

4. 事業者は、**高さが 2 m 以上**の箇所で作業を行うときは、作業を安全に行うため必要な**照度**を保持しなければならない。

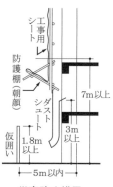

災害防止措置

R05-52 Ａ

【問題　88】　足場に関する記述として、**最も不適当なもの**はどれか。

1. 枠組足場に設ける高さ8ｍ以上の階段には、7ｍ以内ごとに踊場を設けた。

2. 作業床は、つり足場の場合を除き、床材間の隙間は3cm以下、床材と建地の隙間は12cm未満とした。

3. 単管足場の壁つなぎの間隔は、垂直方向5.5m以下、水平方向5ｍ以下とした。

4. 脚立を使用した足場における足場板は、踏さん上で重ね、その重ね長さを20cm以上とした。

━━ **解説** ━━━━━━━━━━━━━━━━━━━━━━━━━━━━━━━━━━━━━

1. 建設工事に使用する高さ**8ｍ以上**の**登りさん橋**(階段もこれに準ずる)には、**7ｍ以内**ごとに**踊場**を設ける。

2. 事業者は、足場における**高さ2ｍ以上**の作業場所には、**作業床**を設けなければならない。つり足場の場合を除き、幅、床材間の隙間及び床材と建地との隙間は、次に定めるところによる。

登りさん橋（単位:mm）

　① 幅は、40cm以上とすること。

　② **床材間の隙間**は、**3cm以下**とすること。

　③ **床材と建地との隙間**は、**12cm未満**とすること。

3. **単管足場の壁つなぎの間隔**は、**垂直方向5ｍ以下**、**水平方向5.5m以下**に設ける。

4. 脚立足場において、足場板を長手方向に重ねるときは、支点の上で重ね、その重ねた部分の**長さは20cm以上**としなければならない。

R03−52 B

【問題　89】　足場に関する記述として、**最も不適当なもの**はどれか。

1. 移動はしごは、丈夫な構造とし、幅は30cm以上とする。

2. 枠組足場の使用高さは、通常使用の場合、45m以下とする。

3. 作業床は、つり足場の場合を除き、床材間の隙間は 3 cm以下、床材と建地の隙間は12cm未満とする。

4. 登り桟橋の高さが15mの場合、高さの半分の位置に 1 箇所踊場を設ける。

■■■　　**解説**　■■■

1. **移動はしごの幅は、30cm以上**とする。

2. 標準的な部材による場合、枠組足場では45mが限度である。

3. 事業者は、足場における高さ 2 m以上の作業場所には、**作業床**を設けなければならない。つり足場の場合を除き、幅、床材間の隙間及び床材と建地との隙間は、次に定めるところによる。

　① **幅は、40cm以上**とすること。

　② **床材間の隙間は、 3 cm以下**とすること。

　③ **床材と建地との隙間は、12cm未満**とすること。

4. 建設工事に使用する高さ **8 m以上の登り桟橋**には、**7 m以内ごとに踊場**を設ける。

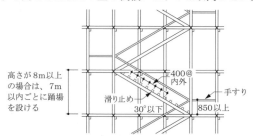

　　　　　登りさん橋（単位:mm）

正答　4

R02-67 B

【問題　90】　足場に関する記述として、**最も不適当なもの**はどれか。

1. 単管足場の建地を鋼管２本組とする部分は、建地の最高部から測って31mを超える部分とした。

2. くさび緊結式足場の支柱の間隔は、桁行方向２m、梁間方向1.2mとした。

3. 移動式足場の作業床の周囲は、高さ90cmで中桟付きの丈夫な手すり及び高さ10cmの幅木を設置した。

4. 高さが８mのくさび緊結式足場の壁つなぎは、垂直方向５m、水平方向5.5mの間隔とした。

■■■　解説　■■■

1. **単管足場の場合、建地の最高部から測って31mを超える部分の建地**は、鋼管を２本組とする。

2. 4. **くさび緊結式足場の支柱の間隔は、桁行方向1.85m以下、梁間方向1.5m以下とする。また、壁つなぎは、垂直方向5.0m以下、水平方向5.5m以下とする。**

3. 移動式足場の作業床の周囲には、高さ90cm以上で中桟付きの丈夫な手すり及び高さ10cm以上の幅木を設ける。

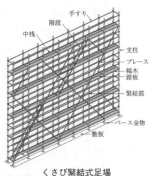

くさび緊結式足場

正答　2

R01−67 B

【問題　91】　足場に関する記述として、**最も不適当なもの**はどれか。

1.　つり足場の作業床の幅は、40cm以上とする。

2.　単管足場の壁つなぎの間隔は、垂直方向5.5m以下、水平方向5 m以下とする。

3.　枠組足場の使用高さは、通常使用の場合、45m以下とする。

4.　移動はしごの幅は、30cm以上とする。

　　解説

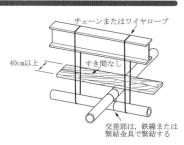

1.　**つり足場の作業床は、幅を40cm以上**とし、かつ、すき間がないようにする。

2.　**単管足場の壁つなぎの間隔は、垂直方向 5 m以下、水平方向5.5m以下**とする。

3.　標準的な部材による場合、枠組足場では45mが限度である。

4.　**移動はしごの幅は、30cm以上**とする。

正答　2

H30-67 B

CHECK ☐☐☐☐☐

【問題　92】　足場に関する記述として、**最も不適当なもの**はどれか。

1. 単管足場において、建地を鋼管2本組とする部分は、建地の最高部から測って31mを超える部分とした。

2. 単管足場における建地の間隔は、けた行方向を1.85m以下、はり間方向を1.5m以下とした。

3. 枠組足場における高さ2m以上に設ける作業床は、床材と建地とのすき間を12cm未満とした。

4. 高さが20mを超える枠組足場の主枠間の間隔は、2m以下とした。

━━ 解説 ━━

1. **単管足場**の場合、建地の最高部から測って**31mを超える部分**の建地は、鋼管を**2本組**とする。

2. **単管足場の建地の間隔**は、**けた行方向を1.85m以下**、**はり間方向は1.5m以下**とする。

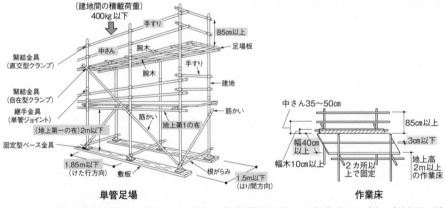

単管足場　　　　　　作業床

3. つり足場の場合を除き、高さ2m以上の作業場所に設ける作業床は、幅、床材間の隙間及び床材と建地との隙間が規定されている。

① 幅は、40cm以上とする。

② 床材間の隙間は、3cm以下とする。

③ 床材と建地との隙間は、12cm未満とする。

4. 高さが20mを超えるとき及び重量物の積載を伴う作業を行うときは、使用する主枠は、2m以下のものとし、かつ、主枠間の**間隔**は**1.85m以下**とする。

正答　4

施工管理法

R05−54 A　　　　　　　　　　　　CHECK ☐☐☐☐☐

【問題　93】　クレーンに関する記述として、「クレーン等安全規則」上、**誤っているもの**はどれか。

1. つり上げ荷重が0.5t以上のクレーンの玉掛用具として使用するワイヤロープは、安全係数が6以上のものを使用した。
2. つり上げ荷重が3t以上の移動式クレーンを用いて作業を行うため、当該クレーンに、その移動式クレーン検査証を備え付けた。
3. 設置しているクレーンについて、その使用を廃止したため、遅滞なくクレーン検査証を所轄労働基準監督署長に返還した。
4. 移動式クレーンの運転についての合図の方法は、事業者に指名された合図を行う者が定めた。

■■　解説　■■

1. **ワイヤロープを玉掛用具**として使用する場合、**安全係数**の値が**6以上**のものを使用する。この安全係数は、ワイヤロープの切断荷重の値を当該ワイヤロープにかかる荷重の最大の値で除した値とする。

2. **事業者**は、**移動式クレーン**を用いて作業を行うときは、当該移動式クレーンに、その**移動式クレーン検査証**を備え付けておかなければならない。

3. クレーンを設置しているものが当該クレーンについて、その使用を廃止したとき、その者は、遅滞なく、クレーン検査証を所轄労働基準監督署長に**返還**しなければならない。

4. 移動式クレーンの作業に係る**労働者の配置**及び**指揮の系統**は、**事業者**が定めなければならない。

R03-54 B

【問題　94】　クレーンに関する記述として、「クレーン等安全規則」上、誤っているものはどれか。

1.　つり上げ荷重が3t以上のクレーンの落成検査における荷重試験は、クレーンの定格荷重に相当する荷重の荷をつって行った。

2.　つり上げ荷重が0.5t以上5t未満のクレーンの運転の業務に労働者を就かせるため、当該業務に関する安全のための特別の教育を行った。

3.　つり上げ荷重が0.5t以上のクレーンの玉掛け用具として使用するワイヤロープは、安全係数が6以上のものを使用した。

4.　つり上げ荷重が1t以上のクレーンの玉掛けの業務は、玉掛け技能講習を修了した者が行った。

■■■　解説　■■■■■■■■■■

1.　落成検査の荷重試験は、クレーンに定格荷重の1.25倍に相当する荷重(定格荷重が200tをこえる場合は、定格荷重に50tを加えた荷重)の荷をつって行う。

2.　つり上げ荷重が5t未満のクレーンの業務に労働者を就かせる時は、安全のための特別の教育を行わなければならない。

3.　ワイヤロープを玉掛用具として使用する場合、安全係数の値が6以上のものを使用する。この安全係数は、ワイヤロープの切断荷重の値を当該ワイヤロープにかかる荷重の最大の値で除した値とする。

4.　つり上げ荷重が1t以上の移動式クレーンについては、玉掛け技能講習を修了した者でなければならない。

正答　1

R01-69 B　　　　　　　　　　　　　　　CHECK ☐☐☐☐☐

【問題　95】　クレーン又は移動式クレーンに関する記述として、「クレーン等安全規則」上、誤っているものはどれか。

1. 移動式クレーンの運転についての合図の方法は、事業者に指名された合図を行う者が定めなければならない。

2. クレーンに使用する玉掛け用ワイヤロープひとよりの間において、切断している素線の数が10％以上のものは使用してはならない。

3. つり上げ荷重が0.5t以上5t未満のクレーンの運転の業務に労働者を就かせるときは、当該業務に関する安全のための特別の教育を行わなければならない。

4. 強風により作業を中止した場合であって移動式クレーンが転倒するおそれがあるときは、ジブの位置を固定させる等の措置を講じなければならない。

■■■■■ 解説 ■■

1. **事業者**は、クレーンを用いて作業を行なうときは、クレーンの運転について一定の**合図**を定め、合図を行なう者を指名して、その者に合図を行なわせなければならない。ただし、クレーンの運転者に単独で作業を行なわせるときは、この限りでない。

2. 事業者は、次の各号のいずれかに該当する**ワイヤロープ**をクレーン、移動式クレーン又はデリックの玉掛用具として使用してはならない。

　　・　ワイヤロープ1よりの間において素線（フイラ線を除く。以下本号において同じ。）の数の**10％以上**の素線が切断しているもの

　　・　**直径**の減少が公称径の**7％**をこえるもの

1よりの間で素線の10％切れたもの

直径の減少が公称径の7％を超えたもの

キンクしたもの

はなはだしく押しつぶされたもの

使用禁止のワイヤロープ

　　・　キンクしたもの

　　・　著しい形くずれ又は腐食があるもの

3. つり上げ荷重が5t未満の**クレーン**の運転の業務に労働者を就かせるときは、当該業務に関する安全のための**特別の教育**を行わなければならない。

4. 事業者は、強風により作業を中止した場合、移動式クレーンが転倒するおそれのあるときは、ジブの位置を固定させる等により労働者の危険を防止する措置を講じなければならない。

正答　1

R02-69 A　　　　　　　　　　　　　　　　　　CHECK ☐☐☐☐☐

【問題　96】　ゴンドラを使用して作業を行う場合、事業者の講ずべき措置として、「ゴンドラ安全規則」上、**誤っているもの**はどれか。

1. ゴンドラの操作の業務に就かせる労働者は、当該業務に係る技能講習を修了した者でなければならない。

2. ゴンドラを使用して作業するときは、原則として、1月以内ごとに1回自主検査を行わなければならない。

3. ゴンドラを使用して作業を行う場所については、当該作業を安全に行うため必要な照度を保持しなければならない。

4. ゴンドラについて定期自主検査を行ったときは、その結果を記録し、これを3年間保存しなければならない。

◼︎◼︎◼︎　解説　◼︎◼︎◼︎

1. 事業者は、**ゴンドラの操作の業務**に労働者をつかせるときは、当該業務に関する安全のための**特別の教育**を行わなければならない。

2.4. 事業者は、**ゴンドラ**について、**1月以内ごとに1回**、定期に、**自主検査**を行なわなければならない（1月をこえる期間使用しないゴンドラの当該使用しない期間を除く）。なお、自主検査を行なつたときは、その結果を記録し、これを**3年間保存**しなければならない。

3. 事業者は、ゴンドラを使用して作業を行う場所については、当該作業を安全に行うため必要な**照度**を保持しなければならない。

正答　1

H30−69 A

【問題　97】　ゴンドラに関する記述として、「ゴンドラ安全規則」上、**誤っているもの**は
　　　どれか。

1. ゴンドラの操作の業務に労働者をつかせるときは、当該業務に関する安全のため
の特別の教育を行わなければならない。

2. つり下げのためのワイヤロープが2本のゴンドラでは、墜落制止用器具をゴンド
ラに取り付けて作業を行うことができる。

3. ゴンドラの検査証の有効期間は2年であり、保管状況が良好であれば1年を超え
ない範囲内で延長することができる。

4. ゴンドラを使用する作業を、操作を行う者に単独で行わせる場合は、操作の合図
を定めなくてもよい。

■■■■　解説　■■■■

1. 事業者は、**ゴンドラの操作の業務**に労働者をつかせるときは、当該業務に関する安全
のための**特別の教育**を行わなければならない。

2. つり下げのための**ワイヤロープ**が**1本**であるゴンドラにあっては、墜落制止用器具(安
全帯)等はゴンドラ以外のものに取り付けなければならないが、2本の場合は、墜落
制止用器具(安全帯)をゴンドラに取り付けて作業を行うことができる。

3. **検査証の有効期間**は、**1年**であり、その間の保管状況が良好であると都道府県労働局
長が認めたものについては、当該ゴンドラの検査証の有効期間を製造検査又は使用検
査の日から起算して2年を超えず、かつ、当該ゴンドラを設置した日から起算して1
年を超えない範囲内で延長することができる。

4. ゴンドラを使用して作業を行うときは、ゴンドラの操作について一定の合図を定め、
合図を行う者を指名して、その者に合図を行わせなければならないが、ゴンドラを操
作する者に単独で作業を行わせるときは、この限りでない。

正答　3

R01-70 B

【問題　98】　屋内作業場において、有機溶剤業務に労働者を従事させる場合における事業者の講ずべき措置として、「有機溶剤中毒予防規則」上、誤っているものはどれか。

1. 有機溶剤濃度の測定を必要とする業務を行う屋内作業場について、原則として6月以内ごとに1回、定期に、濃度の測定を行わなければならない。
2. 原則として、労働者の雇い入れの際、当該業務への配置換えの際及びその後6月以内ごとに1回、定期に、所定の事項について医師による健康診断を行わなければならない。
3. 有機溶剤業務に係る局所排気装置は、3月を超えない期間ごとに1回、定期に、有機溶剤作業主任者に点検させなければならない。
4. 有機溶剤業務に係る局所排気装置は、原則として1年以内ごとに1回、定期に、所定の事項について自主検査を行わなければならない。

解説

1. 事業者は、有機溶剤業務を行う屋内作業場について、**6月以内**ごとに1回、定期に、当該有機溶剤の**濃度**を測定しなければならない。
2. 事業者は、雇入れの際、当該業務への配置替えの際及びその後**6月以内**ごとに1回、定期に、所定の項目について医師による**健康診断**を行わせなければならない。
3. **有機溶剤作業主任者**の職務として、局所排気装置、**プッシュプル型換気装置又は全体換気装置**を一月を超えない期間ごとに**点検**する。
4. 事業者は、**局所排気装置**については、原則として**1年以内**ごとに1回、定期に、次の事項について**自主検査**を行わなければならない(抜粋)。
   ・　フード、ダクト及びファンの摩耗、腐食、くぼみその他損傷の有無及びその程度
   ・　ダクト及び排風機におけるじんあいのたい積状態
   ・　排風機の注油状態

正答　3

R04-54 A

【問題　99】　酸素欠乏危険作業に労働者を従事させるときの事業者の責務に関する記述として、「酸素欠乏症等防止規則」上、**誤っているもの**はどれか。

1.　酸素欠乏危険作業については、衛生管理者を選任しなければならない。

2.　酸素欠乏危険場所で空気中の酸素の濃度測定を行ったときは、その記録を3年間保存しなければならない。

3.　酸素欠乏危険場所では、原則として、空気中の酸素の濃度を18％以上に保つように換気しなければならない。

4.　酸素欠乏危険場所では、空気中の酸素の濃度測定を行うため必要な測定器具を備え、又は容易に利用できるような措置を講じておかなければならない。

■■■■　**解説**　■■■■

1.　事業者は、酸素欠乏危険作業については**酸素欠乏危険作業主任者**を選任しなければならない。

2.　事業者は、酸素の濃度の測定を行ったときは、そのつど記録し、**3年間保存**しなければならない。

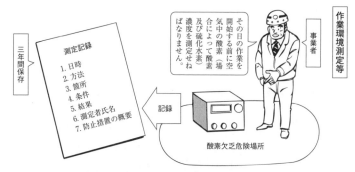

3.　事業者は、酸素欠乏危険作業に労働者を従事させる場合は、当該作業を行う場所の空気中の**酸素濃度を18％以上**に保つように換気しなければならない。

4.　酸素欠乏危険場所では、空気中の酸素の濃度測定を行うため必要な**測定器具**を備え、又は容易に利用できるような措置を講じておかなければならない。

正答　1

R02−70 A

【問題　100】　酸素欠乏危険作業に労働者を従事させるときの事業者の責務として、「酸素欠乏症等防止規則」上、**誤っているもの**はどれか。

1. 酸素欠乏危険作業については、所定の技能講習を修了した者のうちから、酸素欠乏危険作業主任者を選任しなければならない。

2. 酸素欠乏危険作業に労働者を就かせるときは、当該労働者に対して酸素欠乏危険作業に係る特別の教育を行わなければならない。

3. 酸素欠乏危険場所で空気中の酸素の濃度測定を行ったときは、その記録を3年間保存しなければならない。

4. 酸素欠乏危険場所では、原則として、空気中の酸素の濃度を15％以上に保つように換気しなければならない。

■■■■■　解説　■■■■■

1. 事業者は、酸素欠乏危険作業については**酸素欠乏危険作業主任者**を選任しなければならない。

2. 事業者は、酸素欠乏危険作業に係る業務に労働者を就かせるときは、当該労働者に対し、特別の教育を行わなければならない。

3. 事業者は、**酸素の濃度の測定**を行ったときは、そのつど**記録**し、**3年間**保存しなければならない。

4. 事業者は、酸素欠乏危険作業に労働者を従事させる場合は、当該作業を行う場所の空気中の**酸素濃度を18％以上**に保つように換気しなければならない。

労働者　事業者　換気

空気中の酸素濃度を十八パーセント以上に保つことが必要です。

ただし、爆発、酸化等を防止するため換気することができない場合又は作業の性質上換気が著しく困難な場合はこの限りでない。

酸素欠乏危険場所

正答　4

施工管理法

H30−68 C

【問題 101】 「労働安全衛生規則」上、事業者が、作業を行う区域内に関係労働者以外の労働者の立入りを**禁止しなければならない**ものはどれか。

1. 高さが2mの足場の組立ての作業
2. 高さが3mの鉄骨造建築物の組立ての作業
3. 高さが4mのコンクリート造建築物の解体の作業
4. 軒の高さが5mの木造建築物の解体の作業

解説

1. 高さ**2m以上**の**足場**の組立て、解体又は変更の作業を行う区域内には、関係労働者以外の労働者の立入りを禁止する。

2. 高さ**5m以上**の**鉄骨造建築物**の骨組の組立て作業を行う区域内には、関係労働者以外の労働者の立入りを禁止するとされており、高さ3mの場合は該当しない。

3. **コンクリート造**の工作物(その高さが**5m以上**であるものに限る。)の解体又は破壊の作業を行う区域内には、関係労働者以外の労働者の立入りを禁止する。

4. 建築基準法施行令に規定する軒の高さが**5m以上**の**木造建築物**の構造部材の組立て又はこれに伴う屋根下地若しくは外壁下地の取付けの作業を行う区域内には、関係労働者以外の労働者の立入りを禁止するとあるが、解体の作業は該当しない。

R02-68 B

CHECK ☐☐☐☐☐

【問題 102】　事業者が行わなければならない点検に関する記述として、「労働安全衛生規則」
　　上、**誤っているもの**はどれか。

1. 作業構台における作業を行うときは、その日の作業を開始する前に、作業を行う
   箇所に設けた手すり等及び中桟等の取り外し及び脱落の有無について点検を行わ
   なければならない。
2. 高所作業車を用いて作業を行うときは、その日の作業を開始する前に、制動装置、
   操作装置及び作業装置の機能について点検を行わなければならない。
3. つり足場における作業を行うときは、その日の作業を開始する前に、脚部の沈下
   及び滑動の状態について点検を行わなければならない。
4. 繊維ロープを貨物自動車の荷掛けに使用するときは、その日の使用を開始する前
   に、繊維ロープの点検を行わなければならない。

■■■　解説　■■■

1. 事業者は、**作業構台**における作業を行うときは、その日の作業を開始する前に、作業
   を行う箇所に設けた手すり等及び中桟等の取り外し及び脱落の有無について**点検**し、
   異常を認めたときは、直ちに補修しなければならない。
2. 事業者は、**高所作業車**を用いて作業を行うときは、その日の作業を開始する前に、制
   動装置、操作装置及び作業装置の機能について**点検**を行わなければならない。
3. 事業者は、つり足場における作業を行うときは、その日の作業を開始する前に、①床
   材の損傷、取付け及び掛渡しの状態、②建地、布、腕木等の緊結部、接続部及び取付
   部のゆるみの状態、③緊結材及び緊結金具の損傷及び腐食の状態、④規定された設備
   の取りはずし及び脱落の有無、⑤幅木等の取付状態及び取りはずしの有無、⑥筋かい、
   控え、壁つなぎ等の補強材の取付状態及び取りはずしの有無、⑦突りょうとつり索と
   の取付部の状態及びつり装置の歯止めの機能、について点検し、異常を認めたときは、
   直ちに補修しなければならない。突りょうとは、パラペット等に設置し、吊り下げワ
   イヤロープを掛け渡すもの。パラペットクランプ。
* 4. 事業者は、繊維ロープを貨物自動車の荷掛けに使用するときは、その日の使用を開始
   する前に、当該繊維ロープを点検し、異常を認めたときは、直ちに取り替えなければ
   ならない。

正答　3

R05-50 Ａ

CHECK ☐☐☐☐☐

【問題 103】　市街地の建築工事における公衆災害防止対策に関する記述として、**最も不適当なもの**はどれか。

1. 敷地境界線からの水平距離が５ｍで、地盤面からの高さが３ｍの場所からごみを投下する際、飛散を防止するためにダストシュートを設けた。
2. 防護棚は、外部足場の外側からのはね出し長さを水平距離で２ｍとし、水平面となす角度を15°とした。
3. 工事現場周囲の道路に傾斜があったため、高さ３ｍの鋼板製仮囲いの下端は、隙間を土台コンクリートで塞いだ。
4. 歩車道分離道路において、幅員3.6mの歩道に仮囲いを設置するため、道路占用の幅は、路端から１ｍとした。

■■■■　解説　■■■■■■■■■■■■■■■■■■■■■■■■■■■■■■■■■■■■■■

1. 境界線から水平距離が**５ｍ以内**で、かつ、地盤面からの高さが３ｍ以上の場合からくず、ごみその他飛散するおそれのある物を投下する場合においては、**ダストシュート**を用いる等当該くず、ごみ等が工事現場の周辺に飛散することを防止するための措置を講じなければならない。

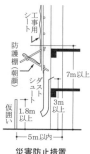

災害防止措置

2. **防護棚**は、骨組外側から水平距離で**２ｍ以上**突出させ、**水平面となす角度を20度以上**とし、風圧、振動、衝撃、雪荷重等で脱落しないよう骨組に堅固に取り付ける。

3. 傾斜している道路等に設置する**仮囲い**で、下端にすき間が生じる時は、木製の幅木を取付けたり、コンクリートを打つなどして、**すき間**をふさぐ。

防護棚

4. 道路占用許可基準において、家屋、しょう壁等の工事に伴う足場、仮囲い、落下物防護用施設（朝がお）の占用については、原則として、**歩道を有する道路**では、歩道上とし、その出幅は路端から**１ｍ以下**で有効幅員の**１／３以下**とする。また、歩道を有しない道路では、路端から１ｍ以下で、道路幅員の１／８以下とする。ただし、落下物防護用施設物については、必要な出幅とすることができる。

正答　**2**

R04−51 A

【問題 104】　市街地の建築工事における公衆災害防止対策に関する記述として、**最も不適**
　　　当なものはどれか。

1. 鉄筋コンクリート造建築物の解体工事において、防音と落下物防護のため、足場
　　の外側面に防音シートを設置した。
2. 建築工事を行う部分の高さが地盤面から20mのため、防護棚を2段設置した。
3. 外部足場に設置した防護棚の敷板は、厚さ1.6mmの鉄板を用い、敷板どうしの
　　隙間は3cm以下とした。
4. 地盤アンカーの施工において、アンカーの先端が敷地境界の外に出るため、当該
　　敷地所有者の許可を得た。

■■■　**解説**　■■■■

1. 鉄筋コンクリート造建築物の解体工事において、防音と落下物防護のため、足場の外
　　側面に**防音シート**を設置する。圧砕機の地上作業による解体手順例として最初に、必
　　要部分に養生足場を仮設し、防音パネルなどの養生材を取り付ける。
2. **防護棚**については、建築工事を行う部分の地盤面からの高さ
　　が**10m以上**の場合にあっては**1段以上**、**20m以上**の場合にあっ
　　ては**2段以上**設ける。

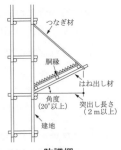

防護棚

3. 外部足場に設置する**防護棚**の敷板は、厚さ30mm程度のひき板、
　　または、厚さ1.6mmの鉄板を用い、敷板どうしの**隙間のない**
　　ようにし、確実に固定する。
4. 発注者及び施工者は、地盤アンカーの先端が敷地境界の外に
　　出る場合には、敷地所有者又は管理者の許可を得なければな
　　らない。

【問題 105】　市街地の建築工事における災害防止対策に関する記述として、**最も不適当な**ものはどれか。

1. 外部足場に設置した工事用シートは、シート周囲を35cmの間隔で、隙間やたるみが生じないように緊結した。
2. 歩行者が多い箇所であったため、歩行者が安全に通行できるよう、車道とは別に幅1.5mの歩行者用通路を確保した。
3. 防護棚は、外部足場の外側からのはね出し長さを水平距離で2mとし、水平面となす角度を15°とした。
4. 飛来落下災害防止のため、鉄骨躯体の外側に設置する垂直ネットは、日本産業規格(JIS)に適合した網目寸法15mmのものを使用した。

■ 解説 ■

1. シートの取付けは、シートに設けられたすべてのはとめを用い、隙間やたるみがないように緊結材を使用して足場に緊結する。なお、シートに設けられたはとめの間隔は、JISでは45cm以下、(一社)仮設工業会の認定基準では35cm以下としている。
2. 施工者は、車両交通対策の要綱に該当する場合には、歩行者が安全に通行し得るために、車道とは別に**幅0.9m以上**、特に歩行者の多い箇所においては**幅1.5m以上の歩行者用通路**を確保し、必要に応じて交通誘導員を配置する等の措置を講じ、適切に歩行者を誘導しなければならない。
3. **防護棚**は、骨組外側から**水平距離で2m以上**突出させ、水平面となす**角度を20度以上**とし、風圧、振動、衝撃、雪荷重等で脱落しないよう骨組に堅固に取り付ける。
4. 建築工事用垂直ネットは、鉄骨工事で飛来、落下物による災害を防ぐために、鉄骨等の外側面に垂直に取り付けられる。合成繊維製の織網生地の織製ネットで仕立てた網目の寸法が13〜18 mmでJISに適合するものを使用する。

R02−65 A

【問題 106】　市街地の建築工事における公衆災害防止対策に関する記述として、**最も不適当なもの**はどれか。

1. 工事現場周囲の道路に傾斜があったため、高さ3mの鋼板製仮囲いの下端は、隙間_{すきま}を土台コンクリートで塞いだ。

2. 飛来落下物による歩行者への危害防止等のために設置した歩道防護構台は、構台上で雨水処理し、安全のために照明を設置した。

3. 鉄筋コンクリート造の建物解体工事において、防音と落下物防護のため、足場の外側面に防音パネルを設置した。

4. 外部足場に設置した防護棚の敷板は、厚さ1.6mmの鉄板を用い、敷板どうしの隙間_{すきま}は3cm以下とした。

■■■■　**解説**　■■■■

1. 傾斜している道路等に設置する**仮囲い**で、下端にすき間が生じる時は、木製の幅木を取付けたり、コンクリートを打つなどして、**すき間をふさぐ**。

2. 飛来落下物による歩行者への危害防止等のために設置した**歩道防護構台**は、構台上で雨水処理し、安全のために照明を設置する。

3. 圧砕機の地上作業による解体手順例として最初に、必要部分に養生足場を仮設し、**防音パネル**などの養生材を取り付ける。

4. 外部足場に設置する**防護棚**の敷板は、厚さ30mm程度のひき板、または、厚さ1.6mmの鉄板を用い、敷板どうしの**隙間**のないようにし、確実に固定する。

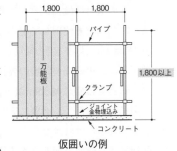

仮囲いの例

災害防止措置

正答　4

R01−65 C

【問題 107】　市街地の建築工事における公衆災害防止対策に関する記述として、**最も不適当なもの**はどれか。

1. 高さ10mの鉄骨造2階建の建築工事を行うため、工事現場周囲に高さ3mの鋼板製仮囲いを設置した。
2. 建築工事を行う部分の高さが地盤面から20mのため、防護棚を2段設置した。
3. 外部足場に設置した防護棚は、水平面となす角度を20度とし、はね出し長さは建築物の外壁面から水平距離で2mとした。
4. 外部足場に設置した工事用シートは、シート周囲を35cmの間隔で、すき間やたるみが生じないように緊結した。

■■■　解説　■■■

1. 工事が**木造**の建築物で**高さが13m**もしくは**軒の高さが9m**を超えるもの、または**木造以外**であって2階以上の工事を行う場合においては、工事期間中、工事現場の周囲にその地盤面からの高さが**1.8m以上**の板塀その他これに類する**仮囲い**を設けなければならない。

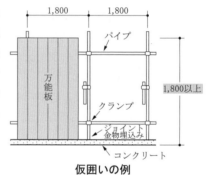

仮囲いの例

2. **防護棚**については、建築工事を行う部分の地盤面からの高さが**10m以上**の場合にあっては**1段以上**、**20m以上**の場合にあっては**2段以上**設ける。
3. **防護棚**は、骨組外側から水平距離で**2m以上**突出させ、水平面となす角度を**20度以上**とし、風圧、振動、衝撃、雪荷重等で脱落しないよう骨組に堅固に取り付ける。
4. シートの取付けは、シートに設けられたすべてのはとめを用い、隙間やたるみがないように緊結材を使用して足場に緊結する。

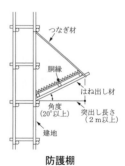

防護棚

正答　3

H30−65 A　　　　　　　　　CHECK ☐☐☐☐☐

【問題 108】　市街地の建築工事における公衆災害防止対策に関する記述として、**最も不適当なもの**はどれか。

1. 工事現場内の表土がむきだしになることによる土埃の発生のおそれがあるため、十分散水し、シートで覆いをかけた。

2. 落下物による危害を防止するため、道路管理者及び所轄警察署長の許可を受けて、防護棚を道路上空に設けた。

3. 工事現場の境界に接している荷受け構台には、落下物による危害を防止するために手すりを設けたので、幅木は省略した。

4. 落下物による危害を防止するために足場の外側に設けた工事用シートは、日本産業規格（JIS）で定められた建築工事用シートの1類を使用した。

■■■　**解説**　■■■■■■■■■■■■■■■■■■■■■■■■■■■■■■■■■■■■■■

1. 施工者は、建築工事等に伴い粉塵発生のおそれがある場合には、発生源を散水などにより湿潤な状態に保つ、発生源を覆う等、粉塵の発散を防止するための措置を講じなければならない。

2. 施工者は、落下物による危害を防止するため、所定の防護棚を設けなければならない。防護棚を上空に設ける場合には、道路管理者及び所轄警察署長の許可を受けなければならない。

3. 施工者は、荷受け構台が工事現場の境界に近接している場合には、構台の周辺に手すりや幅木を設ける等落下による危害を防止するための設備を設けなければならない。高さ10cm以上の**幅木**、**メッシュシート**又は**防網**を設けることとされており、幅木を省略することはできない。

4. JIS A 8952により、繊維製の織編生地を主材として作った帆布製シート及び網地製シート（以下、メッシュシートという。）による建築工事用シート（以下、シートという。）について規定されており、シートの種類は、次のとおりとする。
   1類：シートだけで落下物による危害防止に使用されるもの。
   2類：シートと金網を併用し、落下物による危害防止に使用されるもの。

H30-70 C

*【問題 109】 工具とその携帯に関する規定のある法律の組合せとして、**誤っているもの**は
どれか。

1. ガス式ピン打ち機 ───────── 火薬類取締法

2. ガラス切り ──────────── 軽犯罪法

3. 作用する部分の幅が2cm以上で ── 特殊開錠用具の所持の禁止等に関する法律
   長さが24cm以上のバール 　　　（ピッキング防止法）

4. 刃体の長さが8cmを超える ──── 銃砲刀剣類所持等取締法（銃刀法）
   カッターナイフ

━━━ 解説 ━━━

1. ガス式ピン打ち機は、火薬を使用しないため、火薬類取締法による火薬の許可申請手
   続きや保管管理は必要ない。

2. 軽犯罪法1条
   左の各号の一に該当する者は、これを拘留又は科料に処する。
   　三　正当な理由がなくて合かぎ、のみ、ガラス切りその他他人の邸宅又は建物に侵入
   　　　するのに使用されるような器具を隠して携帯していた者

3. ピッキング防止法2条、同令2条
   作用する部分のいずれかの幅が2cm以上でかつ長さが24cm以上のバールは指定侵入
   工具である。

4. 銃刀法22条
   何人も、業務その他正当な理由による場合を除いては、内閣府令で定めるところによ
   り計った刃体の長さが6センチメートルをこえる刃物を携帯してはならない。ただし、
   内閣府令で定めるところにより計った刃体の長さが8センチメートル以下のはさみ若
   しくは折りたたみ式のナイフ又はこれらの刃物以外の刃物で、政令で定める種類又は
   形状のものについては、この限りでない。

正答　1

CHECK ☐☐☐☐☐

【問題 110】 鉄筋コンクリート造建築物の解体工事における振動対策及び騒音対策に関する記述として、**最も不適当なもの**はどれか。

1. 壁等を転倒解体する際の振動対策として、先行した解体作業で発生したガラを床部分に敷き、クッション材として利用した。

2. 振動レベルの測定器の指示値が周期的に変動したため、変動ごとの指示値の最大値と最小値の平均を求め、そのなかの最大の値を振動レベルとした。

3. 振動ピックアップの設置場所は、緩衝物がなく、かつ、十分踏み固めた堅い場所に設定した。

4. 周辺環境保全に配慮し、振動や騒音が抑えられるコンクリートカッターを用いる切断工法を採用した。

■ **解説** ■

1. **解体工事**における**振動防止技術**として、下記のようなものがある。
   ・高所からのガラ落としは小さい塊にして下に落とす。
   ・ブレーカを圧砕機に変更する。
   ・解体で発生したガラを**クッション材**に使う。
   ・壁倒しは柱2本を基本とし最小限の大きさで倒す。

2. 指示値が周期的または間欠的に変動する場合は、**変動ごとの最大値**の**平均値**で表示する。

3. **振動ピックアップ**の設置場所は、緩衝物がなく、かつ、十分踏み固めた堅い場所に設定する。

4. **切断工法**は、コンクリートカッター、ワイヤソーなどを用いて騒音を防音装置で低減でき、振動や粉塵の発生がほとんどない工法である。

正答 2

R02−63 B

【問題 111】 鉄筋コンクリート造建築物の解体工事における振動、騒音対策に関する記述として、**最も不適当なもの**はどれか。

1. 内部スパン周りを先に解体し、外周スパンを最後まで残すことにより、解体する予定の躯体を防音壁として利用した。

2. 周辺環境保全に配慮し、振動や騒音が抑えられるコンクリートカッターを用いる切断工法とした。

3. 振動レベルの測定器の指示値が周期的に変動したため、変動ごとに指示値の最大値と最小値の平均を求め、そのなかの最大の値を振動レベルとした。

4. 転倒工法による壁の解体工事において、先行した解体工事で発生したガラは、転倒する位置に敷くクッション材として利用した。

■■■ 解説 ■■■■■■■■■■■■■■■■■■■■■■■■■■■■■■■■■■■

1. 基本的に外壁を残しながら**中央部分の解体**を**先行**する。こうすることにより、外周方向への飛散物の減少や騒音拡散の防止を図りながら作業することが可能になる。

2. **切断工法**は、コンクリートカッター、ワイヤソーなどを用いて騒音を防音装置で低減でき、振動や粉塵の発生がほとんどしない工法である。

3. 指示値が周期的または間欠的に変動する場合は、変動ごとの**最大値**の**平均値**で表示する。

4. 解体工事における振動防止技術として、下記のようなものがある。

　　・高所からのガラ落としは小さい塊にして下に落とす。

　　・ブレーカを圧砕機に変更する。

　　・解体で発生したガラをクッション材に使う。

　　・壁倒しは柱2本を基本とし最小限の大きさで倒す。

【問題 112】 解体工事における振動・騒音対策に関する記述として、**最も不適当なものは**どれか。

1. 現場の周辺地域における許容騒音レベルの範囲内に騒音を抑えるために、外部足場に防音養生パネルを設置した。

2. 振動対策として、壁などを転倒解体する際に、床部分に、先行した解体工事で発生したガラを敷きクッション材として利用した。

3. 内部スパン周りを先に解体し、外周スパンを最後まで残すことにより、解体する予定の構造物を遮音壁として利用した。

4. 測定器の指示値が周期的に変動したため、変動ごとに指示値の最大値と最小値の平均を求め、そのなかの最大の値を振動レベルとした。

解説

1. 圧砕機の地上作業による解体手順例として最初に、必要部分に養生足場を仮設し、**防音パネル**などの養生材を取り付ける。

2. 解体工事における振動防止技術として、下記のようなものがある。
   ・高所からのガラ落としは小さい塊にして下に落とす。
   ・ブレーカを圧砕機に変更する。
   ・解体で発生したガラをクッション材に使う。
   ・壁倒しは柱2本を基本とし最小限の大きさで倒す。

3. 基本的に外壁を残しながら中央部分の解体を先行する。こうすることにより、外周方向への飛散物の減少や騒音拡散の防止を図りながら作業することが可能になる。

4. 指示値が周期的または間欠的に変動する場合は、変動ごとの**最大値**の**平均値**で表示する。

R05−55 B

【問題 113】 鉄筋の加工及び組立てに関する記述として、**不適当なものを２つ選べ**。

　　ただし、鉄筋は異形鉄筋とし、dは呼び名の数値とする。

1. D16の鉄筋相互のあき寸法の最小値は、粗骨材の最大寸法が20mmのため、25mmとした。

2. D25の鉄筋を90°折曲げ加工する場合の内法直径は、３dとした。

3. 梁せいが２mの基礎梁を梁断面内でコンクリートの水平打継ぎとするため、上下に分割したあばら筋の継手は、180°フック付きの重ね継手とした。

4. 末端部の折曲げ角度が135°の帯筋のフックの余長は、４dとした。

5. あばら筋の加工において、一辺の寸法の許容差は、±５mmとした。

解説

1. 異形鉄筋の相互の**あきの最小寸法**は、**粗骨材最大寸法の1.25倍、かつ、25mm以上、鉄筋の呼び名の数値の1.5倍以上**とする。

2. 異形鉄筋の**SD345、D25**の場合、鉄筋の**折曲げ内法直径は４d以上**とする。余長については、鉄筋の種類、径に関係なく、180度の場合４d以上、135度の場合６d以上、90度の場合８d以上とする。

〈180°の場合〉　〈135°の場合〉　〈90°の場合〉

3. 基礎梁を梁断面内で打継ぐため、あばら筋を上下に分割して継ぐ場合は、異形鉄筋であっても、180°フック付きの重ね継手とするか、溶接継手及び機械式継手とする。

4. 末端部の折曲げ角度が135°の帯筋の**フックの余長は６d以上**とする。

5. **帯筋・あばら筋・スパイラル筋の一辺の加工寸法の許容差**は、**±５mm**とする。

〈あばら筋・帯筋・スパイラル筋〉

正答 2・4

R03-55 B

【問題 114】 異形鉄筋の継手及び定着に関する記述として、**不適当なものを2つ選べ。**

1. 壁縦筋の配筋間隔が上下階で異なるため、重ね継手は鉄筋を折り曲げずにあき重ね継手とした。

2. 180°フック付き重ね継手としたため、重ね継手の長さはフックの折曲げ開始点間の距離とした。

3. 梁主筋を柱にフック付き定着としたため、定着長さは鉄筋末端のフックの全長を含めた長さとした。

4. 梁の主筋を重ね継手としたため、隣り合う鉄筋の継手中心位置は、重ね継手長さの1.0倍ずらした。

5. 一般階における四辺固定スラブの下端筋を直線定着としたため、直線定着長さは、10d以上、かつ、150mm以上とした。

解説

1. 壁縦筋の配筋において、下階からの縦筋の位置がずれているときは、無理に曲げると耐力が低下するので、折り曲げずに**あき重ね継手**とする。

2. 180°に限らず、フック付き重ね継手の長さは、鉄筋の折曲げ開始点間の距離とし、折曲げ開始点以降の**フック部は継手長さに含まない**。

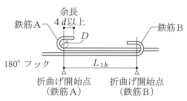

フック付き重ね継手の長さL_{1h}

3. 梁筋を外柱に定着させる部分では、通常は、90°フック付き定着とし、原則として、柱せいの**3/4倍以上**のみ込ませて、定着長さを確保する。なお、フック付き鉄筋の定着長さは、定着起点から鉄筋の折曲げ開始点までの距離とし、以降の**フック部は定着長さに含まない**。

4. 隣り合う**重ね継手の中心位置**は、重ね継手長さの約0.5倍又は1.5倍以上ずらす。

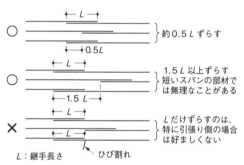

重ね継手のずらし方

5. 一般階における四辺固定スラブの上端筋は、梁内での定着長さを確保するか、または通し筋とする。**下端筋**は、梁内に**10dかつ150mm以上直線定着**するか、または通し筋とする。

R04-56 C

【問題 115】 型枠工事に関する記述として、**不適当なものを2つ選べ。**

1. 支保工以外の材料の許容応力度は、長期許容応力度と短期許容応力度の平均値とした。

2. コンクリート打込み時に型枠に作用する鉛直荷重は、コンクリートと型枠による固定荷重とした。

3. 支柱を立てる場所が沈下するおそれがなかったため、脚部の固定と根がらみの取付けは行わなかった。

4. 型枠の組立ては、下部のコンクリートが有害な影響を受けない材齢に達してから開始した。

5. 柱型枠の組立て時に足元を桟木で固定し、型枠の精度を保持した。

■ 解説 ■

1. 型枠の構造計算で、**許容応力度**は、**支保工以外**の材料については、**長期許容応力度**と**短期許容応力度の平均値**とする。
2. コンクリート打込み時に型枠に作用する**鉛直荷重**は、**固定荷重**と**積載荷重**の和とする。
3. **支柱脚部**は、滑動防止ために**根がらみ**を取付ける。
4. 型枠の組立て又はこれらに伴う資材の運搬、集積等は、これらの荷重を受ける下部のコンクリートが有害な影響を受けない**材齢**に達してから開始する。
5. 柱型枠の足元は、垂直精度の保持、変形防止、セメントペーストの漏出防止のため、金物や桟木等を用いて**根巻き**を行う。

R03−56 B

【問題 116】 型枠支保工に関する記述として、**不適当なものを２つ選べ。**

1. パイプサポート以外の鋼管を支柱として用いる場合、高さ2.5m以内ごとに水平つなぎを２方向に設けなければならない。

2. 支柱として用いる鋼管枠は、最上層及び５層以内ごとに水平つなぎを設けなければならない。

3. パイプサポートを２本継いで支柱として用いる場合、継手部は４本以上のボルト又は専用の金具を用いて固定しなければならない。

4. 支柱として用いる組立て鋼柱の高さが５mを超える場合、高さ５m以内ごとに水平つなぎを２方向に設けなければならない。

5. 支柱として用いる鋼材の許容曲げ応力の値は、その鋼材の降伏強さの値又は引張強さの値の３／４の値のうち、いずれか小さい値の２／３の値以下としなければならない。

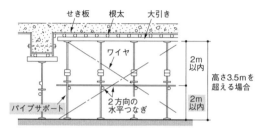

■ **解説**

1. 支柱に**パイプサポート以外の鋼管**を用いる場合、**高さ２m以内**ごとに**水平つなぎを２方向**に設け、かつ、水平つなぎの変位を防止する。

2. 支柱に**鋼管枠**を用いる場合、**水平つなぎを最上層及び５層以内**ごとに設け、かつ、水平つなぎの変位を防止する。

3. 支柱に**パイプサポート**を２本継いで用いる時は、**４以上のボルト**又は**専用の金具**を用いて継ぐ。

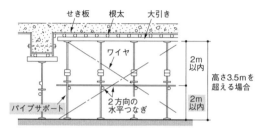

パイプサポート支柱

4. 支柱に**組立て鋼柱**を用いる場合、高さが**４m**を超える時は、高さ**４m以内**ごとに**水平つなぎを二方向**に設け、かつ、**水平つなぎの変位**を防止する。

5. 支柱として用いる鋼材の**許容曲げ応力度**および**許容圧縮応力度**は、その鋼材の降伏強さの値又は引張強さの値の**３／４の値**のうち、いずれか**小さい**値の**２／３の値以下**とする。

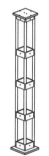

組立鋼材

正答 **1・4**

R05-56 B

【問題 117】 普通コンクリートの調合に関する記述として、**不適当なものを2つ選べ。**

1. 粗骨材は、偏平なものを用いるほうが、球形に近い骨材を用いるよりもワーカビリティーがよい。

2. AE剤、AE減水剤又は高性能AE減水剤を用いる場合、調合を定める際の空気量を4.5%とする。

3. アルカリシリカ反応性試験で無害でないものと判定された骨材であっても、コンクリート中のアルカリ総量を3.0kg/m^{3}以下とすれば使用することができる。

4. 調合管理強度は、品質基準強度に構造体強度補正値を加えたものである。

5. 調合管理強度が21N/mm^{2}のスランプは、一般に21cmとする。

解説

1. **骨材の粒度**は、その配分が適切でなければならない。粒度の良否によってコンクリートのワーカビリティーやセメント量に著しい差が生じる。ひいてはコンクリートの強度や耐久性にも影響を与える。したがって、**球形**に近い骨材を用いるほうが良い。

2. AE剤、AE減水剤又は高性能AE減水剤を用いる普通コンクリートについては、調合を定める場合の**空気量**を**4.5%**とする。

3. 抑制対策としては、普通ポルトランドセメントを使用したコンクリート1m³中に含まれる**アルカリ総量**は、**3.0kg以下**である。

4. 調合管理強度の算定における構造体強度補正値は、次式による。

    調合管理強度＝品質基準強度＋構造体強度補正値

    調合管理強度は「標準養生（20℃水中養生）の供試体が持つべき強度」であり、構造体コンクリートが持つ品質基準強度に、構造体強度補正値を加えて求める。構造体強度補正値は、コンクリートの打込みから材齢28日までの期間の予想平均気温によって、値が異なる。

構造体強度補正値

	気温8℃以上	気温0℃以上8℃未満
構造体強度補正値 （20℃標準養生と構造体コンクリートとの強度の差）	3N/mm² （標準養生に近い）	6N/mm²

5. **スランプ**は、一般の場合、普通コンクリートで調合管理強度が33N/mm²以上の場合**21cm以下**、33N/mm²未満の場合**18cm以下**とするが、コンクリートの打込み・締固めが比較的容易な基礎やスラブおよび梁部材などでは、これより小さい値とすることが望ましい。

R04-57 B

【問題 118】 コンクリートの養生に関する記述として、**不適当なものを2つ選べ。**

ただし、計画供用期間の級は標準とする。

1. 打込み後のコンクリートが透水性の小さいせき板で保護されている場合は、湿潤養生と考えてもよい。

2. コンクリートの圧縮強度による場合、柱のせき板の最小存置期間は、圧縮強度が$3 \text{N}/\text{mm}^2$に達するまでとする。

3. 普通ポルトランドセメントを用いた厚さ18cm以上のコンクリート部材においては、コンクリートの圧縮強度が$10 \text{N}/\text{mm}^2$以上になれば、以降の湿潤養生を打ち切ることができる。

4. コンクリート温度が2℃を下回らないように養生しなければならない期間は、コンクリート打込み後2日間である。

5. 打込み後のコンクリート面が露出している部分に散水や水密シートによる被覆を行うことは、初期養生として有効である。

■ 解説

1. コンクリートの凝結終了後に行う湿潤養生には、連続又は断続的に散水又は噴霧を行い、水分を供給する方法の他、いくつかの方法があるが、打込み後のコンクリートが、**透水性の小さいせき板**で保護されている場合は、湿潤養生と考えてもよい。

2. **基礎、梁側、柱、壁のせき板の存置期間は、コンクリートの圧縮強度が5N/mm²以上**に達したことが確認されるまでとする。

3. 普通ポルトランドセメントを用いた厚さ18cm以上のコンクリート部材において、計画供用期間の級が**短期及び標準**の場合は、**コンクリートの圧縮強度が10N/mm²以上**に達したことを確認すれば、以降の湿潤養生を打ち切ることができる。

湿潤養生を打ち切ることができるコンクリートの圧縮強度

短　期 標　準	長　期 超長期
10N/mm²以上	15N/mm²以上

4. コンクリートの養生は、打込み中及び打込み後少なくとも**5日間以上**は、**コンクリートの温度を2℃以上**に保たなければならない。

5. **初期養生**は、急激な乾燥による影響を受けないように、散水や水密シート等により被覆して**湿潤**に保つことは有効である。

137

【問題 119】 鉄骨の溶接に関する記述として、**不適当なものを2つ選べ。**

1. 溶接部の表面割れは、割れの範囲を確認した上で、その両端から50mm以上溶接部を斫り取り、補修溶接した。

2. 裏当て金は、母材と同等の鋼種の平鋼を用いた。

3. 溶接接合の突合せ継手の食い違いの許容差は、鋼材の厚みにかかわらず同じ値とした。

4. 490N／mm²級の鋼材の組立て溶接を被覆アーク溶接で行うため、低水素系溶接棒を使用した。

5. 溶接作業場所の気温が−5℃を下回っていたため、溶接部より100mmの範囲の母材部分を加熱して作業を行った。

解説

1. 不合格となった溶接部の補修は、監理者と協議して行い、特に指示のない場合、**表面割れ**においては、割れの範囲を確認した上で、その両端から**50mm以上**はつりとって舟底型の形状に仕上げ、補修溶接する。

2. 裏当て金の材質は、形状及び長さは、溶接部の品質を確保できるものとする。

3. 突合わせ継手の溶接接合において、**板厚の差**は**1／4以下**、**10mm以下**とし、厚みの差が小さい場合は、なめらかに溶接面をつなげればよい。

4. 400N／mm²級などの軟鋼で板厚25mm以上の鋼材、および490N／mm²級以上の高張力鋼の組立て溶接を被覆アーク溶接で行う場合には、**低水素系の溶接棒**を使用する。

5. 気温が−5℃未満の場合は、**溶接を行ってはならない**。なお、気温が−5℃から5℃においては、接合部より100mmの範囲の母材部分を適切に**加熱**すれば溶接することができる。

正答 **3・5**

R03−57 B

【問題 120】 鉄筋コンクリート造の耐震改修における柱補強工事に関する記述として、**不適当なものを2つ選べ。**

1. RC巻き立て補強の溶接閉鎖フープ巻き工法において、フープ筋の継手はフレア溶接とした。

2. RC巻き立て補強の溶接金網巻き工法において、溶接金網相互の接合は重ね継手とした。

3. 連続繊維補強工法において、躯体表面を平滑にするための下地処理を行い、隅角部は直角のままとした。

4. 鋼板巻き工法において、工場で加工した鋼板を現場で突合せ溶接により一体化した。

5. 鋼板巻き工法において、鋼板と既存柱の隙間に硬練りモルタルを手作業で充填した。

■ 解説 ■

1. 溶接閉鎖フープ工法による**RC巻き立て補強**では、フープ筋を溶接長さが**片面10d以**上のフレア溶接継手とする。

2. **溶接金網巻き工法**は、コの字形に加工したものを現場で２方向から挟み込むように建込み、溶接金網相互の接合部は、**継手長さを縦線の間隔に100mm以上加えた長さ以上**、かつ、**200mm以上の重ね継手**とする。

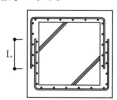

↓P↓ L≧100＋P かつ 200
（単位：mm）

継手寸法

3. **連続繊維補強工法**の場合、巻付ける炭素繊維等のシートは、突起物等に接触して破壊しないように平滑に仕上げ、柱の隅角部も面取りを行う。

炭素繊維補強工法

4. **鋼板巻き工法**において、形に加工した２つの鋼板を□形に一体化する際、接合部の溶接は部分溶込み溶接ではなく、**突き合わせ溶接**とする。

5. 柱補強工事の**鋼板巻工法**は、既存の独立柱の周囲に鋼板を巻き、すき間に**高流動**のモルタルを充填し、柱のせん断補強を行う工法で、グラウト材を下部から圧入により充填する。

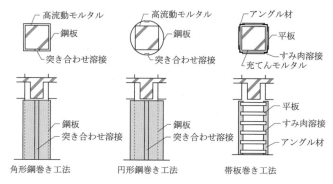

鋼板系の巻き立て補強

R03-58 B

【問題 121】 屋根保護アスファルト防水工事に関する記述として、**不適当なものを2つ選べ**。

1. コンクリート下地のアスファルトプライマーの使用量は、0.2kg/m²とした。

2. 出隅及び入隅は、平場部のルーフィング類の張付けに先立ち、幅150mmのストレッチルーフィングを増張りした。

3. 立上り部のアスファルトルーフィング類を張り付けた後、平場部のルーフィング類を150mm張り重ねた。

4. 保護コンクリート内の溶接金網は、線径6.0mm、網目寸法100mmのものを敷設した。

5. 保護コンクリートの伸縮調整目地は、パラペット周辺などの立上り際より600mm離した位置から割り付けた。

■ 解説 ■

1. **アスファルトプライマー**は、溶融アスファルトとの接着をよくするために防水下地に塗布するもので、下地コンクリートへの使用量は**0.2kg/㎡**である。

2. **出隅・入隅**には、幅300mm程度の**ストレッチルーフィング**を、一般平場のルーフィングの張付けに**先立ち**、**最下層**に**増張り**する。

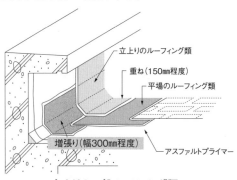

立上りのルーフィング類
重ね（150mm程度）
平場のルーフィング類
増張り（幅300mm程度）
アスファルトプライマー

立上りの一般ルーフィング類

3. 平場のアスファルトルーフィング類を張り付けた**後**、その上に立上がりのアスファルトルーフィング類を**150mm程度**重ねて張り付ける。

4. 保護コンクリートの伸縮を制御し、ひび割れの発生を防止するために用いられる溶接金網（線径3.2～6.0mm、網目寸法100×100mm程度）は、保護コンクリート厚さのほぼ中間部にコンクリート製スペーサーを用いて設置する。

5. **伸縮目地**はパラペット、塔屋などの際及び立上がり際から**0.6m以内**の位置と、その内側に**3m程度**の間隔で設け、幅20mm以上で保護コンクリートの下面、つまり防水層上面の絶縁用シートに達するように設ける。JASS 8。

成形伸縮目地材
現場打ちコンクリート
成形伸縮目地材
据付けモルタル
絶縁用シート
躯体
防水層
躯体

伸縮目地の施工例

【問題 122】　シーリング工事に関する記述として、**不適当なものを2つ選べ。**

1.　ボンドブレーカーは、シリコーン系シーリング材を充填するため、シリコーンコーティングされたテープを用いた。

2.　異種シーリング材を打ち継ぐ際、先打ちしたポリサルファイド系シーリング材の硬化後に、変成シリコーン系シーリング材を後打ちした。

3.　ワーキングジョイントに装填する丸形のバックアップ材は、目地幅より20％大きい直径のものとした。

4.　ワーキングジョイントの目地幅が20mmであったため、目地深さは12mmとした。

5.　シーリング材の充填は、目地の交差部から始め、打継ぎ位置も交差部とした。

■ 解説 ■

1. シリコーン系シーリング材を充填する場合の**ボンドブレーカー**は、ポリエチレンテープとする。

2. **ポリサルファイド系シーリング材**に**後打ち**できるシーリング材には、**変成シリコーン系、シリコーン系、アクリルウレタン系**等がある。

3. **ワーキングジョイント**に装填する丸形の**バックアップ材**は、目地幅より**20〜30％大きい**ものを選定する。

4. **ワーキングジョイント**の目地幅が20mmの場合、**目地深さは10〜15mm内**に納まるように設定する。なお、ワーキングジョイントとは、比較的、挙動の大きい目地のこと。

5. シーリングの**打始め**は、目地の交差部又は角部から行い、**打継ぎ位置**は目地の**交差部や角部**を避けて、**そぎ継ぎ**とする。

R04-59 B

【問題 123】 コンクリート素地面の塗装工事に関する記述として、**不適当なものを2つ選べ。**

1. アクリル樹脂系非水分散形塗料塗りにおいて、気温が20℃であったため、中塗りの工程間隔時間を2時間とした。

2. 常温乾燥形ふっ素樹脂エナメル塗りにおいて、塗料を素地に浸透させるため、下塗りはローラーブラシ塗りとした。

3. 2液形ポリウレタンエナメル塗りにおいて、塗料は所定の可使時間内に使い終える量を調合して使用した。

4. 合成樹脂エマルションペイント塗りにおいて、流動性を上げるため、有機溶剤で希釈して使用した。

5. つや有り合成樹脂エマルションペイント塗りにおいて、塗装場所の気温が5℃以下となるおそれがあったため、施工を中止した。

■■■ **解説** ■■■

1. **アクリル樹脂系非水分散形塗料塗り**における**標準工程間隔時間**は、**3時間以上**とする。

2. **常温乾燥形ふっ素樹脂エナメル塗り**の**下塗り**において、塗装方法は、**はけ塗り**、ローラーブラシ塗り若しくは**吹付け塗り**とする。

3. **2液形ポリウレタンエナメル塗り**は、**主剤**と**硬化剤**を混合して用いるが、塗料メーカーが指定するものを**可使時間内**に使い終える量だけ調合して使用する。

4. **合成樹脂エマルションペイント塗り**は、**水系塗料**であり、**水**による希釈が可能で**加水**して塗料に流動性をもたせる。

5. 塗装場所の**気温**が**5℃以下**、**湿度**が85%以上又は換気が適切でなく結露するなど塗料の乾燥に不適当な場合は、原則として、**塗装を行わない**。やむを得ず塗装を行う場合は、採暖、換気等の養生を行う。

正答 **1・4**

R03-59 B

【問題 124】 鋼製建具工事に関する記述として、**不適当なものを2つ選べ**。

1. 内部建具の両面フラッシュ戸の見込み部は、上下部を除いた2方を表面板で包んだ。

2. 外部建具の両面フラッシュ戸の表面板は、厚さを0.6mmとした。

3. 両面フラッシュ戸の組立てにおいて、中骨は厚さを1.6mmとし、間隔を300mmとした。

4. ステンレス鋼板製のくつずりは、表面仕上げをヘアラインとし、厚さを1.5mmとした。

5. 枠及び戸の取付け精度は、ねじれ、反り、はらみともそれぞれ許容差を、4mm以内とした。

■━ **解説** ━━━━━━━━━━━━━━━━━━━━━━━━━━━━

1.2. 表面板は、力骨及び中骨にかぶせ、溶接若しくは小ねじ留め又は中骨には溶接に代えて構造用接合テープを用いる。外部に面するフラッシュ戸は、下部を除き、三方の見込み部を表面板で包む。内部に面するフラッシュ戸は、上下部を除き、二方の見込み部を表面板で包む。

鋼製建具に使用する鋼板類の厚さ（単位：mm）

区 分		使 用 箇 所	厚 さ
窓	枠 類	枠、方立、無目、ぜん板、額縁、水切り板	1.6
出入口	枠 類	一般部分	1.6
		くつずり	1.5
	戸	かまち、鏡板、**表面板**	1.6
		力 骨	2.3
		中 骨	1.6
	その他	額縁、添え枠	1.6
補強板の類			2.3以上

3. **フラッシュ戸**では、中骨は**厚さ1.6mm**、**間隔300mm以下**に配置する。表面板と中骨の固定は、溶接又は構造用接合テープにより確実に接合する。

4. ステンレス鋼板製の**くつずり**は、**厚さ1.5mm**のものを用いる。表面仕上げは、一般に傷が目立ちにくい**ヘアライン仕上げ**が用いられる。

5. 枠及び戸の**取付け精度**は、ねじれ、反り、はらみともそれぞれ許容差が**2mm以内**である。

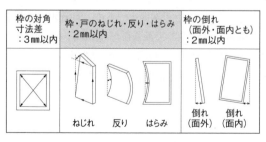

正答 **2・5**

CHECK ☐☐☐☐☐

【問題 125】　軽量鉄骨壁下地に関する記述として、**不適当なものを２つ選べ。**

1. スタッドは、上部ランナーの上端とスタッド天端との隙間が15mmとなるように切断した。

2. ランナーは、両端部を端部から50mm内側で固定し、中間部を900mm間隔で固定した。

3. 振れ止めは、床ランナーから1,200mm間隔で、スタッドに引き通し、固定した。

4. スペーサーは、スタッドの端部を押さえ、間隔600mm程度に留め付けた。

5. 区分記号65形のスタッド材を使用した袖壁端部の補強材は、垂直方向の長さが4.0mを超えたため、スタッド材を２本抱き合わせて溶接したものを用いた。

解説

1. **スタッド**は、スタッドの天端と上部ランナーの溝底との間が**10mm以下**となるように、スタッドの上端を**切断**する。

2. ランナー両端部の**固定位置**は、端部より**50mm内側**にする。ランナーの継手は**突付け継ぎ**とし、**中間部は900mm間隔**で固定する。

3. **振れ止め**は、床面ランナー下端から**1,200mm程度**の間隔でフランジを上向きにし、スタッドに引き通しスペーサーで固定する。また、上部ランナーから400mm以内に振れ止めが位置する場合には、その振止めは省略できる。

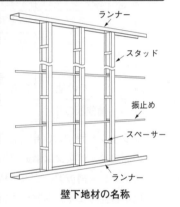

壁下地材の名称

4. **スペーサー**は、スタッドの強度を高め、ねじれを防止し、振止めを固定するために用いる。スペーサーは各スタッドの端部を押さえ、**間隔600mm程度**に留め付ける。

5. 65形のスタッド材（65×45×0.8）で補強材が4.0m以下の場合は、出入り口など開口部に用いる垂直方向の補強材（C-60×30×10×2.3）をスタッドに溶接等固定し補強する。なお、補強材が**4.0mを超える場合**は、**補強材を２本抱き合わせ**上下端部及び**間隔600mm程度**に**溶接**する。

正答　1・5

R05−59 B　　　　　　　　　　　　CHECK ☐☐☐☐☐

【問題 126】 内装ビニル床シート張りに関する記述として、**不適当なものを２つ選べ。**

1. 寒冷期の施工で、張付け時の室温が５℃以下になることが予想されたため、採暖を行い、室温を10℃以上に保った。

2. 床シートは、張付けに先立ち裁断して仮敷きし、巻きぐせをとるために８時間放置した。

3. 床シートは、張付けに際し、気泡が残らないよう空気を押し出した後、45kgローラーで圧着した。

4. 熱溶接工法における溶接部の溝切りの深さは、床シート厚の $\frac{1}{3}$ とした。

5. 熱溶接工法における溶接部は、床シートの溝部分と溶接棒を180〜200℃の熱風で同時に加熱溶融した。

▰ 解説 ▰

1. 寒冷期に施工する際、**５℃以下**又は接着剤の硬化前に５℃以下になるおそれがあるときは作業を**中止**する。やむを得ず施工する場合は、ジェットヒーター等の採暖を行う。

2. 温度変化によりシート類は、長手方向に縮み、幅の方向に伸びる性質があるので室内の温度を安定した状態におき、膨張、収縮の影響がないようにし、仮敷きは仕上げ寸法より長めに切断し、**24時間以上程度放置**してなじむようにする。

3. 圧着は、床シートを送り込みながら圧着棒を用いて空気を押し出すようにし、その後、**45kgローラーで圧着**する。

4. シートの**継手溶接**の溝は、**V字形**
又は**U字形**とし、均一な幅に床シートの厚さの２/３程度までの**深さ**とする。

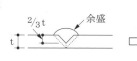

5. 溶接作業は、熱風溶接機を用い、床シート溝部分と溶接棒を180〜200℃の熱風で加熱溶融させて、溶接棒を押さえ付けるようにして圧着溶接する。

＊【問題 127】　鉄筋コンクリート造建築物の小口タイル張り外壁面の調査方法と改修工法に関する記述として、**不適当なものを2つ選べ。**

1. 打診法は、打診用ハンマー等を用いてタイル張り壁面を打撃して、反発音の違いから浮きの有無を調査する方法である。

2. 赤外線装置法は、タイル張り壁面の内部温度を赤外線装置で測定し、浮き部と接着部における熱伝導の違いにより浮きの有無を調査する方法で、天候や時刻の影響を受けない。

3. タイル陶片のひび割れ幅が0.2mm以上であったが、外壁に漏水や浮きが見られなかったため、当該タイルを斫って除去し、外装タイル張り用有機系接着剤によるタイル部分張替え工法で改修した。

4. 外壁に漏水や浮きが見られなかったが、目地部に生じたひび割れ幅が0.2mm以上で一部目地の欠損が見られたため、不良目地部を斫って除去し、既製調合目地材による目地ひび割れ改修工法で改修した。

5. 構造体コンクリートとモルタル間の浮き面積が1箇所当たり0.2m²程度、浮き代が1.0mm未満であったため、アンカーピンニング全面セメントスラリー注入工法で改修した。

■ 解説

1. モルタルやタイル面の**はく離**の有無は、**打診用テストハンマー**を用いて壁面をたたき、その音によって判断する。

2. 壁体内にはく離が存在するとその部分は断熱材が挿入されたのと同じ状態になり、壁面に温度差が生じる。この温度差を**赤外線センサー**で熱映像としてとらえる検知方法である。天候や時刻の影響を受けやすく、**日中温度5℃以下**の場合は測定できない。

＊3. 漏水や浮きも見られないタイル表面の0.2mm以上のひび割れの場合は、美観上からひび割れ部分のタイルをはつって除去し、部分張替え工法か樹脂注入工法により改修する。

＊4. 外壁に漏水や浮きが見られなかったが、目地部に生じたひび割れ幅が0.2mm以上で一部目地の欠損が見られた場合は、不良目地部を斫って除去し、既製調合目地材による目地ひび割れ改修工法で改修する。

5. 下地モルタルと下地コンクリートとの間の1箇所0.25m²未満の浮きの場合は、**アンカーピンニング部分エポキシ樹脂注入工法、注入口付アンカーピンニングエポキシ樹脂注入工法**で改修する。

R03-60 Ⓐ

CHECK ☐☐☐☐☐

【問題 128】 内装改修工事における既存床仕上げ材の撤去及び下地処理に関する記述として、**不適当なものを2つ選べ。**

ただし、除去する資材は、アスベストを含まないものとする。

1. ビニル床シートは、ダイヤモンドカッターで切断し、スクレーパーを用いて撤去した。

2. 磁器質床タイルは、目地をダイヤモンドカッターで縁切りし、電動斫り器具を用いて撤去した。

3. モルタル塗り下地面の既存合成樹脂塗床材の撤去は、下地モルタルを残し、電動斫り器具を用いて下地モルタルの表面から塗床材のみを削り取った。

4. 既存合成樹脂塗床面の上に同じ塗床材を塗り重ねるため、接着性を高めるよう、既存仕上げ材の表面を目荒しした。

5. 新規仕上げが合成樹脂塗床のため、既存床材撤去後の下地コンクリート面の凹凸部は、エポキシ樹脂モルタルで補修した。

■■■ 解説 ■■■

1. **ビニル床タイル**等は、ダイヤモンドカッターではなく、通常の**カッター**で**切断**し、**スクレーパー**等により他の仕上げに損傷を与えないように**撤去**する。

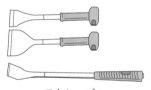

スクレーパー
(へら状の刃に柄を付けた工具の総称)

2. **磁器質床タイル**は、張替え部を**ダイヤモンドカッター**等で縁切りをして、タイル片を電動ケレン棒、電動はつり器具等を用いて、周囲に損傷を与えないように削り取る。

3. コンクリート下地の**合成樹脂塗床材**を機械で撤去する場合は、**電動ケレン棒、電動はつり器具**等を用いて、コンクリート表面から**3mm程度削り取る**。

4. 既存仕上材を撤去せずに既存床仕上材と同材質の塗床材で塗重ねを行う場合は、既存仕上材の表面を**ディスクサンダー**等により**目荒し**を行い、接着性を高める。

5. 新規仕上げが合成樹脂塗床の場合、下地コンクリートの凹凸や段差等は**エポキシ樹脂モルタル**により補修する。

正答 **1・3**

R05-60 C

【問題 129】 仕上工事における試験及び検査に関する記述として、**不適当なものを2つ選べ。**

1. 防水形仕上塗材仕上げの塗厚の確認は、単位面積当たりの使用量を基に行った。
2. シーリング材の接着性試験は、同一種類のものであっても、製造所ごとに行った。
3. 室内空気中に含まれるホルムアルデヒドの濃度測定は、パッシブサンプラを用いて行った。
4. アスファルト防水下地となるコンクリート面の乾燥状態の確認は、渦電流式測定計を用いて行った。
5. 壁タイルの浮きの打音検査は、リバウンドハンマー(シュミットハンマー)を用いて行った。

━━━ **解説** ━━━

1. 所要量等の確認は、特記がなければ次表による。ただし、防水形の仕上げ塗材及び軽量骨材仕上げ塗材の場合の所要量等の確認方法は、次表以外は、**単位面積当たりの使用量**によることを標準とする。

所要量等の確認

確認項目	仕上りの程度
見本帳又は見本塗板との比較	見本と色合、模様、つや等の程度が同様であること
塗り面の状態	むら、はじき等がないこと

2. **シーリング材**は、同一種類のものであっても、製造所ごとに組成が異なるため、接着性能に問題が起こる場合があるので、**製造所ごとに行う。**

3. 室内空気中に含まれる**ホルムアルデヒド**等の濃度測定は、**パッシブ型採取機器**を用いて行う。

4. アスファルト防水において、**アスファルトプライマー塗り**は、下地コンクリートが十分乾燥した後に清掃を行い塗布する。乾燥状態は、**高周波水分計**を用いるか、コンクリートの打込み後の経過日数等により確認する。

5. **リバウンドハンマー**は、硬化したコンクリートの表面を打撃したときの反発度を測定し、その反発度から**圧縮強度**を推定する器具。実建物の強度推定などによく用いられるが、コンクリート表面の打撃結果から強度を推定することから強度の推定精度はそれほど高くない。なお、モルタルやタイル面のはく離の有無は、打診用テストハンマーを用いて壁面をたたき、その音によって判断する。

R04-55 A

【問題 130】 工事現場における材料の保管に関する記述として、**不適当なものを2つ選べ。**

1. 車輪付き裸台で運搬してきた板ガラスは、屋内の床に、ゴム板を敷いて平置きで保管した。

2. ロール状に巻いたカーペットは、屋内の乾燥した平坦な場所に、2段の俵積みで保管した。

3. 高力ボルトは、工事現場受入れ時に包装を開封し、乾燥した場所に、使用する順序に従って整理して保管した。

4. 防水用の袋入りアスファルトは、積重ねを10段以下にし、荷崩れに注意して保管した。

5. プレキャストコンクリートの床部材は平置きとし、上下の台木が鉛直線上に同位置になるように積み重ねて保管した。

■ **解説** ■

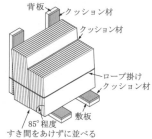

1. 裸台で運搬してきた**板ガラス**は、床への平置きは避け、床にゴム又は木板を敷き、壁にもゴム板等を配し、ガラスを**立てかけて**保管する。

2. **カーペット**は、保管場所の床に直接置かないように配慮し、ほこりや床材からの湿気の影響を直接受けないようにする。ロールカーペットは、縦置きせず、必ず横に倒して、**2〜3段**までの**俵積み**で静置する。また、**タイルカーペットは5〜6段積み**までとする。

3. **高力ボルト**は、包装の完全なものを**未開封**状態のまま工事現場へ搬入し、乾燥した場所に規格種別、径別、長さ別に整理して保管し、施工直前に包装を開封する。

4. 防水用の**袋入りアスファルト**を積み重ねて保管するときは、**10段**を超えて積まないようにし、荷崩れが起きないよう注意する。

5. **プレキャストコンクリート床部材**を積み重ねて**平置き**とする場合、上部の部材の台木と下部の部材の台木の位置にずれがあると、部材に垂直荷重のほかに曲げ応力やせん断力がかかるので、同一線上に配置する。

正答 **1・3**

5

法　　　規

※ 12 問出題され、そのうちから 8 問を選択して
　解答する。

R05-61 A

【問題 131】　用語の定義に関する記述として、「建築基準法」上、**誤っているもの**はどれか。

1.　建築物の構造上重要でない間仕切壁の過半の模様替は、大規模の模様替である。

2.　建築物の屋根は、主要構造部である。

3.　観覧のための工作物は、建築物である。

4.　百貨店の売場は、居室である。

■■■■　**解説**　■■■■■■■■■■■■■■■■■■■■■■■■■■■■■■■■■

1.　建築物の**主要構造部**の**1種以上**について行う過半の模様替を**大規模の模様替**という。構造上重要でない間仕切壁は、主要構造部ではない。

2.　**主要構造部**は、**壁**、**柱**、**床**、**はり**、**屋根又は階段**をいい、建築物の構造上重要でない間仕切壁、間柱、最下階の床等は除かれる。

3.　**建築物**とは、土地に定着する**工作物**のうち、**屋根及び柱**若しくは**壁**を有するもの、これに附属する門若しくは塀、観覧のための工作物又は地下若しくは高架の工作物内に設ける事務所、店舗、興行場、倉庫その他これらに類する施設をいう。

4.　**居室**とは、居住、執務、作業、集会、娯楽その他これらに類する目的のために**継続的**に使用する室をいう。とあり、百貨店の売場も該当する。

R03−61 A

【問題 132】　用語の定義に関する記述として、「建築基準法」上、**誤っているもの**はどれか。

1.　事務所の用途に供する建築物は、特殊建築物である。

2.　観覧のための工作物は、建築物である。

3.　高架の工作物内に設ける店舗は、建築物である。

4.　共同住宅の用途に供する建築物は、特殊建築物である。

■■■■　**解説**　■■■■■■■■■■■■■■■■■■■■■■■■■■■■■■■■■■■■

1. 4.　**特殊建築物**は、学校、体育館、病院、百貨店、公衆浴場、共同住宅、倉庫、自動車車庫その他これらに類する用途に供する建築物をいう。事務所は該当しない。

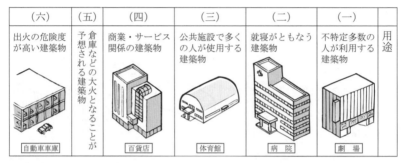

（六）	（五）	（四）	（三）	（二）	（一）	
出火の危険度が高い建築物	倉庫などの大火となることが予想される建築物	商業・サービス関係の建築物	公共施設で多くの人が使用する建築物	就寝がともなう建築物	不特定多数の人が利用する建築物	用途
自動車車庫		百貨店	体育館	病　院	劇　場	

2. 3.　**建築物**とは、**土地**に**定着**する工作物のうち、**屋根及び柱**若しくは**壁**を有するもの、これに附属する門若しくは塀、観覧のための工作物又は**地下**若しくは**高架**の工作物内に設ける事務所、店舗、興行場、倉庫その他これらに類する施設をいう。

法

規

CHECK ☐☐☐☐☐

【問題 133】 用語の定義に関する記述として、「建築基準法」上、**誤っているもの**はどれか。

1. 事務所の用途に供する建築物は、特殊建築物である。
2. 建築物の屋根は、主要構造部である。
3. 建築物に附属する塀は、建築物である。
4. 百貨店の売場は、居室である。

━━ 解説 ━━

1. **特殊建築物**は、学校、体育館、病院、百貨店、公衆浴場、共同住宅、倉庫、自動車車庫その他これらに類する用途に供する建築物をいう。事務所は該当しない。

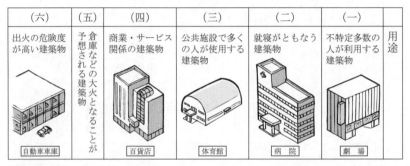

	（六）	（五）	（四）	（三）	（二）	（一）	
	出火の危険度が高い建築物	倉庫などの大火となることが予想される建築物	商業・サービス関係の建築物	公共施設で多くの人が使用する建築物	就寝がともなう建築物	不特定多数の人が利用する建築物	用途
	自動車車庫		百貨店	体育館	病院	劇場	

2. **主要構造部**は、**壁、柱、床、はり、屋根又は階段**をいい、建築物の構造上重要でない間仕切壁、間柱、最下階の床等は除かれる。

3. **建築物**とは、**土地**に**定着**する工作物のうち、**屋根及び柱**若しくは**壁**を有するもの、これに附属する門若しくは塀、観覧のための工作物又は**地下**若しくは**高架**の工作物内に設ける事務所、店舗、興行場、倉庫その他これらに類する施設をいう。

4. **居室**とは、居住、執務、作業、集会、娯楽その他これらに類する目的のために**継続的**に使用する室をいう。とあり、百貨店の売場も該当する。

正答 **1**

R01-72 Ａ

【問題 134】　次の記述のうち、「建築基準法」上、**誤っているもの**はどれか。

1. 建築物の容積率の算定において、自動車車庫の面積は、敷地内の建築物の各階の床面積の合計の1/5までは算入しないことができる。

2. 延べ面積が300m²の鉄骨造の建築工事の施工者は、工事現場に建築主、設計者、工事施工者及び工事の現場管理者の氏名又は名称の表示をしないことができる。

3. 建築基準法の規定は、文化財保護法の規定によって重要文化財に指定され、又は仮指定された建築物については適用しない。

4. 建築基準法の規定は、条例の定めるところにより現状変更の規制及び保存のための措置が講じられている建築物であって、特定行政庁が建築審査会の同意を得て指定したものには適用しない。

解説

1. **容積率**の算定の基礎となる延べ面積には、**自動車車庫**等部分の床面積は、建築物の床面積の合計の**1/5**を限度として、算入しない。

2. 確認済証の交付を受けた建築物の建築等の**工事施工者**は、当該工事現場の見易い場所に、建築主、設計者、工事施工者及び工事の現場管理者の氏名又は名称等、所定の確認があった旨の**表示**をしなければならない。

3. 文化財保護法の規定によって国宝、重要文化財等に指定され、又は仮指定された建築物には、建築基準法の規定は適用されない。

4. 文化財保護法の条例その他の条例の定めるところにより現状変更の規制及び保存のための措置が講じられている指定文化財等のほか、古民家、武家屋敷、庄屋等の歴史的建築物であって、特定行政庁が建築審査会の同意を得て指定したものについては、法並びにこれに基づく命令及び条例の規定は適用しない。

正答　2

CHECK ☐☐☐☐☐

【問題 135】　建築確認等の手続きに関する記述として、「建築基準法」上、**誤っているも**のはどれか。

1. 延べ面積が150m²の一戸建ての住宅の用途を変更して旅館にしようとする場合、建築確認を受ける必要はない。

2. 鉄骨造2階建て、延べ面積200m²の建築物の新築工事において、特定行政庁の仮使用の承認を受けたときは、建築主は検査済証の交付を受ける前においても、仮に、当該建築物を使用することができる。

3. 避難施設等に関する工事を含む建築物の完了検査を受けようとする建築主は、建築主事が検査の申請を受理した日から7日を経過したときは、検査済証の交付を受ける前であっても、仮に、当該建築物を使用することができる。

4. 防火地域及び準防火地域内において、建築物を増築しようとする場合、その増築部分の床面積の合計が10m²以内のときは、建築確認を受ける必要はない。

■■■■　解説　■■■■■■■■

1. **用途**を変更して**床面積200m²**を超える**特殊建築物**とする場合は、確認が必要である。延べ面積が150m²の場合、建築確認を受ける必要はない。

2. 3. 建築物の新築又はこれら（共同住宅以外の住宅等を除く）の増築等で避難施設等の工事を含む場合、建築主は、原則として、**検査済証の交付**を受けた**後**でなければ、これらの建築物や建築物の部分を使用することはできない。しかし、建築主事が仮使用の認定をしたとき、完了検査申請の受理日から**7日**を経過したときは、仮に使用することができる。

4. **防火**及び**準防火地域外**において、建築物を増築、改築、移転しようとする場合、その部分の床面積の合計が**10m²以内**のときは、建築物の確認申請を受けなくてよい。

正答　4

R04−61 **A**

【問題 136】 次の記述のうち、「建築基準法」上、**誤っている**ものはどれか。

1. 鉄筋コンクリート造3階建ての共同住宅においては、2階の床及びこれを支持する梁に鉄筋を配置する特定工程に係る工事を終えたときは、中間検査の申請をしなければならない。

2. 木造3階建ての戸建て住宅を、大規模の修繕をしようとする場合においては、確認済証の交付を受けなければならない。

3. 確認済証の交付を受けた建築物の完了検査を受けようとする建築主は、工事が完了した日から5日以内に、建築主事に到達するように検査の申請をしなければならない。

4. 床面積の合計が10m²を超える建築物を除却しようとする場合においては、原則として、当該除却工事の施工者は、建築主事を経由して、その旨を都道府県知事に届け出なければならない。

**　解説**

1. **階数**が**3以上**である共同住宅の2階の床及びこれを支持するはりに鉄筋を配置する工事の工程は、**特定工程**に該当し、**建築主**は**中間検査**を申請しなければならない。

2. 建築物を**大規模な修繕**をする場合、**確認済証の交付**を受ける必要がある。設問の**木造3階建の戸建て住宅**は、**確認済証の交付**を要する。

3. 確認を受けた建築物の工事を**完了**したときに行う建築主事への**検査の申請**は、原則として、工事が完了した日から**4日以内**に**建築主事**に到達するようにしなければならない。

4. 床面積の合計が**10m²**を超える建築物の**除却届**は、除却の工事を**施工する者**が、建築主事を経由して、**都道府県知事**に届け出なければならない。

R02−71 C

【問題 137】　建築確認等の手続きに関する記述として、「建築基準法」上、**誤っているも**のはどれか。

1. 防火地域及び準防火地域内において、建築物を増築しようとする場合、その増築部分の床面積の合計が10m²以内のときは、建築確認を受ける必要はない。

2. 延べ面積が150m²の一戸建ての住宅の用途を変更して旅館にしようとする場合、建築確認を受ける必要はない。

3. 鉄筋コンクリート造3階建ての共同住宅において、2階の床及びこれを支持する梁に鉄筋を配置する特定工程に係る工事を終えたときは、中間検査の申請をしなければならない。

4. 確認済証の交付を受けた建築物の完了検査を受けようとする建築主は、工事が完了した日から4日以内に建築主事に到達するように、検査の申請をしなければならない。

■ 解説 ■

1. **防火地域**及び**準防火地域外**において建築物を増築しようとする場合で、その増築部分の床面積の合計が**10m²以内**のときは、**建築確認**を受けなくても建築することができるが、設問は防火地域及び準防火地域内なので建築確認を受けないと建築することができない。

2. 用途を変更して床面積200m²を超える**特殊建築物**とする場合は、確認が必要である。延べ面積が150m²の場合、建築確認を受ける必要はない。

3. **階数**が**3以上**である共同住宅の2階の床及びこれを支持するはりに鉄筋を配置する工事の工程は、**特定工程**に該当し、**建築主**は**中間検査**を申請しなければならない。

4. 確認を受けた建築物の工事を完了したときに行う建築主事への検査の申請は、原則として、工事が完了した日から**4日以内**に**建築主事**に到達するようにしなければならない。

H30−71 C

【問題 138】　次の記述のうち、「建築基準法」上、**誤っているもの**はどれか。

1.　床面積の合計が10m²を超える建築物を除却しようとする場合においては、原則として、当該除却工事の施工者は、建築主事を経由して、その旨を都道府県知事に届け出なければならない。

2.　避難施設等に関する工事を含む建築物の完了検査を受けようとする建築主は、建築主事が検査の申請を受理した日から7日を経過したときは、検査済証の交付を受ける前であっても、仮に、当該建築物を使用することができる。

3.　鉄筋コンクリート造3階建共同住宅の3階の床及びこれを支持する梁に鉄筋を配置する工事の工程は、中間検査の申請が必要な特定工程である。

4.　木造3階建の戸建て住宅を、大規模の修繕をしようとする場合においては、確認済証の交付を受けなければならない。

■■■　解説　■■■

1.　床面積の合計が10m²を超える建築物の**除却届**は、除却の工事を施工する者が、建築主事を経由して、**都道府県知事**に届け出なければならない。

2.　建築物の新築又はこれら（共同住宅以外の住宅等を除く）の増築等で避難施設等の工事を含む場合、建築主は、原則として、**検査済証の交付**を受けた後でなければ、これらの建築物や建築物の部分を使用することはできない。しかし、建築主事が仮使用の認定をしたとき、完了検査申請の受理日から**7日**を経過したときは、**仮使用**することができる。

3.　**階数が3以上**である共同住宅の**2階の床**及びこれを支持する**はり**に**鉄筋**を配置する工事の工程は、**特定工程**に該当し、**建築主**は**中間検査**を申請しなければならない。3階の床ではない。

4.　建築物を**大規模な修繕**をする場合、**確認済証の交付**を受ける必要がある。設問の**木造3階建の戸建て住宅**は、**確認済証の交付**を要する。

【問題 139】　次の記述のうち、「建築基準法」上、**誤っているもの**はどれか。

1. 建築監視員は、建築物の工事施工者に対して、当該工事の施工の状況に関する報告を求めることができる。

2. 建築主事は、建築基準法令の規定に違反した建築物に関する工事の請負人に対して、当該工事の施工の停止を命じることができる。

3. 建築物の所有者、管理者又は占有者は、その建築物の敷地、構造及び建築設備を常時適法な状態に維持するよう努めなければならない。

4. 特定行政庁が指定する建築物の所有者又は管理者は、建築物の敷地、構造及び建築設備について、定期に、建築物調査員にその状況の調査をさせて、その結果を特定行政庁に報告しなければならない。

■ **解説** ■

1. **建築監視員**は、建築物の敷地、構造、建築設備若しくは用途、建築材料若しくは建築設備その他の建築物の部分（建築材料等）の受取若しくは引渡しの状況、建築物に関する工事の計画若しくは施工の状況又は建築物の敷地、構造若しくは建築設備に関する調査（建築物に関する調査）の状況に関する**報告**を求めることができる。

2. **特定行政庁**は、建築基準法令の規定又はこの法律の規定に基づく許可に付した条件に**違反**した建築物又は建築物の敷地については、当該建築物の建築主、当該建築物に関する工事の請負人（請負工事の下請人を含む。）若しくは現場管理者又は当該建築物若しくは建築物の敷地の所有者、管理者若しくは占有者に対して、当該工事の施工の停止を命じ、又は、相当の猶予期限を付けて、当該建築物の除却、移転、改築、増築、修繕、模様替、使用禁止、使用制限その他これらの規定又は条件に対する違反を是正するために**必要な措置**をとることを命ずることができる。建築主事ではない。

3. 建築物の**所有者**、**管理者**又は**占有者**は、その建築物の敷地、構造及び建築設備を常時適法な状態に**維持**するように努めなければならない。

4. 特定行政庁が指定する建築物の**所有者**又は**管理者**は、建築物の敷地、構造及び建築設備について、定期に、建築物調査員にその状況の調査をさせて、その結果を**特定行政庁**に**報告**しなければならない。

R02−72 A

【問題 140】 次の記述のうち、「建築基準法」上、**誤っているもの**はどれか。

1. 建築主は、延べ面積が1,000m²を超え、かつ、階数が2以上の建築物を新築する場合、一級建築士である工事監理者を定めなければならない。

2. 特定行政庁は、飲食店に供する床面積が200m²を超える建築物の劣化が進み、そのまま放置すれば著しく保安上危険となると認める場合、相当の猶予期限を付けて、所有者に対し除却を勧告することができる。

3. 建築監視員は、建築物の工事施工者に対して、当該工事の施工の状況に関する報告を求めることができる。

4. 建築主事は、建築基準法令の規定に違反した建築物に関する工事の請負人に対して、当該工事の施工の停止を命じることができる。

解説

1. 延べ面積が1,000m²を超え、かつ、階数が2以上の建築物を新築する場合は、1級建築士である**工事監理者**を定めなければならない。

延べ面積 （A）m²		高さ13m、かつ軒高9m以下					高さ>13m 又は、 軒高>9m
		木　　造			RC造、S造、CB造等		
		階数 1	階数 3	階数 3以上	階　　数 1・2	階数 3以上	
A≦30m²							
30m²＜A≦100m²							
100m²＜A≦300m²							
300m²＜A≦500m²							
500m²＜A ≦1,000m²	一般の建築物						
	特殊建築物			1級建築士でなければできない 設計、工事監理			
1,000m²＜A	一般の建築物						
	特殊建築物						

2. **特定行政庁**は、飲食店等に供する**床面積が200m²を超える**建築物について、損傷、腐食その他の劣化が進み、そのまま放置すれば著しく保安上危険となり、又は著しく衛生上有害となるおそれがあると認める場合においては、当該建築物又はその敷地の所有者、管理者又は占有者に対して、相当の猶予期限を付けて、当該建築物の**除却**、移転、改築、増築、修繕、模様替、使用中止、使用制限その他保安上又は衛生上必要な措置をとることを**勧告することができる**。

3. **建築監視員**は、建築物の敷地、構造、建築設備若しくは用途、建築材料若しくは建築設備その他の建築物の部分(建築材料等)の受取若しくは引渡しの状況、建築物に関する工事の計画若しくは施工の状況又は建築物の敷地、構造若しくは建築設備に関する調査(建築物に関する調査)の状況に関する**報告**を求めることができる。

4. **特定行政庁**は、建築基準法令の規定又はこの法律の規定に基づく許可に付した条件に**違反**した建築物又は建築物の敷地については、当該建築物の建築主、当該建築物に関する工事の請負人(請負工事の下請人を含む。)若しくは現場管理者又は当該建築物若しくは建築物の敷地の所有者、管理者若しくは占有者に対して、当該工事の施工の停止を命じ、又は、相当の猶予期限を付けて、当該建築物の除却、移転、改築、増築、修繕、模様替、使用禁止、使用制限その他これらの規定又は条件に対する違反を是正するために**必要な措置**をとることを命ずることができる。建築主事ではない。

H30-72 B

【問題 141】 次の記述のうち、「建築基準法」上、**誤っている**ものはどれか。

1. 建築監視員は、建築物の工事施工者に、当該工事の施工の状況に関する報告を求めることができる。

2. 建築主事は、建築基準法令の規定に違反した建築物に関する工事の請負人に対して、当該工事の施工の停止を命じることができる。

3. 建築主は、延べ面積が300m²を超える鉄骨造の建築物を新築する場合は、一級建築士である工事監理者を定めなければならない。

4. 特定行政庁は、飲食店に供する床面積が200m²を超える建築物の劣化が進み、そのまま放置すれば著しく保安上危険となると認める場合、相当の猶予期限を付けて、所有者に対し除却を勧告することができる。

**　　解説**

1. **特定行政庁、建築主事又は建築監視員**は、次に掲げる者に対して、建築物の敷地、構造、建築設備若しくは用途、建築材料若しくは建築設備その他の建築物の部分（建築材料等）の受取若しくは引渡しの状況、建築物に関する工事の計画若しくは施工の状況又は建築物の敷地、構造若しくは建築設備に関する調査（建築物に関する調査）の状況に関する**報告**を求めることができる。

- 建築物若しくは建築物の敷地の所有者、管理者若しくは占有者、建築主、設計者、建築材料等を製造した者、工事監理者、工事施工者又は建築物に関する調査をした者
- 指定確認検査機関
- 指定構造計算適合性判定機関

2. **特定行政庁**は、建築基準法令の規定又はこの法律の規定に基づく許可に付した条件に**違反**した建築物又は建築物の敷地については、当該建築物の建築主、当該建築物に関する工事の請負人(請負工事の下請人を含む。)若しくは現場管理者又は当該建築物若しくは建築物の敷地の所有者、管理者若しくは占有者に対して、当該工事の施工の停止を命じ、又は、相当の猶予期限を付けて、当該建築物の除却、移転、改築、増築、修繕、模様替、使用禁止、使用制限その他これらの規定又は条件に対する違反を是正するために**必要な措置**をとることを命ずることができる。建築主事ではない。

3. 鉄骨造の建築物の新築で、延べ面積が300m²、高さが13m又は軒の高さが9mをこえるものは、1級建築士である工事監理者を定めなければならない。

延べ面積 （A）m²		高さ13m、かつ軒高9m以下					高さ>13m 又は、 軒高>9m
		木　　造			RC造、S造、CB造等		
		階数 1	階数 3	階数 3以上	階　　数 1・2	階数 3以上	
A≦30㎡							
30㎡<A≦100㎡							
100㎡<A≦300㎡							
300㎡<A≦500㎡							
500㎡<A≦1,000㎡	一般の建築物						
	特殊建築物			1級建築士でなければできない設計、工事監理			
1,000㎡<A	一般の建築物						
	特殊建築物						

4. **特定行政庁**は、飲食店等に供する**床面積が200m²を超える**建築物について、損傷、腐食その他の劣化が進み、そのまま放置すれば著しく保安上危険となり、又は著しく衛生上有害となるおそれがあると認める場合においては、当該建築物又はその敷地の所有者、管理者又は占有者に対して、相当の猶予期限を付けて、当該建築物の**除却**、移転、改築、増築、修繕、模様替、使用中止、使用制限その他保安上又は衛生上必要な措置をとることを**勧告することができる**。

正答 2

R05-63 C

【問題 142】 次の記述のうち、「建築基準法施行令」上、誤っているものはどれか。

1. 共同住宅の各戸の界壁を給水管が貫通する場合においては、当該管と界壁との隙間をモルタルその他の不燃材料で埋めなければならない。

2. 劇場の客席は、主要構造部を耐火構造とした場合であっても、スプリンクラー設備等を設けなければ、1,500m²以内ごとに区画しなければならない。

3. 主要構造部を準耐火構造とした建築物で、3階以上の階に居室を有するものの昇降機の昇降路の部分とその他の部分は、原則として、準耐火構造の床若しくは壁又は防火設備で区画しなければならない。

4. 換気設備のダクトが準耐火構造の防火区画を貫通する場合においては、火災により煙が発生した場合又は火災により温度が急激に上昇した場合に自動的に閉鎖する構造の防火ダンパーを設けなければならない。

解説

1. 給水管、配水管等が準耐火構造の床若しくは壁を貫通する場合は、そのすき間をモルタル等の**不燃材料**で埋めなければならない。

   防火区画の壁／モルタル等で埋める／給水管等／1 m｜1 m

2. 耐火建築物等は、原則として、1,500m²以内ごとに防火区画しなければならないが、劇場の客席などその用途上やむを得ない場合は、この限りでない。

3. **主要構造部を準耐火構造**とし、かつ、**地階又は3階以上の階**に居室を有する建築物は、原則として、昇降機の昇降路の部分等とその他の部分とを**準耐火構造**の床若しくは**壁**又は**防火設備**で**区画**されなければならない。

4. 換気設備等の風道が防火区画を貫通する場合、その貫通部分に設ける**防火ダンパー**(防火設備)の要件として、火災時の**煙**又は**熱**により「**自動的**に**閉鎖**するもの」が揚げられている。

正答 2

CHECK ☐☐☐☐☐

【問題 143】　防火区画に関する記述として、「建築基準法」上、**誤っているもの**はどれか。

1. 主要構造部を準耐火構造とした階数が3以下で、延べ面積200m²以内の一戸建住宅の階段は、竪穴部分とその他の部分について、準耐火構造の床若しくは壁又は防火設備で区画しなくてもよい。

2. 政令で定める窓その他の開口部を有しない事務所の事務室は、その事務室を区画する主要構造部を準耐火構造とし、又は不燃材料で造らなければならない。

3. 建築物の11階以上の部分で、各階の床面積の合計が100m²を超えるものは、原則として床面積の合計100m²以内ごとに耐火構造の床若しくは壁又は防火設備で区画しなければならない。

4. 共同住宅の各戸の界壁を給水管が貫通する場合においては、当該管と界壁との隙間をモルタルその他の不燃材料で埋めなければならない。

━━━━━　解説　━━━━━

1. **主要構造部が準耐火構造**で、**地上3階建て**の建築物は、原則として、**竪穴区画をしな**ければならないが、**階数3以下**で延べ面積が**200m²以内の一戸建ての住宅**は、**除かれている**。

2. 窓その他の開口部で採光に有効な部分の面積の合計が、居室の床面積の**1/20未満**の場合は、その居室を区画する**主要構造部を耐火構造**とし、又は**不燃材料**で造らなければならない。

3. 建築物の**11階以上の部分**で、各階の床面積の合計が**100m²を超える**ものは、原則として、床面積の合計**100m²以内**ごとに**耐火構造の床**、**壁又は防火設備**で区画しなければならない。

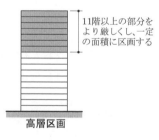

11階以上の部分をより厳しくし、一定の面積に区画する

高層区画

4. 給水管、配水管等が準耐火構造の床若しくは壁を貫通する場合は、その**すき間**をモルタル等の**不燃材料**で埋めなければならない。

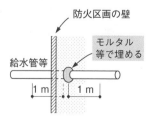

防火区画の壁

モルタル等で埋める

給水管等

1m　1m

正答　2

法

規

R01-73 C

【問題 144】 防火区画に関する記述として、「建築基準法」上、**誤っているもの**はどれか。

1. 5 階建ての共同住宅の用途に供する建築物は、共同住宅の部分と自動車車庫の用途に供する部分とを 1 時間準耐火基準に適合する準耐火構造とした床若しくは壁又は特定防火設備で区画しなければならない。

2. 主要構造部を耐火構造とした建築物で、延べ面積が1,500m²を超えるものは、原則として床面積の合計1,500m²以内ごとに 1 時間準耐火基準に適合する準耐火構造とした床若しくは壁又は特定防火設備で区画しなければならない。

3. 主要構造部を準耐火構造とした階数が 3 で延べ面積が200m²の一戸建ての住宅における吹抜きとなっている部分及び階段の部分については、当該部分とその他の部分とを準耐火構造の床若しくは壁又は防火設備で区画しなければならない。

4. 建築物の11階以上の部分で、各階の床面積の合計が100m²を超えるものは、原則として床面積の合計100m²以内ごとに耐火構造の床若しくは壁又は防火設備で区画しなければならない。

■ 解説 ■

* 1. 建築物の一部が特殊建築物の場合、特殊建築物の部分とその他の部分とを 1 時間準耐火基準に適合する準耐火構造とした床若しくは壁又は特定防火設備で異種用途区画しなければならない。 3 階以上の共同住宅は、防火区画をしなければならない。

* 2. 主要構造部を耐火構造とした建築物で、延べ面積が1,500m²を超えるものは、床面積の合計1,500m²以内ごとに 1 時間準耐火基準に適合する準耐火構造の床若しくは壁又は特定防火設備で区画しなければならない。

3. 主要構造部が準耐火構造で、かつ、地上 3 階建ての建築物なので、原則として**竪穴区画**をしなければならないが、**階数 3 以下で延べ面積が200m²以内の一戸建ての住宅**は、除かれている。

4. 建築物の11階以上の部分で、各階の床面積の合計が100m²を超えるものは、原則として、床面積の合計100m²以内ごとに耐火構造の床、壁又は防火設備で区画しなければならない。

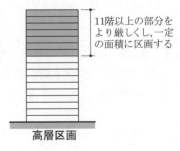

11階以上の部分をより厳しくし、一定の面積に区画する

高層区画

H30-73 C

【問題 145】　建築物の内装制限に関する記述として、「建築基準法」上、**誤っているもの**はどれか。

1.　自動車車庫の用途に供する特殊建築物は、構造及び床面積に関係なく、原則として、内装制限を受ける。

2.　主要構造部を耐火構造とした学校の1階に設ける調理室は、内装制限を受けない。

3.　内装制限を受ける百貨店の売場から地上に通ずる主たる廊下の室内に面する壁のうち、床面からの高さが1.2m以下の部分は、内装制限を受けない。

4.　主要構造部を耐火構造とした地階に設ける飲食店は、原則として、内装制限を受ける。

解説

1.　**自動車車庫**は、その構造及び床面積に関係なく、原則として、内装制限を受ける。

2.　**主要構造部**を**耐火構造**とした建築物は、**火気使用室**においても内装制限は受けない。

3.　内装制限を受ける廊下等の壁は、その全てが内装制限の対象となる。床面からの高さが1.2m以下の壁の部分が対象から除かれるのは、内装制限に該当する**居室**の場合だけである。

4.　**地階**又は**地下工作物内**に設ける飲食店は、主要構造部の構造にかかわらず、内装制限を受ける。

法

規

正答　3

R04-63 A

【問題 146】 避難施設等に関する記述として、「建築基準法施行令」上、**誤っているもの**はどれか。

1. 小学校には、非常用の照明装置を設けなければならない。
2. 映画館の客用に供する屋外への出口の戸は、内開きとしてはならない。
3. 回り階段の部分における踏面の寸法は、踏面の狭い方の端から30cmの位置において測らなければならない。
4. 両側に居室がある場合の、小学校の児童用の廊下の幅は、2.3m以上としなければならない。

■■■ 解説 ■■■

1. **学校、体育館**等については、**非常用の照明装置**を設置しなくてもよい。

2. 劇場、映画館、演芸場等における**客席からの出口の戸**は、**内開きとしてはならない**。

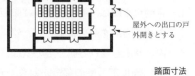

外開き

屋外への出口の戸
外開きとする

3. **回り階段**の部分における**踏面の寸法**は、踏面の狭い方の端から**30cm**の位置において測るものとする。

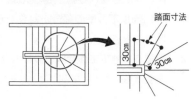

踏面寸法

30cm

30cm

4. **小学校**の児童用の**廊下**の幅は、**両側**に**居室**がある場合、**2.3m以上**としなければならない。
   片側に**居室**がある場合は、**1.8m以上**としなければならない。

R02-73 A

【問題 147】 避難施設等に関する記述として、「建築基準法」上、誤っているものはどれか。

1. 小学校には、非常用の照明装置を設けなければならない。

2. 集会場で避難階以外の階に集会室を有するものは、その階から避難階又は地上に通ずる2以上の直通階段を設けなければならない。

3. 映画館の客用に供する屋外への出口の戸は、内開きとしてはならない。

4. 高さ31mを超える建築物には、原則として、非常用の昇降機を設けなければならない。

■■■ 解説 ■■■■■■

1. **学校、体育館等**については、**非常用の照明装置を設置しなくてもよい。**

2. 劇場、映画館、集会場等の用途に供する階でその階に客席を有するものは、その階から**避難階又は地上**に通ずる**2以上**の**直通階段**を設けなければならない。

3. 劇場、映画館、演芸場等における客席からの**出口の戸**は、**内開き**としてはならない。

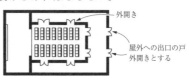

外開き

屋外への出口の戸
外開きとする

4. **高さ31m**を超える建築物（政令で定めるものを除く）には、**非常用の昇降機**を設けなければならない。

正答　1

R03−62 A

【問題 148】　次の記述のうち、「建築基準法」上、**誤っているもの**はどれか。

1. 建築物の容積率の算定において、自動車車庫の面積は、敷地内の建築物の各階の床面積の合計の1／5までは算入しないことができる。

2. 建築主は、軒の高さが9ｍを超える木造の建築物を新築する場合においては、二級建築士である工事監理者を定めなければならない。

3. 建築基準法の規定は、条例の定めるところにより現状変更の規制及び保存のための措置が講じられている建築物であって、特定行政庁が建築審査会の同意を得て指定したものには適用されない。

4. 建築基準法又はこれに基づく命令若しくは条例の規定の施行又は適用の際現に存する建築物が、規定の改正等によりこれらの規定に適合しなくなった場合、これらの規定は当該建築物に適用されない。

解説

1. 容積率の算定の基礎となる**延べ面積**には、自動車車庫等部分の床面積は、建築物の床面積の合計の1／5を限度として、算入しない。

2. **木造**の建築物で、**高さが13m又は軒の高さが9m**を超えるものは、**1級建築士**である**工事監理者**を定めなければならない。

延べ面積 （A）㎡		高さ13m、かつ軒高9m以下					高さ＞13m 又は、 軒高＞9m
		木　　造			RC造、S造、CB造等		
		階数 1	階数 3	階数 3以上	階　　数 1・2	階数 3以上	
A≦30㎡							
30㎡＜A≦100㎡							
100㎡＜A≦300㎡							
300㎡＜A≦500㎡							
500㎡＜A ≦1,000㎡	一般の建築物						
	特殊建築物			1級建築士でなければできない 設計、工事監理			
1,000㎡＜A	一般の建築物						
	特殊建築物						

3. 文化財保護法の条例その他の条例の定めるところにより現状変更の規制及び保存のための措置が講じられている指定文化財等のほか、古民家、武家屋敷、庄屋等の歴史的建築物であって、特定行政庁が建築審査会の同意を得て指定したものについては、法並びにこれに基づく命令及び条例の規定は適用しない。

4. この法律又はこれに基づく命令若しくは条例の規定の施行又は適用の際、現に存する建築物が、規定の改定等により規定に適合しない部分を有する場合、建築物等の部分に当該規定は適用しない。

法
規

正答　2

R05-64 A

【問題 149】　建設業の許可に関する記述として、「建設業法」上、**誤っているもの**はどれか。

1. 許可に係る建設業者は、営業所の所在地に変更があった場合、30日以内に、その旨の変更届出書を国土交通大臣又は都道府県知事に提出しなければならない。

2. 建築工事業で一般建設業の許可を受けた者が、建築工事業の特定建設業の許可を受けたときは、その者に対する建築工事業に係る一般建設業の許可は、その効力を失う。

3. 木造住宅を建設する工事を除く建築一式工事であって、工事1件の請負代金の額が4,500万円に満たない工事を請け負う場合は、建設業の許可を必要としない。

4. 内装仕上工事など建築一式工事以外の工事を請け負う建設業者であっても、特定建設業者となることができる。

■　解説　■

1. 建設業者は、営業所の所在地に**変更**があった場合、国土交通省令の定めるところにより、**30日以内**に、その旨の変更届書を**国土交通大臣**又は**都道府県知事**に提出しなければならない。

2. **一般建設業**の許可を受けた者が、当該許可に係る建設業について、**特定建設業**の許可を受けたときは、その者に対する当該建設業に係る一般建設業の許可はその**効力**を**失**う。

3. 工事1件の**請負代金の額**が**1500万円未満**の**建築一式工事**、**延べ面積150m²未満**の**木造住宅工事**、**請負代金500万円未満**の**建築一式以外**の建設工事のみを請負うことを営業とする者は、**建設業の許可を受けなくてもよい**。

4. 一定金額以上の下請契約を締結して施工する者は、特定建設業の許可を受けていればその業を営むことができるので、建築一式工事以外の専門業者でもなることができる。

R04-64 A

【問題 150】　建設業の許可に関する記述として、「建設業法」上、**誤っているもの**はどれか。

1. 特定建設業の許可を受けようとする建設業のうち、指定建設業は、土木工事業、建築工事業、電気工事業、管工事業及び造園工事業の5業種である。

2. 一般建設業の許可を受けようとする者は、許可を受けようとする建設業に係る建設工事に関して10年以上の実務の経験を有する者を、その営業所ごとに置く専任の技術者とすることができる。

3. 工事一件の請負代金の額が500万円に満たない建設工事のみを請け負うことを営業とする者は、建設業の許可を受けなくてもよい。

4. 特定建設業の許可を受けた者でなければ、発注者から直接請け負った建設工事を施工するために、建築工事業にあっては下請代金の額の総額が7,000万円以上となる下請契約を締結してはならない。

■■■■■　解説　■■■■■

1. 特定建設業において、建設業29業種の中から**土木工事業、建築工事業、電気工事業、管工事業、鋼構造物工事業、舗装工事業、造園工事業**の**7種類**が**指定建設業**として指定されている。

2. **一般建設業**では、営業所ごとに置かなければならない**専任**の者の基準の1つに、許可を受けようとする建設業に係る建設工事に関し**10年以上の実務経験**を有する者とある。

3. **建設業の許可を要しない軽微な建設工事**には、①請負代金の額が**建築一式工事**にあっては1,500万円に満たない工事、②延べ面積が150m²に満たない**木造住宅工事**、③建築一式工事以外の**建設工事**にあっては500万円に満たない工事が挙げられ、工事1件の請負代金の額が500万円に満たない建設工事のみを請け負うことを営業とする者は、建設業の許可を受けなくてもよい。

4. **発注者**から**直接請け負った建設工事**を施工するに当たり、建築工事業において、**下請代金額**が**7,000万円**(その他4,500万円)以上となる下請契約を締結する場合は、**特定建設業の許可を受けた者**でなければならない。

R03-64 A

【問題 151】 建設業の許可に関する記述として、「建設業法」上、**誤っているもの**はどれか。

1. 建設業の許可は、一般建設業と特定建設業の区分により、建設工事の種類ごとに受ける。

2. 建設業者は、許可を受けた建設業に係る建設工事を請け負う場合においては、当該建設工事に附帯する他の建設業に係る建設工事を請け負うことができる。

3. 建設業の許可を受けた建設業者は、許可を受けてから3年以内に営業を開始せず、又は引き続いて1年以上営業を休止した場合、当該許可を取り消される。

4. 特定建設業の許可を受けようとする者は、発注者との間の請負契約で、その請負代金の額が8,000万円以上であるものを履行するに足りる財産的基礎を有していなければならない。

■ **解説** ■

1. **建設業の許可**は、一般建設業と特定建設業に区分され、建設工事の**種類**ごとに規定されている。

2. 建設業者は、許可を受けた建設業に係る建設工事を請け負う場合においては、当該建設工事に**附帯**する他の建設業に係る建設工事を請け負うことができる。

3. 建設業の許可を受けた建設業者は、許可を受けてから**1年以内**に営業を開始せず、又は引き続いて**1年以上営業を休止**した場合は、当該許可を**取り消される**。

4. 特定建設業の許可を受けようとする者は、発注者との間の請負契約でその請負代金の額が8,000万円であるものを履行するに足りる**財産的基礎**を有することが条件となる。

R02-74 A

【問題 152】　建設業の許可に関する記述として、「建設業法」上、**誤っているもの**はどれか。

1. 建設業の許可を受けようとする者は、許可を受けようとする建設業に係る建設工事に関して10年の実務の経験を有する者を、一般建設業の営業所に置く専任の技術者とすることができる。

2. 建設業の許可を受けようとする者は、複数の都道府県の区域内に営業所を設けて営業をしようとする場合、それぞれの都道府県知事の許可を受けなければならない。

3. 内装仕上工事など建築一式工事以外の工事を請け負う建設業者であっても、特定建設業の許可を受けることができる。

4. 特定建設業の許可を受けた者でなければ、発注者から直接請け負った建設工事を施工するために、建築工事業にあっては下請代金の額の総額が7,000万円以上となる下請契約を締結してはならない。

解説

1. **一般建設業**では、営業所ごとに置かなければならない**専任**の者の基準の1つに、許可を受けようとする建設業に係る建設工事に関し**10年以上**の**実務経験**を有する者とある。

2. 建設業を営む者で、**2以上**の**都道府県**に**営業所**を設けて営業する場合は国土交通大臣の、**一の都道府県**に**営業所**を設けて営業する場合は**都道府県知事**の**許可**を受ける。

3. 一定金額以上の下請契約を締結して施工する者は、特定建設業の許可を受けていればその業を営むことができるので、建築一式工事以外の専門業者でもなることができる。

4. **発注者**から**直接請け負った**建設工事を施工するに当たり、建築工事業において、**下請代金額**が**7,000万円**（その他4,500万円）**以上**となる下請契約を締結する場合は、**特定建設業**の許可を受けた者でなければならない。

正答 | 2

R01-74 A

【問題 153】　建設業の許可に関する記述として、「建設業法」上、誤っているものはどれか。

1. 工事１件の請負代金の額が建築一式工事にあっては1,500万円に満たない工事又は延べ面積が150m²に満たない木造住宅工事のみを請け負う場合は、建設業の許可を必要としない。

2. 建設業の許可の更新を受けようとする者は、有効期間満了の日前30日までに許可申請書を提出しなければならない。

3. 建築工事業で一般建設業の許可を受けた者が、１件の建設工事につき、総額が7,000万円以上となる下請け契約を締結するために、特定建設業の許可を受けたときは、一般建設業の許可は、その効力を失う。

4. 建設業の許可を受けた建設業者は、許可を受けてから３年以内に営業を開始せず、又は引き続いて１年以上営業を休止した場合は、当該許可を取り消される。

解説

1. 建築一式工事にあって、請負代金の額が**1,500万円未満の工事又は延べ面積150m²未満の木造住宅**では軽微な建設工事に該当するので、建設業の許可を受ける必要はない。

	許　可　条　件
特定建設業の許可	１件の建築工事につき、**下請契約の総金額が7,000万円（その他の工事4,500万円）以上**の場合
一般建設業の許可	上記および下記以外の場合
許可を必要としない場合	●**建築一式工事**で１件の請負金額が合計**1,500万円未満の工事** ●**延べ面積150m²未満の木造住宅工事** ●上記以外の工事で１件の請負金額が合計**500万円未満**の場合

2. **建設業の許可**は、**5年ごと**にその更新を受けなければ、その期間の経過によって、その効力を失う。有効期間満了の日の**30日前**までに許可申請書を提出しなければならない。

3. 一般建設業の許可を受けた者が、当該許可に係る建設業について、特定建設業の許可を受けたときは、その者に対する当該建設業に係る一般建設業の許可はその効力を失う。

4. 建設業の許可を受けた建設業者は、許可を受けてから**1年以内**に営業を開始せず、又は引き続いて**1年以上**営業を休止した場合は、当該許可を取り消される。

正答　4

H30-74 B

【問題 154】　建設業の許可に関する記述として、「建設業法」上、**誤っているもの**はどれか。

1. 特定建設業の許可を受けようとする者は、発注者との間の請負契約で、その請負代金の額が8,000万円以上であるものを履行するに足りる財産的基礎を有していなければならない。

2. 特定建設業の許可を受けようとする建設業のうち、指定建設業は、土木工事業、建築工事業、電気工事業、管工事業及び造園工事業の5業種である。

3. 特定建設業の許可を受けた者でなければ、発注者から直接請け負った建設工事を施工するために、建築工事業にあっては下請代金の額の総額が7,000万円以上の下請契約を締結してはならない。

4. 許可を受けようとする建設業に係る建設工事に関して10年の実務の経験を有する者を、一般建設業の営業所に置く専任の技術者とすることができる。

━━━　解説　━━━

1. **特定建設業**の許可を受けようとする者は、発注者との間の請負契約でその請負代金の額が**8,000万円**であるものを履行するに足りる**財産的基礎**を有することが条件となる。

2. 特定建設業において、建設業29業種の中から**土木工事業**、**建築工事業**、**電気工事業**、**管工事業**、**鋼構造物工事業**、**舗装工事業**、**造園工事業の7種類**が**指定建設業**として指定されている。

3. **発注者**から**直接**請け負った建設工事を施工するに当たり、建築工事業において、**下請代金額が7,000万円**（その他4,500万円）以上となる下請契約を締結する場合は、**特定建設業**の許可を受けた者でなければならない。

4. **一般建設業**では、営業所ごとに置かなければならない**専任**の者の基準の1つに、許可を受けようとする建設業に係る建設工事に関し**10年以上**の**実務経験**を有する者とある。

正答　2

R05-65 A

【問題 155】　請負契約に関する記述として、「建設業法」上、**誤っているもの**はどれか。

1. 注文者は、請負人に対して、建設工事の施工につき著しく不適当と認められる下請負人があるときは、あらかじめ注文者の書面等による承諾を得て選定した下請負人である場合を除き、その変更を請求することができる。

2. 建設業者は、共同住宅を新築する建設工事を請け負った場合、いかなる方法をもってするかを問わず、一括して他人に請け負わせてはならない。

3. 請負契約の当事者は、請負契約において、各当事者の履行の遅滞その他債務の不履行の場合における遅延利息、違約金その他の損害金に関する事項を書面に記載しなければならない。

4. 請負人は、請負契約の履行に関し、工事現場に現場代理人を置く場合、注文者の承諾を得なければならない。

解説

1. **注文者**は、**請負人**に対して、建設工事の施工につき**著しく不適当**と認められる**下請負人**があるときは、その**変更**を**請求**することができる。ただし、あらかじめ注文者の書面による承諾を得て選定した下請負人については、この限りでない。

2. **建設業者**は、原則として、その請負った建設工事をいかなる方法をもってするかを問わず、**一括**して他人に請け負わせてはならない。ただし、共同住宅の新築工事以外の建設工事を請け負った元請負人は、あらかじめ発注者の書面による承諾を得れば、その工事を一括して他人に請け負わせることができる。

3. **請負契約**においては、履行遅滞、債務不履行の場合における遅延利息、違約金その他損害金に関する事項を**書面**に記載しなければならない。

4. **請負人**は、請負契約の履行に関し工事現場に**代理人**を置く場合、**書面**により**注文者**に**通知**しなければならないのであり、注文者の承諾を得る必要はない。

R04-65 A

【問題 156】　請負契約に関する記述として、「建設業法」上、**誤っているもの**はどれか。

1. 注文者は、工事一件の予定価格が5,000万円以上である工事の請負契約の方法が随意契約による場合であっても、契約の締結までに建設業者が当該建設工事の見積りをするための期間は、原則として、15日以上を設けなければならない。

2. 元請負人は、下請負人からその請け負った建設工事が完成した旨の通知を受けたときは、当該通知を受けた日から30日以内で、かつ、できる限り短い期間内に、その完成を確認するための検査を完了しなければならない。

3. 特定建設業者は、当該特定建設業者が注文者となった下請契約に係る下請代金の支払につき、当該下請代金の支払期日までに一般の金融機関による割引を受けることが困難であると認められる手形を交付してはならない。

4. 元請負人は、その請け負った建設工事を施工するために必要な工程の細目、作業方法その他元請負人において定めるべき事項を定めようとするときは、あらかじめ、下請負人の意見をきかなければならない。

1. 建設工事の注文者は、請負契約の方法が随意契約による場合にあっては契約を締結する以前に、入札の方法により競争に付する場合にあっては入札を行う以前に、できる限り具体的な内容を提示し、かつ、当該提示から当該契約の締結又は入札までに、建設業者が当該建設工事の**見積り**をするために必要な政令で定める一定の期間を設けなければならない。
    ・500万円未満： 1 日以上
    ・500万円以上5,000万円未満：10日以上
    ・**5,000万円以上：15日以上**

2. **元請負人**は、下請負人からその請け負った建設工事が完成した旨の通知を受けたときは、当該通知を受けた日から**20日以内**で、かつ、できる限り短い期間内に、その完成を確認するための**検査**を完了しなければならない。

3. 特定建設業者は、当該特定建設業者が注文者となった下請契約に係る下請代金の支払につき、当該下請代金の支払期日までに一般の金融機関による割引を受けることが困難であると認められる手形を交付してはならない。

4. **元請負人**は、建設工事を施工するために必要な工程の細目、作業方法等、元請負人が定めるべき事項を定めるときは、あらかじめ、**下請負人の意見**をきかなければならない。

正答 **2**

CHECK ☐☐☐☐☐

【問題 157】　建設工事の請負契約に関する記述として、「建設業法」上、**誤っているもの**はどれか。

1.　建設工事の請負契約書には、契約に関する紛争の解決方法に該当する事項を記載しなければならない。

2.　建設業者は、建設工事の注文者から請求があったときは、請負契約が成立するまでの間に、建設工事の見積書を交付しなければならない。

3.　請負人は、建設工事の施工について工事監理を行う建築士から工事を設計図書のとおりに実施するよう求められた場合において、これに従わない理由があるときは、直ちに、注文者に対して、その理由を報告しなければならない。

4.　注文者は、工事現場に監督員を置く場合においては、当該監督員の権限に関する事項及びその行為についての請負人の注文者に対する意見の申出の方法を、書面により請負人の承諾を得なければならない。

解説

1. 建設工事の契約のときに書面に記載する事項の一つに、**契約に関する紛争の解決方法**が含まれる。

2. 建設業者は、建設工事の注文者から請求があつたときは、請負契約が成立するまでの間に、**建設工事の見積書**を交付しなければならない。

3. 請負人は、その請け負った建設工事の施工について、当該工事の工事監理を行う建築士から工事を設計図書のとおりに実施するよう求められた場合において、これに従わない理由があるときは、**直ちに**、**注文者**に対して、その理由を**報告**しなければならない。

4. 注文者は、請負契約の履行に関し工事現場に監督員を置く場合においては、当該**監督員の権限**に関する事項及び当該監督員の行為についての請負人の注文者に対する**意見の申出の方法**を、書面により請負人に**通知**しなければならない。

R02-75 B

【問題 158】　請負契約に関する記述として、「建設業法」上、**誤っているもの**はどれか。

1. 注文者は、請負人に対して、建設工事の施工につき著しく不適当と認められる下請負人があるときは、あらかじめ注文者の書面等による承諾を得て選定した下請負人である場合を除き、その変更を請求することができる。

2. 注文者は、工事一件の予定価格が5,000万円以上である工事の請負契約の方法が随意契約による場合であっても、契約の締結までに建設業者が当該建設工事の見積りをするための期間は、原則として、15日以上を設けなければならない。

3. 元請負人は、その請け負った建設工事を施工するために必要な工程の細目、作業方法その他元請負人において定めるべき事項を定めようとするときは、あらかじめ、注文者の意見をきかなければならない。

4. 請負人は、請負契約の履行に関し工事現場に現場代理人を置く場合に、注文者の承諾を得て、現場代理人に関する事項を、省令で定める情報通信の技術を利用する方法で通知することができる。

■■■■■ 解説 ■■■■■■■■■■■■■■■■■■■■■■■■■■■■■■■■■■■■■■

1. **注文者**は、**請負人**に対して、建設工事の施工につき**著しく不適当**と認められる**下請負人**があるときは、その**変更**を**請求**することができる。ただし、あらかじめ注文者の書面による承諾を得て選定した下請負人については、この限りでない。

2. 建設工事の注文者は、請負契約の方法が随意契約による場合にあっては契約を締結する以前に、入札の方法により競争に付する場合にあっては入札を行う以前に、できる限り具体的な内容を提示し、かつ、当該提示から当該契約の締結又は入札までに、建設業者が当該建設工事の**見積り**をするために必要な政令で定める一定の期間を設けなければならない。

工事一件の予定価格	見積期間
500万円未満の工事	1日以上
500万円以上 5,000万円未満の工事	10日以上
5,000万円以上の工事	15日以上

建設工事の注文者は、契約の締結や入札までに、建設業者が見積りを作成するために必要な期間を設けなければなりません。この見積期間は、工事一件の予定価格に応じて設けます。

建設工事の見積期間

3. **元請負人**は、建設工事を施工するために必要な工程の細目、作業方法等、元請負人が定めるべき事項を定めるときは、あらかじめ、**下請負人の意見**をきかなければならない。

建設工事の適正な施工と下請負人の利益の保護のため、元請負人はあらかじめ下請負人の意見をきかなくてはなりません。

ですが、そのやり方には無理があります。

すべてこちらの決めたとおりにやってもらわないと困る。

下請負人の意見の聴取

元請負人

下請負人

4. **請負人**は、請負契約の履行に関し工事現場に**現場代理人**を置く場合においては、当該現場代理人の権限に関する事項及び当該現場代理人の行為についての注文者の請負人に対する意見の申出の方法(以下「現場代理人に関する事項」という。)を、**書面**により**注文者**に**通知**しなければならない。請負人は、この規定による書面による通知に代えて、政令で定めるところにより、注文者の承諾を得て、**現場代理人に関する事項**を、**電子情報処理組織**を使用する方法その他の**情報通信**の技術を利用する方法であって所定のものにより**通知**することができる。

R01-75 B

【問題 159】 請負契約に関する記述として、「建設業法」上、**誤っているもの**はどれか。

1. 請負契約においては、各当事者の履行の遅滞その他債務の不履行の場合における遅延利息、違約金その他の損害金に関する事項を書面に記載しなければならない。

2. 注文者は、工事現場に監督員を置く場合、当該監督員の権限に関する事項及びその行為についての請負人の注文者に対する意見の申出の方法に関し、書面により請負人の承諾を得なければならない。

3. 建設業者は、建設工事の注文者から請求があったときは、請負契約が成立するまでの間に、建設工事の見積書を交付しなければならない。

4. 建設業者は、共同住宅を新築する建設工事を請け負った場合、いかなる方法をもってするかを問わず、一括して他人に請け負わせてはならない。

1. **請負契約**においては、履行遅滞、債務不履行の場合における遅延利息、違約金その他損害金に関する事項を**書面**に記載しなければならない。
2. **注文者**は、請負契約の履行に関し工事現場に監督員を置く場合においては、当該監督員の権限に関する事項及び当該監督員の行為についての請負人の注文者に対する**意見**の**申出**の**方法**を、書面により**請負人**に**通知**しなければならない。

3. **建設業者**は、建設工事の注文者から請求があつたときは、請負契約が成立するまでの間に、建設工事の**見積書**を交付しなければならない。
4. **建設業者**は、原則として、その請負った建設工事をいかなる方法をもってするかを問わず、**一括**して他人に請け負わせてはならない。ただし、共同住宅の新築工事以外の建設工事を請け負った元請負人は、あらかじめ発注者の書面による承諾を得れば、その工事を一括して他人に請け負わせることができる。

H30−75 B　　　　　　　　　　　　　　　CHECK ☐☐☐☐☐

【問題 160】 請負契約に関する記述として、「建設業法」上、誤っているものはどれか。

1. 請負人は、請負契約の履行に関し工事現場に現場代理人を置く場合に、注文者の承諾を得て、現場代理人に関する事項を、情報通信の技術を利用する一定の方法で通知することができる。

2. 特定建設業者は、発注者から直接建築一式工事を請け負った場合に、下請契約の請負代金の総額が7,000万円以上になるときは、施工体制台帳を工事現場ごとに備え置き、発注者の閲覧に供しなければならない。

3. 注文者は、請負人に対して、建設工事の施工につき著しく不適当と認められる下請負人があるときは、あらかじめ注文者の書面等による承諾を得て選定した下請負人である場合であっても、その変更を請求することができる。

4. 注文者は、工事一件の予定価格が5,000万円以上である工事の請負契約の方法が随意契約による場合であっても、契約の締結までに建設業者が当該建設工事の見積りをするための期間は、原則として、15日以上を設けなければならない。

■ 解説

1. **請負人**は、請負契約の履行に関し工事現場に**現場代理人**を置く場合においては、当該現場代理人の権限に関する事項及び当該現場代理人の行為についての注文者の請負人に対する意見の申出の方法（以下「現場代理人に関する事項」という。）を、**書面**により**注文者**に通知しなければならない。請負人は、この規定による書面による通知に代えて、政令で定めるところにより、注文者の承諾を得て、**現場代理人に関する事項**を、**電子情報処理組織**を使用する方法その他の**情報通信**の技術を利用する方法であって所定のものにより**通知**することができる。

2. **特定建設業者**は、**発注者**から**直接**建設工事を請け負った場合において、当該建設工事を施工するために締結した下請契約の請負代金の額（当該下請契約が二以上あるときは、それらの請負代金の額の総額）が、建築一式工事にあっては**7,000万円以上**（その他の場合は4,500万円以上）になるときは、国土交通省令で定めるところにより、当該建設工事について、**施工体制台帳**を作成し、**工事現場**ごとに備え置かなければならない。

3. **注文者**は、**請負人**に対して、建設工事の施工につき著しく不適当と認められる下請負人があるときは、その**変更**を**請求**することができる。ただし、あらかじめ注文者の書面による承諾を得て選定した下請負人については、この限りでない。

4. 建設工事の注文者は、請負契約の方法が随意契約による場合にあっては契約を締結する以前に、入札の方法により競争に付する場合にあっては入札を行う以前に、できる限り具体的な内容を提示し、かつ、当該提示から当該契約の締結又は入札までに、建設業者が当該建設工事の見積りをするために必要な政令で定める一定の期間を設けなければならない。

工事一件の予定価格	見積期間
500万円未満の工事	1日以上
500万円以上 5,000万円未満の工事	10日以上
5,000万円以上の工事	15日以上

建設工事の注文者は、契約の締結や入札までに、建設業者が見積りを作成するために必要な期間を設けなければなりません。この見積期間は、工事一件の予定価格に応じて設けます。

建設工事の見積期間

【問題 161】 元請負人の義務に関する記述として、「建設業法」上、**誤っているもの**はどれか。

1. 元請負人は、前払金の支払を受けたときは、下請負人に対して、資材の購入、労働者の募集その他建設工事の着手に必要な費用を前払金として支払うよう適切な配慮をしなければならない。

2. 元請負人は、請負代金の出来形部分に対する支払を受けたときは、当該支払の対象となった建設工事を施工した下請負人に対して出来形部分に相応する下請代金を、当該支払を受けた日から50日以内で、かつ、できる限り短い期間内に支払わなければならない。

3. 特定建設業者は、発注者から直接建築一式工事を請け負った場合において、下請契約の請負代金の総額が7,000万円以上になるときは、施工体制台帳を工事現場ごとに備え置き、発注者の閲覧に供しなければならない。

4. 特定建設業者が注文者となった下請契約において、下請代金の支払期日が定められなかったときは、下請負人が完成した工事目的物の引渡しを申し出た日を支払期日としなければならない。

解説

1. **元請負人**は、前払金の支払を受けたときは、下請負人に対して、資材の購入、労働者の募集その他建設工事の着手に必要な費用を**前払金**として支払うよう適切な配慮をしなければならない。

2. 元請負人は、請負代金の出来形部分に対する支払又は工事完成後における支払を受けたときは、下請負人に対して、これに相応する**下請代金**を、当該支払を受けた日から**1月以内**で、かつ、**できる限り短い期間内**に支払わなければならない。

3. **特定建設業者**は、発注者から直接建設工事を請け負った場合において、当該建設工事を施工するために締結した下請契約の請負代金の額（当該下請契約が二以上あるときは、それらの請負代金の額の総額）が、建築一式工事にあっては**7,000万円以上**（その他の場合は4,500万円以上）になるときは、国土交通省令で定めるところにより、当該建設工事について、**施工体制台帳**を作成し、工事現場ごとに備え置かなければならない。

4. 特定建設業者が注文者となった下請契約において、「下請代金の支払期日が定められなかったときは申出の日」が、「規定に違反して下請代金の支払期日が定められたときは申出の日から起算して50日を経過する日」が、下請代金の支払期日と定められたものとみなす。

【問題 162】 元請負人の義務に関する記述として、「建設業法」上、**誤っているもの**はどれか。

1. 元請負人は、前払金の支払を受けたときは、下請負人に対して、資材の購入、労働者の募集その他建設工事の着手に必要な費用を前払金として支払うよう適切な配慮をしなければならない。

2. 元請負人が請負代金の出来形部分に対する支払を受けたときは、当該支払の対象となった建設工事を施工した下請負人に対して出来形部分に相応する下請代金を、当該支払を受けた日から1月以内で、かつ、できる限り短い期間内に支払わなければならない。

3. 元請負人は、下請負人からその請け負った建設工事が完成した旨の通知を受けたときは、当該通知を受けた日から1月以内で、かつ、できる限り短い期間内に、その完成を確認するための検査を完了しなければならない。

4. 元請負人は、下請負人の請け負った建設工事の完成を確認した後、下請負人が申し出たときは、特約がされている場合を除き、直ちに、目的物の引渡しを受けなければならない。

───── **解説** ─────

1. **元請負人**は、前払金の支払を受けたときは、下請負人に対して、資材の購入、労働者の募集その他建設工事の着手に必要な費用を**前払金**として支払うよう適切な配慮をしなければならない。

2. **元請負人**は、請負代金の出来形部分に対する**支払**又は工事完成後における**支払**を受けたときは、下請負人に対して、これに相応する下請代金を、当該支払を受けた日から**1月以内**で、かつ、できる限り短い期間内に支払わなければならない。

3. **元請負人**は、下請負人からその請け負った建設工事が完成した旨の通知を受けたときは、当該通知を受けた日から**20日以内**で、かつ、できる限り短い期間内に、その完成を確認するための**検査**を完了しなければならない。

4. **元請負人**は、下請負人の請け負った建設工事の完成を確認した後、下請負人が申し出たときは、原則として、**直ち**に、当該建設工事の目的物の**引渡し**を受けなければならない。

R04-66 A　　　　　　　　　　　　　　　　CHECK □□□□□

【問題 163】 監理技術者等に関する記述として、「建設業法」上、**誤っているもの**はどれか。

1. 専任の監理技術者を置かなければならない建設工事について、その監理技術者の行うべき職務を補佐する者として政令で定める者を工事現場に専任で置く場合には、監理技術者は２つの現場を兼任することができる。

2. 専任の者でなければならない監理技術者は、当該選任の期間中のいずれの日においても国土交通大臣の登録を受けた講習を受講した日の属する年の翌年から起算して７年を経過しない者でなければならない。

3. 建設業者は、請け負った建設工事を施工するときは、現場代理人の設置にかかわらず、主任技術者又は監理技術者を置かなければならない。

4. 主任技術者及び監理技術者は、建設工事を適正に実施するため、当該建設工事の施工計画の作成、工程管理、品質管理その他の技術上の管理及び施工に従事する者の技術上の指導監督を行わなければならない。

■■■ 解説 ■■■

1. **専任**の監理技術者を置かなければならない建設工事について、その監理技術者の行うべき職務を補佐する者として政令で定める者を工事現場に専任で置く場合には、**監理技術者**は2つの現場を**兼任**することができる。

2. **専任**の者でなければならない**監理技術者**は、監理技術者資格者証の交付（資格者証の有効期間は**5年**）を受けている者であって、国土交通大臣の登録を受けた講習（講習を受講した日から**5年間有効**）を受講したもののうちから、これを選任しなければならない。

3. 建設業者は、請け負った建設工事を施工するときは、現場代理人の設置にかかわらず、**主任技術者**又は**監理技術者**を置かなければならない。

4. **主任技術者**及び**監理技術者**は、工事現場における施工計画の作成、工程管理、品質管理その他の技術上の管理及び施工に従事する者の技術上の指導監督の職務を誠実に行わなければならない。

R02-76 B

【問題 164】　工事現場に置く技術者に関する記述として、「建設業法」上、**誤っているも**のはどれか。

1. 発注者から直接建築一式工事を請け負った特定建設業者は、下請契約の総額が7,000万円以上の工事を施工する場合、監理技術者を工事現場に置かなければならない。

2. 工事一件の請負代金の額が7,000万円である診療所の建築一式工事において、工事の施工の技術上の管理をつかさどるものは、工事現場ごとに専任の者でなければならない。

3. 専任の主任技術者を必要とする建設工事のうち、密接な関係のある2以上の建設工事を同一の建設業者が同一の場所又は近接した場所において施工するものについては、同一の専任の主任技術者がこれらの建設工事を管理することができる。

4. 発注者から直接防水工事を請け負った特定建設業者は、下請契約の総額が3,500万円の工事を施工する場合、主任技術者を工事現場に置かなければならない。

■ 解説 ■

1. **下請契約の金額**が**7,000万円以上**なので、**監理技術者を置かなければならない。**

2. 公共性のある施設・工作物、又は多数の者が利用する施設・工作物に関する重要な建設工事で政令で定めるものについては、工事1件の請負金額が4,000万円（建築一式工事の場合は8,000万円）以上のものについては、工事の安全かつ適正な施工を確保するために、工事現場ごとに**専任**の**主任技術者**又は**監理技術者**を置かなければならない。

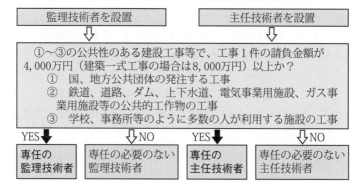

3. **専任**の主任技術者を必要とする建設工事のうち、**密接な関係**のある2以上の建設工事を同一の建設業者が同一の場所又は近接した場所において施工するものについては、**同一の専任の主任技術者**がこれらの建設工事を管理することができる。

4. 建設業者は、元請、下請にかかわらず請け負った建設工事を施工するときは、その工事現場の技術上の管理をつかさどるもの（**主任技術者**）を置かなければならない。

H30−76 B

【問題 165】　工事現場に置く技術者に関する記述として、「建設業法」上、**誤っているも**のはどれか。

1. 工事一件の請負代金の額が5,000万円である事務所の建築一式工事において、工事の施工の技術上の管理をつかさどるものは、工事現場ごとに専任の者でなければならない。

2. 下請負人として建設工事を請け負った建設業者は、下請代金の額にかかわらず、主任技術者を置かなければならない。

3. 専任の主任技術者を必要とする建設工事のうち、密接な関係のある二以上の建設工事を同一の建設業者が同一の場所又は近接した場所において施工するものについては、同一の専任の主任技術者がこれらの建設工事を管理することができる。

4. 専任の者でなければならない監理技術者は、当該選任の期間中のいずれの日においても、その日の前5年以内に行われた国土交通大臣の登録を受けた講習を受講していなければならない。

解説

1. 公共性のある施設・工作物、又は多数の者が利用する施設・工作物に関する重要な建設工事で政令で定めるものについては、工事1件の請負金額が4,000万円（建築一式工事の場合は**8,000万円**）**以上**のものについては、工事の安全かつ適正な施工を確保するために、工事現場ごとに**専任**の**主任技術者**又は**監理技術者**を置かなければならない。

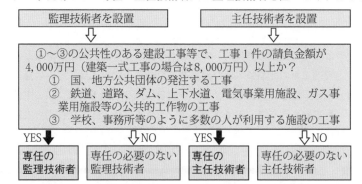

2. 建設業者は、元請、下請にかかわらず請け負った建設工事を施工するときは、その工事現場の技術上の管理をつかさどるもの（**主任技術者**）を置かなければならない。

3. **専任**の主任技術者を必要とする建設工事のうち、**密接な関係**のある2以上の建設工事を同一の建設業者が同一の場所又は近接した場所において施工するものについては、同一の専任の主任技術者がこれらの建設工事を管理することができる。

4. **専任**の者でなければならない**監理技術者**は、監理技術者資格者証の交付（資格者証の有効期間は**5年**）を受けている者であって、国土交通大臣の登録を受けた講習（講習を受講した日から**5年間有効**）を受講したもののうちから、これを選任しなければならない。

R05−66 C

【問題 166】　次の記述のうち、「建設業法」上、**誤っているもの**はどれか。

1. 建設業者は、許可を受けた建設業に係る建設工事を請け負う場合においては、当該建設工事に附帯する他の建設業に係る建設工事を請け負うことができる。

2. 特定建設業者は、発注者から建築一式工事を直接請け負った場合、当該工事に係る下請代金の総額が4,000万円以上のときは、施工体制台帳を作成しなければならない。

3. 注文者は、前金払の定がなされた場合、工事1件の請負代金の総額が500万円以上のときは、建設業者に対して保証人を立てることを請求することができる。

4. 特定専門工事の元請負人及び建設業者である下請負人は、その合意により、元請負人が置いた主任技術者が、その下請負に係る建設工事について主任技術者の行うべき職務を行うことができる場合、当該下請負人は主任技術者を置くことを要しない。

●■■■　解説　■■■■■■■

1. 建設業者は、許可を受けた建設業に係る建設工事を請け負う場合においては、当該建設工事に**附帯**する他の建設業に係る建設工事を請け負うことができる。

2. **特定建設業者**は、発注者から直接建設工事を請け負った場合において、当該建設工事を施工するために締結した下請契約の請負代金の額（当該下請契約が二以上あるときは、それらの請負代金の額の総額）が、建築一式工事にあっては**7,000万円以上**（その他の場合は4,500万円以上）になるときは、国土交通省令で定めるところにより、当該建設工事について、**施工体制台帳**を作成し、工事現場ごとに備え置かなければならない。

3. 請負契約において請負代金の全額又は一部の前払い金をする定めがなされたとき**注文者**は、工事1件の請負代金の総額が**500万円以上**のときは、建設業者に対して**保証人**を立てることを**請求**することができる。

4. 記述のとおり。

CHECK ☐☐☐☐☐

【問題 167】　労働契約に関する記述として、「労働基準法」上、**誤っているもの**はどれか。

1. 使用者は、労働者の退職の場合において、請求があった日から、原則として、7日以内に賃金を支払い、労働者の権利に属する金品を返還しなければならない。

2. 労働契約は、契約期間の定めのないものを除き、一定の事業の完了に必要な契約期間を定めるもののほかは、原則として、3年を超える契約期間について締結してはならない。

3. 使用者は、労働者が業務上負傷し、療養のために休業する期間とその後30日間は、やむを得ない事由のために事業の継続が不可能となった場合においても解雇してはならない。

4. 就業のために住居を変更した労働者が、省令により明示された労働条件が事実と相違する場合で労働契約を解除し、当該契約解除の日から14日以内に帰郷する場合においては、使用者は、必要な旅費を負担しなければならない。

■■■■　解説　■■■■■■■■■■■■■■■■■■■■■■■■■■■■■■■■■■■■■

1. 使用者は、労働者の死亡又は退職の場合において、権利者の請求があった場合においては、**7日以内**に**賃金**を支払い、積立金、保証金、貯蓄金その他名称の如何を問わず、労働者の権利に属する金品を返還しなければならない。

2. **労働契約**は、期間の定めのないものを除き、一定の事業の完了に必要な期間を定めるもののほかは、原則として、**3年**を超える期間について締結してはならない。

3. **使用者**は、労働者が業務上負傷し、又は疾病にかかり療養のために休業する期間及びその後30日間並びに産前産後の女性が規定によって休業する期間及びその後30日間は、**解雇してはならない**。
   ただし、使用者が、規定によって打切補償を支払う場合又は天災事変その他やむを得ない事由のために事業の継続が不可能となった場合においては、解雇ができる。

4. 就業のために住居を変更した労働者が、省令により明示された労働条件が事実と相違する場合で労働契約を解除し、当該契約解除の日から14日以内に帰郷する場合においては、使用者は、必要な旅費を負担しなければならない。

正答　3

CHECK ☐☐☐☐☐

【問題 168】 労働契約に関する記述として、「労働基準法」上、**誤っているもの**はどれか。

1. 使用者は、労働者の退職の場合において、請求があった日から、原則として、7日以内に賃金を支払い、労働者の権利に属する金品を返還しなければならない。

2. 満60歳以上の労働者との間に締結される労働契約は、契約期間の定めのないものを除き、一定の事業の完了に必要な期間を定めるもののほかは、5年を超える期間について締結してはならない。

3. 使用者は、労働者が業務上負傷し、休業する期間とその後30日間は、やむを得ない事由のために事業の継続が不可能となった場合においても解雇してはならない。

4. 使用者は、試の使用期間中の者で14日を超えて引き続き使用されるに至った者を解雇しようとする場合、原則として、少なくとも30日前にその予告をしなければならない。

━━━ 解説 ━━━

1. 使用者は、労働者の死亡又は退職の場合において、権利者の請求があった場合においては、**7日以内**に**賃金**を支払い、積立金、保証金、貯蓄金その他名称の如何を問わず、労働者の権利に属する金品を返還しなければならない。

2. **満60歳以上の労働者**との間に締結される労働契約は、期間の定めのないものを除き、一定の事業の完了に必要な期間を定めるもののほかは、原則として、**5年**を超える期間について締結してはならない。

3. 使用者は、労働者が業務上負傷し、又は疾病にかかり療養のために休業する期間及びその後**30日間**並びに産前産後の女性が規定によって休業する期間及びその後**30日間**は、**解雇してはならない**。

   ただし、使用者が、規定によって打切補償を支払う場合又は天災事変その他やむを得ない事由のために事業の継続が不可能となった場合においては、解雇ができる。

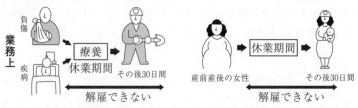

4. 使用者は、試の使用期間中の者が14日を超えて引き続き使用されるに至った者を解雇しようとする場合においては、少なくとも30日前にその予告をしなければならない。

正答 3

H30-77 A

【問題 169】 労働契約に関する記述として、「労働基準法」上、**誤っているもの**はどれか。

1. この法律で定める基準に達しない労働条件を定める労働契約は、その部分については無効であり、この法律に定められた基準が適用される。

2. 労働契約は、契約期間の定めのないものを除き、一定の事業の完了に必要な契約期間を定めるもののほかは、原則として3年を超える契約期間について締結してはならない。

3. 使用者は、労働者が業務上負傷し、休業する期間とその後30日間は、やむを得ない事由のために事業の継続が不可能となった場合でも解雇してはならない。

4. 労働者が、退職の場合において、使用期間、業務の種類、その事業における地位等について証明書を請求した場合においては、使用者は、遅滞なくこれを交付しなければならない。

解説

1. この法律で定める基準に達しない労働条件を定める労働契約は、その部分については無効とする。この場合において、無効となった部分は、この法律で定める基準による。

2. **労働契約**は、期間の定めのないものを除き、一定の事業の完了に必要な期間を定めるもののほかは、原則として、**3年**を超える期間について締結してはならない。

3. **使用者**は、労働者が業務上負傷し、又は疾病にかかり療養のために休業する期間及びその後**30日間**並びに産前産後の女性が規定によって休業する期間及びその後**30日間**は、**解雇してはならない**。
   ただし、使用者が、規定によって打切補償を支払う場合又は天災事変その他やむを得ない事由のために事業の継続が不可能となった場合においては、解雇ができる。

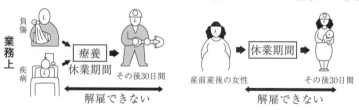

4. 労働者が、退職の場合において、使用期間、業務の種類、その事業における地位、賃金又は退職の事由(退職の事由が解雇の場合にあっては、その理由を含む。)について**証明書**を請求した場合においては、使用者は、**遅滞なくこれを交付**しなければならない。

R05−67 A

【問題 170】　労働時間等に関する記述として、「労働基準法」上、**誤っているもの**はどれか。

1. 使用者は、削岩機の使用によって身体に著しい振動を与える業務については、1日について2時間を超えて労働時間を延長してはならない。

2. 使用者は、災害その他避けることのできない事由によって、臨時の必要がある場合においては、行政官庁の許可を受けて、法令に定められた労働時間を延長して労働させることができる。

3. 使用者は、労働者の合意がある場合、休憩時間中であっても留守番等の軽微な作業であれば命ずることができる。

4. 使用者は、その雇入れの日から起算して6箇月間継続勤務し全労働日の8割以上出勤した労働者に対して、10労働日の有給休暇を与えなければならない。

━━━ 解説 ━━━

1. **使用者**は、**労働時間を延長**し、又は**休日**に**労働**させることができる。ただし、坑内労働その他健康上特に有害な業務の労働時間の延長は、1日に**2時間**を超えてはならない。

2. 災害その他避けることのできない事由によって、臨時の必要がある場合には、使用者は、法定の労働時間を超えて、または法定の休日に労働させることができる。また、労働基準監督署長の許可は必要であるが、事態急迫のために許可を受ける暇がない場合においては、事後に遅滞なく届け出なければならない。

3. 使用者は、労働者に対して**休憩時間**を**自由**に利用させなければならない。

4. **有給休暇**は6カ月間断続勤務し、全労働日の8割以上出勤した労働者に対して**10日**与えなければならない。

R03-67 A

【問題 171】　次の記述のうち、「労働基準法」上、**誤っている**ものはどれか。

1. 満18才に満たない者を、足場の組立、解体又は変更の業務のうち地上又は床上における補助作業の業務に就かせてはならない。

2. 満18才に満たない者を、高さが5m以上の場所で、墜落により危害を受けるおそれのあるところにおける業務に就かせてはならない。

3. 満18才に満たない者を、原則として午後10時から午前5時までの間において使用してはならない。

4. 満18才に満たない者を、単独で行うクレーンの玉掛けの業務に就かせてはならない。

― 解説 ―

　使用者は、満18歳に満たない者に、運転中の機械若しくは動力伝導装置の危険な部分の掃除、注油、検査若しくは修繕をさせ、運転中の機械若しくは動力伝導装置にベルト若しくはロープの取付け若しくは取りはずしをさせ、動力によるクレーンの運転をさせ、その他厚生労働省令で定める危険な業務に就かせ、又は厚生労働省令で定める重量物を取り扱う業務に就かせてはならない。

1. 禁止されている業務の規定に、足場の組立、解体又は変更の業務があるが、**地上又は床上**における**補助作業の業務は除かれている**。

2. 禁止されている業務の規定に、高さが5m以上の場所で、墜落により労働者が危害を受けるおそれのあるところにおける業務がある。

3. 使用者は、満18歳に満たない者を**午後10時**から**午前5時**までの間において使用してはならない。ただし、交代制によって使用する満16歳以上の男性については、この限りではない。

4. 禁止されている業務の規定に、クレーン、デリック又は揚貨装置の玉掛け業務がある。ただし、2人以上で行う玉掛けの業務における補助作業の業務は除かれている。

正答　1

R01-77 A

CHECK ☐☐☐☐☐

【問題 172】「労働基準法」上、妊産婦であるか否かにかかわらず**女性を就業させること**
が禁止されている業務はどれか。

1. 20kg以上の重量物を継続作業として取り扱う業務
2. つり上げ荷重が5 t以上のクレーンの運転の業務
3. クレーンの玉掛けの業務
4. 足場の解体の業務

━━ 解説 ━━

満18才以上の女性を断続作業の場合30kg以上、**継続作業の場合20kg以上の重量物を取**
扱う業務に従事させてはならない。その他の就業制限は以下に記す。

危険有害業務の就業制限

危険有害業務	就業制限の内容		
	妊娠中	産後1年以内	その他の女性
1. 有害物のガス、蒸気又は粉塵を発散する場所における業務	×	×	×
2. さく岩機、びょう打機等身体に著しい振動を与える機械器具を用いて行う業務	×	×	○
3. つり上げ荷重5 t以上のクレーン、デリックの運転業務	×	△	○
4. クレーン、デリックの玉掛けの業務（2人以上の者によって行う、玉掛けの業務における補助作業の業務を除く）	×	△	○
5. 足場の組立て、解体又は変更の業務（地上又は床上における補助作業の業務を除く）	×	△	○
6. 土砂が崩壊するおそれのある場所又は深さが5 m以上の地穴もおける作業	×	○	○
7. 高さが5 m以上の場所で、墜落により労働者が危害を受けるおそれのあるところにおける業務	×	○	○

正答 1

CHECK ☐☐☐☐☐

【問題 173】 建設業の事業場における安全衛生管理体制に関する記述として、「労働安全衛生法」上、**誤っているもの**はどれか。

1. 事業者は、常時10人の労働者を使用する事業場では、安全衛生推進者を選任しなければならない。

2. 事業者は、常時50人の労働者を使用する事業場では、産業医を選任しなければならない。

3. 事業者は、統括安全衛生責任者を選任すべきときは、同時に安全衛生責任者を選任しなければならない。

4. 事業者は、産業医から労働者の健康を確保するため必要があるとして勧告を受けたときは、衛生委員会又は安全衛生委員会に当該勧告の内容等を報告しなければならない。

■■■ 解説 ■■■■■■■■■■■■■■■■■■■■■■■■■■

1. **安全衛生推進者**を選任すべき建設業の事業場は、**常時10人以上50人未満**の労働者を使用するものとする。

2. **産業医**を選任すべき建設業の事業場は、**常時50人以上**の労働者を使用する事業場とする。

3. **安全衛生責任者**は、統括安全衛生責任者を選任すべき事業者以外の請負人が選任する。

4. **産業医**は、労働者の健康を確保するため必要あると認めるときは、事業者に対し、労働者の健康管理等について必要な**勧告**をすることができる。事業者は、衛生委員会又は安全衛生委員会に当該勧告の内容を報告しなければならない。

正答 3

R04-68 A　　　　　　　　　　　　　　　CHECK ☐☐☐☐☐

【問題 174】 建設業の事業場における安全衛生管理体制に関する記述として、「労働安全衛生法」上、**誤っている**ものはどれか。

1. 元方安全衛生管理者は、その事業場に専属の者でなければならない。

2. 安全衛生責任者は、安全管理者又は衛生管理者の資格を有する者でなければならない。

3. 特定元方事業者は、統括安全衛生責任者に元方安全衛生管理者の指揮をさせなければならない。

4. 統括安全衛生責任者は、その事業の実施を統括管理する者でなければならない。

━━━ 解説 ━━━

1. **特定元方事業者**は、所定の資格を有する者のうちから、**元方安全衛生管理者**を選任（専属）し、その者に特定元方事業者等の講ずべき措置のうち**技術的事項**を管理させなければならない。

2. 統括安全衛生責任者を選任すべき事業者以外の請負人から、**安全衛生責任者**を選任することになっているが、安全衛生責任者の資格についての規定はない。

3. 4. **特定元方事業者**は、**常時50人以上の労働者**が同一の場所において行われることによって生ずる労働災害を防止するため、統括安全衛生責任者を選任し、その者に元方安全衛生管理者の指揮をさせるとともに、必要な事項を統括管理させなければならない。

同一場所で元請、下請合わせて、常時50人以上の労働者が混在する工事現場（ずい道、一定の橋梁、圧気工事では30人以上）

統括安全衛生責任者

元方事業者の工事事務所長等、事業の実施を統括管理する者が当たります。

統括安全衛生責任者

正答 2

R03-68 A

【問題 175】　建設業の事業場における安全衛生管理体制に関する記述として、「労働安全衛生法」上、**誤っているもの**はどれか。

1. 事業者は、常時10人の労働者を使用する事業場では、安全衛生推進者を選任しなければならない。

2. 事業者は、常時30人の労働者を使用する事業場では、衛生管理者を選任しなければならない。

3. 事業者は、常時50人の労働者を使用する事業場では、産業医を選任しなければならない。

4. 事業者は、常時100人の労働者を使用する事業場では、総括安全衛生管理者を選任しなければならない。

解説

1. **安全衛生推進者**を選任すべき建設業の事業場は、常時**10人以上50人未満**の労働者を使用するものとする。

2. **衛生管理者**を選任すべき建設業の事業場は、常時**50人以上**の労働者を使用するものとする。

3. **産業医**を選任すべき建設業の事業場は、常時**50人以上**の労働者を使用する事業場とする。

4. **総括安全衛生管理者**を選任すべき建設業の事業場は、常時**100人以上**の労働者を使用するものとする。

正答　2

R02-78 A

【問題 176】　建設業の事業場における安全衛生管理体制に関する記述として、「労働安全衛生法」上、**誤っているもの**はどれか。

1. 統括安全衛生責任者を選任すべき特定元方事業者は、元方安全衛生管理者を選任しなければならない。

2. 安全衛生責任者は、安全管理者又は衛生管理者の資格を有する者でなければならない。

3. 統括安全衛生責任者は、その事業の実施を統括管理する者でなければならない。

4. 元方安全衛生管理者は、その事業場に専属の者でなければならない。

■ 解説

1.4. 統括安全衛生責任者を選任した事業者で、建設業その他政令で定める業種に属する事業を行うものは、厚生労働省令で定める資格を有する者のうちから、厚生労働省令で定めるところにより、**元方安全衛生管理者**を選任(専属)し、その者に特定元方事業者等の講ずべき措置のうち技術的事項を管理させなければならない。

元方安全衛生管理者は統括安全衛生責任者を補佐します。

統括安全衛生責任者

1. 大学、高専の理科系卒業後3年以上安全衛生の実務経験者
2. 高校の理科系卒業後5年以上安全衛生の実務経験者
3. 厚生労働大臣の定める者

元方安全衛生管理者

元方安全衛生管理者

2. 統括安全衛生責任者を選任すべき事業者以外の請負人から、**安全衛生責任者**を選任することになっているが、安全衛生責任者の資格についての規定はない。

3. **特定元方事業者**は、常時50人以上の労働者が同一の場所において行われることによって生ずる労働災害を防止するため、**統括安全衛生責任者**を選任し、その者に**元方安全衛生管理者**の指揮をさせるとともに、必要な事項を統括管理させなければならない。

同一場所で元請、下請合わせて、常時50人以上の労働者が混在する工事現場（ずい道、一定の橋梁、圧気工事では30人以上）

統括安全衛生責任者

元方事業者の工事事務所所長等、事業の実施を統括管理する者が当たります。

統括安全衛生責任者

R01−78 A

【問題 177】　建設業の事業場における安全衛生管理体制に関する記述として、「労働安全衛生法」上、**誤っているもの**はどれか。

1.　事業者は、常時50人の労働者を使用する事業場では、安全衛生推進者を選任しなければならない。

2.　事業者は、常時50人の労働者を使用する事業場では、安全管理者を選任しなければならない。

3.　事業者は、常時50人の労働者を使用する事業場では、産業医を選任しなければならない。

4.　事業者は、常時50人の労働者を使用する事業場では、衛生管理者を選任しなければならない。

■━━ **解説** ━━■

1.　安全衛生推進者を選任すべき建設業の事業場は、常時10人以上50人未満の労働者を使用するものとする。

2.　**安全管理者**を選任すべき建設業の事業場は、**常時50人以上**の労働者を使用するものとする。

3.　**産業医**を選任すべき建設業の事業場は、**常時50人以上**の労働者を使用する事業場とする。

4.　**衛生管理者**を選任すべき建設業の事業場は、**常時50人以上**の労働者を使用するものとする。

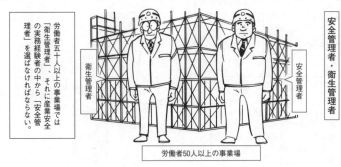

正答　1

H30-78 B

【問題 178】 建設業の事業場における安全衛生管理体制に関する記述として、「労働安全衛生法」上、**誤っているもの**はどれか。

1. 統括安全衛生責任者を選任すべき特定元方事業者は、安全衛生責任者を選任しなければならない。

2. 一の場所において鉄骨造の建築物の建設の仕事を行う元方事業者は、その労働者及び関係請負人の労働者の総数が常時20人以上50人未満の場合、店社安全衛生管理者を選任しなければならない。

3. 事業者は、常時100人の労働者を使用する事業場では、総括安全衛生管理者を選任しなければならない。

4. 元方安全衛生管理者は、その事業場に専属の者でなければならない。

━━━ 解説 ━━━

1. 統括安全衛生責任者を選任すべき**特定元方事業者**は、**統括安全衛生責任者**を選任し、その者に**元方安全衛生管理者**の**指揮**をさせるとともに特定元方事業者等の講ずべき措置の事項を統括管理させなければならない。

2. 統括安全衛生責任者を選任しない元方事業者(元請)が、一の場所において鉄骨造・鉄骨鉄筋コンクリート造の建設の工事を行う現場で、労働者及び関係請負人の総数が常時**20人以上50人未満**の場合、**店社安全衛生管理者**を選任し、作業の開始後遅滞なく現場を所轄する労働基準監督署長に報告しなければならない。

3. **総括安全衛生管理者**を選任すべき建設業の事業場は、常時**100人以上**の労働者を使用するものとする。

4. 特定元方事業者は、所定の資格を有する者のうちから、**元方安全衛生管理者**を選任(**専属**)し、その者に「特定元方事業者等の講ずべき措置」のうち、技術的事項を管理させなければならない。

正答 **1**

R05-53 A

【問題 179】　事業者又は特定元方事業者の講ずべき措置に関する記述として、「労働安全衛生法」上、**誤っている**ものはどれか。

1. 特定元方事業者は、特定元方事業者及びすべての関係請負人が参加する協議組織を設置し、会議を定期的に開催しなければならない。

2. 事業者は、つり足場における作業を行うときは、その日の作業を開始する前に、脚部の沈下及び滑動の状態について点検を行わなければならない。

3. 事業者は、高さが2m以上の箇所で作業を行う場合、作業に従事する労働者が墜落するおそれのあるときは、作業床を設けなければならない。

4. 特定元方事業者は、作業場所の巡視を、毎作業日に少なくとも1回行わなければならない。

解説

1. **特定元方事業者**及びすべての**関係請負人**が参加する協議組織の**会議**を定期的に開催しなければならない。

2. **事業者は、つり足場の点検**をおこなわなければならないが、**脚部の沈下及び滑動は含**まれていない。

3. **事業者は、高さが2m以上**の箇所（作業床の端、開口部等を除く）で作業を行う場合において墜落により労働者に危険を及ぼすおそれのあるときは、足場を組み立てる等の方法により**作業床を設けなければならない**。

4. **特定元方事業者**は、関係請負人が行う労働者の安全又は衛生のための**教育**に対する**指導及び援助**を行うこととはあるが、雇入れ時の安全衛生教育を行う規定はない。

【問題 180】　労働災害を防止するため、特定元方事業者が講ずべき措置として、「労働安全衛生規則」上、**定められていないもの**はどれか。

1. 特定元方事業者と関係請負人との間及び関係請負人相互間における、作業間の連絡及び調整を随時行うこと。

2. 仕事の工程に関する計画及び作業場所における主要な機械、設備等の配置に関する計画を作成すること。

3. 関係請負人が雇い入れた労働者に対し、安全衛生教育を行うための場所を提供すること。

4. 特定元方事業者及び特定の関係請負人が参加する協議組織を設置し、会議を随時開催すること。

■　解説

1. **特定元方事業者**は、作業間の連絡及び調整については、特定元方事業者と関係請負人との間及び関係請負人相互間における連絡及び**調整**を行なわなければならない。

2. 特定元方事業者は、仕事の工程に関する計画及び作業場所における機械、設備等の配置に関する計画を作成しなければならない。

3. 特定元方事業者は、関係請負人が行う労働者の安全又は衛生のための教育に対する指導及び援助を行うための場所を提供しなければならない。

4. **特定元方事業者**及び**すべての**関係請負人が参加する協議組織の**会議**を**定期的**に開催しなければならない。

正答　4

R05-51 B

【問題 181】　作業主任者の職務として、「労働安全衛生法」上、**定められていないもの**はどれか。

1. 建築物等の鉄骨の組立て等作業主任者は、器具、工具、要求性能墜落制止用器具等及び保護帽の機能を点検し、不良品を取り除くこと。

2. 有機溶剤作業主任者は、作業に従事する労働者が有機溶剤により汚染され、又はこれを吸入しないように、作業の方法を決定し、労働者を指揮すること。

3. 土止め支保工作業主任者は、要求性能墜落制止用器具等及び保護帽の使用状況を監視すること。

4. 足場の組立て等作業主任者は、組立ての時期、範囲及び順序を当該作業に従事する労働者に周知させること。

■■■■　解説　■■■■

1. **事業者は、建築物等の鉄骨の組立て等作業主任者**に、次の事項を行わせなければならない。
   - 作業の方法及び労働者の配置を決定し、作業を**直接指揮**すること。
   - 器具、工具、要求性能墜落制止用器具等及び保護帽の機能を点検し、**不良品**を取り除くこと。
   - **要求性能墜落制止用器具等**及び**保護帽**の使用状況を**監視**すること。

2. **有機溶剤作業主任者**の職務として、作業に従事する労働者が有機溶剤により汚染され、又はこれを吸入しないように、**作業の方法**を決定し、労働者を**指揮**する。

3. 事業者は、**土止め支保工作業主任者**に、次の事項を行わせなければならない。
   - 作業の方法を決定し、作業を**直接指揮**すること。
   - 材料の欠点の有無並びに器具及び工具を点検し、**不良品**を取り除くこと。
   - 要求性能墜落制止用器具等及び保護帽の使用状況を**監視**すること。

4. 事業者は、**建築物等の足場の組立て等作業主任者**に、次の事項を行わせなければならない。
   - 材料の欠点の有無を点検し、**不良品**を取り除くこと。
   - 器具、工具、要求性能墜落制止用器具及び保護帽の機能を点検し、**不良品**を取り除くこと。
   - 作業の方法及び労働者の配置を決定し、作業の進行状況を**監視**すること。
   - **要求性能墜落制止用器具**等及び**保護帽**の使用状況を**監視**すること。

R04−52 B CHECK ☐☐☐☐☐

【問題 182】　作業主任者の職務として、「労働安全衛生規則」上、**定められていないもの**はどれか。

1.　型枠支保工の組立て等作業主任者は、作業中、要求性能墜落制止用器具等及び保護帽の使用状況を監視すること。
2.　建築物等の鉄骨の組立て等作業主任者は、作業の方法及び順序を作業計画として定めること。
3.　地山の掘削作業主任者は、作業の方法を決定し、作業を直接指揮すること。
4.　土止め支保工作業主任者は、材料の欠点の有無並びに器具及び工具を点検し、不良品を取り除くこと。

法
規

■■■　解説　■■■

1.　事業者は、**型わく支保工の組立て等作業主任者**に、次の事項を行わせなければならない。
　　①　作業の方法を決定し、作業を**直接指揮**すること。
　　②　材料の欠点の有無並びに器具及び工具を点検し、**不良品**を取り除くこと。
　　③　作業中、**要求性能墜落制止用器具**等及び**保護帽**の使用状況を**監視**すること。
2.　**建築物等の鉄骨の組立て等作業主任者**の職務に、**作業計画の策定は含まれていない**。
3.　**地山の掘削作業主任者**の職務として、**作業方法を決定**し、**作業を直接指揮**することは含まれる。
4.　事業者は、**土止め支保工作業主任者**に、次の事項を行なわせなければならない。
　　①　作業の方法を決定し、作業を直接指揮すること。
　　②　**材料の欠点の有無並び**に器具及び工具を**点検**し、**不良品**を取り除くこと。
　　③　要求性能墜落制止用器具及び保護帽の使用状況を監視すること。

正答　2

【問題 183】　作業主任者の職務として、「労働安全衛生法」上、**定められていないもの**は
どれか。

1. 型枠支保工の組立て等作業主任者は、作業中、要求性能墜落制止用器具等及び保
　護帽の使用状況を監視すること。

2. 有機溶剤作業主任者は、作業に従事する労働者が有機溶剤により汚染され、又は
　これを吸入しないように、作業の方法を決定し、労働者を指揮すること。

3. 建築物等の鉄骨の組立て等作業主任者は、作業の方法及び順序を作業計画として
　定めること。

4. はい作業主任者は、はい作業をする箇所を通行する労働者を安全に通行させるた
　め、その者に必要な事項を指示すること。

解説

1. **型枠支保工の組立て等作業主任者**の職務には、作業中、**要求性能墜落制止用器具等**及び**保護帽**の使用状況を**監視**することが含まれる。

2. **有機溶剤作業主任者**の職務は、
    ①作業に従事する労働者が有機溶剤により汚染され、又はこれを吸入しないように、**作業の方法**を決定し、労働者を**指揮**すること。
    ②局所排気装置、プッシュプル型換気装置又は全体換気装置を一月を超えない期間ごとに点検する。
    ③保護具の使用状況を監視すること。
    ④タンクの内部において有機溶剤業務に労働者が従事するときは、タンク内作業の規定に定める措置が講じられていることを確認すること。

3. 事業者は、**建築物等の鉄骨の組立て等作業主任者**に、次の事項を行わせなければならない。
    ①　作業の方法及び労働者の配置を決定し、作業を直接指揮すること。
    ②　器具、工具、要求性能墜落制止用器具等及び保護帽の機能を点検し、不良品を取り除くこと。
    ③　要求性能墜落制止用器具等及び保護帽の使用状況を監視すること。
    作業計画の策定は職務に含まれていない。

＊4. 事業者は、はい作業主任者に、次の事項を行なわせなければならない。
    ①　作業の方法及び順序を決定し、作業を直接指揮すること。
    ②　器具及び工具を点検し、不良品を取り除くこと。
    ③　当該作業を行なう箇所を通行する労働者を安全に通行させるため、その者に必要な事項を指示すること。
    ④　はいくずしの作業を行なうときは、はいの崩壊の危険がないことを確認した後に当該作業の着手を指示すること。
    ⑤　所定の昇降をするための設備及び保護帽の使用状況を監視すること。

CHECK ☐☐☐☐☐

【問題 184】　作業主任者の職務として、「労働安全衛生法」上、**定められていないもの**はどれか。

1. 地山の掘削作業主任者として、作業の方法を決定し、作業を直接指揮すること。

2. 石綿作業主任者として、周辺住民の健康障害を予防するため、敷地境界での計測を定期的に行うこと。

3. 土止め支保工作業主任者として、材料の欠点の有無並びに器具及び工具を点検し、不良品を取り除くこと。

4. はい作業主任者として、はい作業をする箇所を通行する労働者を安全に通行させるため、その者に必要な事項を指示すること。

解説

1. **地山の掘削作業主任者**の職務として、作業方法を決定し、作業を**直接指揮**することは含まれる。

2. 事業者は、**石綿作業主任者**に次の事項を行わせなければならない。
   ① 作業に従事する労働者が石綿等の粉じんにより汚染され、又はこれらを吸入しないように、作業の方法を決定し、労働者を指揮すること。
   ② 局所排気装置、プッシュプル型換気装置、除じん装置その他労働者が健康障害を受けることを予防するための装置を一月を超えない期間ごとに点検すること。
   ③ 保護具の使用状況を監視すること。
   したがって、地域住民の健康障害の予防は含まれていない。

3. 事業者は、**土止め支保工作業主任者**に、次の事項を行なわせなければならない。
   ① 作業の方法を決定し、作業を直接指揮すること。
   ② 材料の欠点の有無並びに器具及び工具を点検し、不良品を取り除くこと。
   ③ 要求性能墜落制止用器具等及び保護帽の使用状況を監視すること。

* 4. 事業者は、はい作業主任者に、次の事項を行なわせなければならない。
   ① 作業の方法及び順序を決定し、作業を直接指揮すること。
   ② 器具及び工具を点検し、不良品を取り除くこと。
   ③ 当該作業を行なう箇所を通行する労働者を安全に通行させるため、その者に必要な事項を指示すること。
   ④ はいくずしの作業を行なうときは、はいの崩壊の危険がないことを確認した後に当該作業の着手を指示すること。
   ⑤ 所定の昇降をするための設備及び保護帽の使用状況を監視すること。

R03-51 B

【問題 185】　作業主任者の選任に関する記述として、「労働安全衛生法」上、誤っている
　　ものはどれか。

1. 掘削面からの高さが2mの地山の掘削作業において、地山の掘削作業主任者を選
　　任しなかった。
2. 高さが3mの型枠支保工の解体作業において、型枠支保工の組立て等作業主任者
　　を選任した。
3. 高さが4mの移動式足場の組立て作業において、足場の組立て等作業主任者を選
　　任しなかった。
4. 高さが5mのコンクリート造工作物の解体作業において、コンクリート造の工作
　　物の解体等作業主任者を選任した。

■ 解説 ■

1. 掘削面の高さが**2m以上の地山の掘削**の作業は、**地山の作業主任者**を選任しなければならない。

2. **型枠支保工の組立て又は解体**の作業については、高さに関係なく型わく支保工の組立て等作業主任者を選任しなければならない。

3. 吊り足場(ゴンドラの吊り足場を除く)張出し足場又は**高さが5m以上の構造の足場**の組立て、解体又は変更の作業については、**足場の組立て等作業主任者**を選任しなければならない。

4. **コンクリート造の工作物**(その高さが**5m以上**であるものに限る。)の解体又は破壊の作業には**コンクリート造の工作物の解体等作業主任者**を選任しなければならない。

作業主任者を選任すべき作業

作業主任者	作 業 内 容	資格
高圧室内作業主任者	高圧室内作業(潜函工法その他の圧気工法で行われる高圧室内作業)。	免許者
ガス溶接作業主任者	アセチレンまたはガス集合装置を用いて行う溶接等の作業。	
地山の掘削作業主任者	掘削面の高さが**2m以上**となる地山の掘削の作業。	技能講習修了者
土止め支保工作業主任者	土止め支保工の切ばり又は腹起こしの取付け又は取外しの作業。	
型わく支保工の組立て等作業主任者	型わく支保工の組立て又は解体の作業。	
足場の組立て等作業主任者	吊り足場(ゴンドラの吊り足場を除く)張出し足場又は高さが**5m以上**の構造の足場の組立て、解体又は変更の作業。	
鉄骨等の組立て等作業主任者	鉄骨等(その高さが**5m以上**であるものに限る)の組立て、解体又は変更の作業。	
酸素欠乏危険作業主任者	酸素欠乏危険場所における作業。	
木造建築物の組立て等作業主任者	軒の高さが**5m以上**の木造建築物の構造部材の組立て、屋根下地、外壁下地の取付け作業。	
コンクリート造の工作物の解体等作業主任者	その高さが**5m以上**のコンクリート造の工作物の解体、破壊の作業。	
コンクリート破砕器作業主任者	コンクリート破砕器を用いて行う破砕の作業。	
有機溶剤作業主任者	屋内作業又はタンク、船倉もしくは坑の内部その他の場所において有機溶剤を製造し、又は取扱う業務に係る作業。	

R01-66 B

【問題 186】　作業主任者の選任に関する記述として、「労働安全衛生法」上、誤っている
　　　　ものはどれか。

1. 同一場所で行う型枠支保工の組立て作業において、型枠支保工の組立て等作業主任者を2名選任した場合、それぞれの職務の分担を定めなければならない。

2. 鉄筋コンクリート造建築物の支保工高さが3mの型枠支保工の解体作業においては、型枠支保工の組立て等作業主任者を選任しなくてもよい。

3. 高さが4mの鋼管枠組足場の組立て作業においては、足場の組立て等作業主任者を選任しなくてもよい。

4. 高さが5mの鉄骨造建築物の骨組みの組立て作業においては、建築物等の鉄骨の組立て等作業主任者を選任しなければならない。

解説

1. 同一の場所で型枠支保工の組立作業を行う場合、**作業主任者を2人以上選任**したときは、それぞれの職務の**分担**を定める。

作業主任者の職務の分担

同一作業所で当該作業に係る作業主任者を二人以上選任したときは、それぞれの作業主任者の職務の分担を定めなければならない。

2. **型枠支保工の組立て又は解体の作業**については、高さに関係なく**作業主任者**を選任しなければならない。

3. **つり足場、張出し足場又は高さが5m以上の構造の足場の組立て、解体又は変更の作**業には作業主任者を選任しなければならないが、4mなので必要ない。

4. **高さが5m以上の建築物の骨組み又は塔で、金属製の部材で構成されているものの組立て、解体、変更の作業は、作業主任者**を選任しなければならない。

作業主任者を選任すべき作業

作業主任者	作業内容	資格
高圧室内作業主任者	高圧室内作業(潜函工法その他の圧気工法で行われる高圧室内作業)	免許者
ガス溶接作業主任者	アセチレンまたはガス集合装置を用いて行う溶接等の作業	
地山の掘削作業主任者	掘削面の高さが2m以上となる地山の掘削の作業	技能講習修了者
土止め支保工作業主任者	土止め支保工の切ばり又は腹起こしの取付け又は取外しの作業	
型わく支保工の組立て等作業主任者	型わく支保工の組立て又は解体の作業	
足場の組立て等作業主任者	吊り足場(ゴンドラの吊り足場を除く)張出し足場又は高さが5m以上の構造の足場の組立て、解体又は変更の作業	
鉄骨等の組立て等作業主任者	鉄骨等(その高さが5m以上であるものに限る)の組立て、解体又は変更の作業	
酸素欠乏危険作業主任者	酸素欠乏危険場所における作業	
木造建築物の組立て等作業主任者	軒の高さが5m以上の木造建築物の構造部材の組立て、屋根下地、外壁下地の取付け作業	
コンクリート造の工作物の解体等作業主任者	その高さが5m以上のコンクリート造の工作物の解体、破壊の作業	
コンクリート破砕器作業主任者	コンクリート破砕器を用いて行う破砕の作業	
有機溶剤作業主任者	屋内作業又はタンク、船倉もしくは坑の内部その他の場所において有機溶剤を製造し、又は取扱う業務に係る作業	

R04-69 A

【問題 187】 労働者の就業に当たっての措置に関する記述として、「労働安全衛生法」上、誤っているものはどれか。

1. 事業者は、労働者を雇い入れたときは、原則として、当該労働者に対し、その従事する業務に関する安全又は衛生のための教育を行なわなければならない。

2. 事業者は、事業場における安全衛生の水準の向上を図るため、危険又は有害な業務に現に就いている者に対し、その従事する業務に関する安全又は衛生のための教育を行うように努めなければならない。

3. 事業者は、特別教育を必要とする業務に従事させる労働者が、当該教育の科目の全部又は一部に関し十分な知識及び技能を有すると認められるときは、当該科目についての特別教育を省略することができる。

4. 事業者は、建設業の事業場において新たに職務に就くこととなった作業主任者に対し、作業方法の決定及び労働者の配置に関する事項について、安全又は衛生のための教育を行なわなければならない。

解説

1. 事業者は、労働者を**雇い入れ**たとき、労働者の作業内容を変更したときは、その従事する業務に関する安全又は衛生のための**教育**を行なわなければならない。

2. 事業者は、その事業場における安全衛生の水準の向上を図るため、**危険**又は**有害**な業務に現に就いている者に対し、その従事する業務に関する安全又は衛生のための**教育**を行うように努めなければならない。

3. 事業者は、**特別教育**を必要とする業務に従事させる労働者が、当該教育の科目の全部又は一部に関し十分な知識及び技能を有すると認められるときは、当該科目についての特別教育を省略することができる。

4. 事業者は、その事業場の業種が政令で定めるものに該当するときは、新たに職務につくこととなった**職長**その他の作業中の労働者を直接指導又は監督する者(**作業主任者を除く**。)に対し、厚生労働省令で定めるところにより、安全又は衛生のための**教育**を行なわなければならない。

正答　4

R02−79 B

【問題 188】 労働者の就業に当たっての措置に関する記述として、「労働安全衛生法」上、正しいものはどれか。

1. 事業者は、従事する業務に関する安全又は衛生のため必要な事項の全部又は一部に関し十分な知識及び技能を有していると認められる労働者については、当該事項についての雇入れ時の安全衛生教育を省略することができる。

2. 就業制限に係る業務に就くことができる者が当該業務に従事するときは、これに係る免許証その他その資格を証する書面の写しを携帯していなければならない。

3. 元方安全衛生管理者は、作業場において下請負業者が雇入れた労働者に対して、雇入れ時の安全衛生教育を行わなければならない。

4. 事業者は、作業主任者の選任を要する作業において、新たに職長として職務に就くことになった作業主任者について、法令で定められた安全又は衛生のための教育を実施しなければならない。

解説

1. 事業者は、労働者を雇い入れ、又は労働者の作業内容を変更したときは、労働者に対し、遅滞なく、労働者が従事する業務に関する安全又は衛生のため必要な事項について、教育を行なわなければならない。ただし、事業者は、法令で定められた安全衛生教育を行うべき事項の全部又は一部に関し十分な知識及び技能を有していると認められる労働者については、当該事項についての教育を省略することができる。

2. 事業者は、**就業制限に係る業務**につくことができる者が当該業務に従事するときは、これに係る免許証その他その資格を証する**書面**を**携帯**していなければならない。
書面の写しでは、携帯していることにはならない。

3. **事業者**は、労働者を**雇い入れ**、又は労働者の作業内容を**変更**したときは、労働者に対し、遅滞なく、労働者が従事する業務に関する安全又は衛生のため必要な所定の事項について、**教育を行わなければならない**。安全衛生教育を行うのは、元方安全衛生管理者ではなく、事業者である。

4. 事業者は、その事業場の業種が政令で定めるものに該当するときは、新たに職務につくこととなった**職長**その他の作業中の労働者を直接指導又は監督する者（**作業主任者を除く。**）に対し、厚生労働省令で定めるところにより、安全又は衛生のための**教育**を行なわなければならない。よって、作業主任者は除かれる。

異常時等における措置

職長教育の内容

危険性又は有害性等の調査及びその結果に基づき講ずる措置

現場監督者として行うべき労働災害防止活動

職長

職長等の教育

H30-79 C

【問題 189】 労働者の就業に当たっての措置に関する記述として、「労働安全衛生法」上、**誤っているもの**はどれか。

1. 事業者は、事業場における安全衛生の水準の向上を図るため、危険又は有害な業務に現に就いている者に対し、その従事する業務に関する安全又は衛生のための教育を行うように努めなければならない。

2. 事業者は、従事する業務に関する安全又は衛生のため必要な事項の全部又は一部に関し十分な知識及び技能を有していると認められる労働者については、当該事項についての雇入れ時の安全衛生教育を省略することができる。

3. 事業者は、建設業の事業場において新たに職務に就くこととなった作業主任者に対し、作業方法の決定及び労働者の配置に関する事項について、安全又は衛生のための教育を行わなければならない。

4. 事業者は、中高年齢者については、その者の心身の条件に応じて適正な配置を行うように努めなければならない。

■ 解説

1. 事業者は、その事業場における安全衛生の水準の向上を図るため、危険又は有害な業務に現に就いている者に対し、その従事する業務に関する安全又は衛生のための教育を行うように努めなければならない。

2. 事業者は、労働者を雇い入れ、又は労働者の作業内容を変更したときは、労働者に対し、遅滞なく、労働者が従事する業務に関する安全又は衛生のため必要な事項について、教育を行なわなければならない。ただし、事業者は、法令で定められた安全衛生教育を行うべき事項の全部又は一部に関し十分な知識及び技能を有していると認められる労働者については、当該事項についての教育を省略することができる。

3. **事業者**は、その事業場の業種が政令で定めるものに該当するときは、**新たに職務につくこととなった職長**その他の作業中の労働者を直接指導又は監督する者（**作業主任者を除く。**）に対し、厚生労働省令で定めるところにより、**安全又は衛生のための教育**を行なわなければならない。よって、作業主任者は除かれる。

4. 事業者は、中高年齢者その他労働災害の防止上その就業に当たって特に配慮を必要とする者については、これらの者の心身の条件に応じて適正な配置を行うように努めなければならない。

R05−69 A

【問題 190】　建設現場における就業制限に関する記述として、「労働安全衛生法」上、誤っているものはどれか。

1. 不整地運搬車運転技能講習を修了した者は、最大積載量が1t以上の不整地運搬車の運転の業務に就くことができる。

2. 移動式クレーン運転士免許を受けた者は、つり上げ荷重が5t未満の移動式クレーンの運転の業務に就くことができる。

3. フォークリフト運転技能講習を修了した者は、最大荷重が1t以上のフォークリフトの運転の業務に就くことができる。

4. クレーン・デリック運転士免許を受けた者は、つり上げ荷重が1t以上のクレーンの玉掛けの業務に就くことができる。

解説

1. 最大積載量が**1t以上**の**不整地運搬車**の運転の業務は、技能講習が必要である。

2. つり上げ荷重が**5t以上**の**移動式クレーン**の運転業務は、都道府県労働局長の当該業務に係る**免許**が必要である。

3. **フォークリフト運転技能講習修了者**は、最大荷重1t以上を含め全てのフォークリフトの運転(道路上を走行させる運転を除く。)などの業務に就かせることができる。

4. つり上げ荷重が**1t以上**の移動式クレーンの玉掛けの業務については、**玉掛け技能講習**を修了した者でなければ、当該業務に就かせてはならない。

正答　4

R03-69 A

CHECK ☐☐☐☐☐

【問題 191】　建設現場における次の業務のうち、「労働安全衛生法」上、都道府県労働局長の当該業務に係る**免許を必要とするもの**はどれか。

1.　最大積載量が1t以上の不整地運搬車の運転の業務
2.　動力を用い、かつ、不特定の場所に自走することができる機体重量が3t以上のくい打機の運転の業務
3.　作業床の高さが10m以上の高所作業車の運転の業務
4.　つり上げ荷重が5t以上の移動式クレーンの運転の業務

━━━ 　解説　━━━

1.　最大積載量が**1t以上**の**不整地運搬車**の運転の業務は、技能講習が必要である。
2.　機体重量が**3t以上**の**基礎工事用機械**の運転の業務は、技能講習が必要である。
3.　作業床の高さが**10m以上**の**高所作業車**の運転の業務は、技能講習が必要である。
4.　つり上げ荷重が**5t以上**の**移動式クレーン**の運転業務は、都道府県労働局長の当該業務に係る**免許**が必要である。

正答　4

R01-79 C　　　　　　　　　　　　　　　CHECK ☐☐☐☐☐

【問題 192】　建築工事現場における就業制限に関する記述として、「労働安全衛生法」上、誤っているものはどれか。

1. 小型移動式クレーン運転技能講習を修了した者は、つり上げ荷重が 5 t 未満の移動式クレーンの運転の業務に就くことができる。

2. フォークリフト運転技能講習を修了した者は、最大荷重が 1 t 以上のフォークリフトの運転の業務に就くことができる。

3. クレーン・デリック運転士免許を受けた者は、つり上げ荷重が 5 t 以上の移動式クレーンの運転の業務に就くことができる。

4. 高所作業車運転技能講習を修了した者は、作業床の高さが 10m 以上の高所作業車の運転の業務に就くことができる。

━━━　解説　━━━

1. つり上げ荷重が **5 t 未満**の**移動式クレーン**の運転の業務に労働者を就かせるときは、小型移動式クレーン運転**技能講習**を修了した者を当該業務に就かせることができる。

2. **フォークリフト運転技能講習修了者**は、最大荷重 **1 t 以上**を含め全てのフォークリフトの運転(道路上を走行させる運転を除く。)などの業務に就かせることができる。

3. つり上げ荷重が **5 t 以上**の**移動式クレーン**の運転業務は、都道府県労働局長の当該業務に係る**免許**が必要である。移動式クレーンの運転免許が必要で、クレーン・デリック運転士免許では、運転業務はできない。

移動式クレーン運転士免許を受けた者でなければ業務につけません。
1 t 以上 5 t 未満については
技能講習修了者で
かまいません。

つり上げ荷重
1 t 以上

就業制限

4. 作業床の高さが **10m 以上**の**高所作業車**の運転の業務は、**技能講習**が必要である。

正答　3

R04-71 A

【問題 193】 「騒音規制法」上、指定地域内における特定建設作業の実施の届出に関する記述として、**誤っているもの**はどれか。

　　　ただし、作業は、その作業を開始した日に終わらないものとする。

1. 特定建設作業を伴う建設工事を施工しようとする者は、作業の実施の期間や騒音の防止の方法等の事項を、市町村長に届出をしなければならない。

2. くい打機をアースオーガーと併用する作業は、特定建設作業の実施の届出をしなければならない。

3. さく岩機の動力として使用する作業を除き、電動機以外の原動機の定格出力が15kW以上の空気圧縮機を使用する作業は、特定建設作業の実施の届出をしなければならない。

4. 環境大臣が指定するものを除き、原動機の定格出力が70kW以上のトラクターショベルを使用する作業は、特定建設作業の実施の届出をしなければならない。

解説

1. 指定地域内において**特定建設作業**を伴う建設工事を施工しようとする者は、当該特定建設作業の開始の日の**7日前**までに、次の事項を**市町村長**に届け出なければならない。

　・ 氏名又は名称及び住所並びに法人にあっては、その代表者の氏名

　・ 建設工事の目的に係る施設又は工作物の種類

　・ 特定建設作業の場所及び実施の期間

　・ 騒音の防止の方法

　・ その他環境省令で定める事項

2. くい打機、くい抜機又はくい打くい抜機を使用する作業は、特定建設作業の実施の届出が必要である。ただし、くい打機にもんけんを用いた場合、圧入式くい打ちくい抜機を用いた場合、くい打機をアースオーガーと併用する作業は除かれる。

3. 4. 特定建設作業とは、建設工事として行われる作業のうち、著しい騒音を発生する作業として、下記の作業が定められている。ただし、その作業が作業を開始した日に終わるものは除かれる。

騒音規制法における特定建設作業

特定建設作業	条　件	適用除外
くい打機、くい抜機又はくい打くい抜機を使用する作業		・くい打機はもんけんを除く。 ・圧入式くい打くい抜機を除く。 ・くい打機をアースオーガーと併用する作業を除く。
びょう打機を使用する作業		
さく岩機を使用する作業	・作業地点が連続的に移動する作業にあっては、1日における当該作業に係る2地点間の最大距離が50mを超えない作業に限る。	
空気圧縮機を使用する作業	・電動機以外の原動機を用いるもので、その原動機の定格出力が15kW以上のものに限る。	・さく岩機の動力として使用する作業を除く。
コンクリートプラント、アスファルトプラントを設けて行う作業	・コンクリートプラントは混練機の混練容量が0.45m³以上のものに限る。 ・アスファルトプラントは混練機の混練重量が200kg以上のものに限る。	・モルタルを製造するためにコンクリートプラントを設けて行う作業を除く。

※バックホウ(80kw以上)・トラクターショベル(70kw以上)・ブルドーザ(40kw以上)(環境大臣の指定したものを除く)を使用する作業も、特定建設作業に定められている。

正答　2

R02−81 A

CHECK ☐☐☐☐☐

【問題 194】「騒音規制法」上、指定地域内における特定建設作業の実施の届出に関する
　　　記述として、**誤っているもの**はどれか。

　　　ただし、作業はその作業を開始した日に終わらないものとする。

1. さく岩機を使用する作業であって、作業地点が連続的に移動し、1日における当
　該作業に係る2地点間の距離が50mを超える作業は、特定建設作業の実施の届出
　をしなければならない。

2. さく岩機の動力として使用する作業を除き、電動機以外の原動機の定格出力が
　15kW以上の空気圧縮機を使用する作業は、特定建設作業の実施の届出をしなけ
　ればならない。

3. 環境大臣が指定するものを除き、原動機の定格出力が40kW以上のブルドーザー
　を使用する作業は、特定建設作業の実施の届出をしなければならない。

4. 環境大臣が指定するものを除き、原動機の定格出力が80kW以上のバックホウを
　使用する作業は、特定建設作業の実施の届出をしなければならない。

■■■ 解説 ■■■■■■■■■■■■■■■

1. さく岩機を使用する作業で、作業地点が連続的に移動する作業にあっては、1日における当該作業に係る2地点間の最大距離が**50m**を超えない作業に限り、騒音規制法における特定建設作業の実施の届出をしなければならない。設問は、2地点間の距離が50mを超えているので、届出は不要である。

2. 電動機以外の原動機の定格出力が**15kW以上**の**空気圧縮機**を使用する作業は、原則として、特定建設作業の実施の届出が必要である。

3. **ブルドーザー**を使用する作業は、原動機の定格出力が**40kW以上**の場合は、原則として、特定建設作業の実施の届出が必要である。

4. **バックホウ**を使用する作業は、原動機の定格出力が**80kW以上**の場合は、原則として、特定建設作業の実施の届出が必要である。

騒音規制法における特定建設作業

特定建設作業	条　　件	適 用 除 外
くい打機、くい抜機又はくい打くい抜機を使用する作業		・くい打機はもんけんを除く。 ・**圧入式くい打くい抜機**を除く。 ・くい打機を**アースオーガー**と併用する作業を除く。
びょう打機を使用する作業		
さく岩機を使用する作業	・作業地点が連続的に移動する作業にあっては、1日における当該作業に係る2地点間の最大距離が**50m**を超えない作業に限る。	
空気圧縮機を使用する作業	・電動機以外の原動機を用いるもので、その原動機の定格出力が**15kW以上**のものに限る。	・さく岩機の動力として使用する作業を除く。
コンクリートプラント、アスファルトプラントを設けて行う作業	・コンクリートプラントは混練機の混練容量が0.45m³以上のものに限る。 ・アスファルトプラントは混練機の混練重量が200kg以上のものに限る。	・モルタルを製造するためにコンクリートプラントを設けて行う作業を除く。

※**バックホウ・トラクターショベル・ブルドーザ**(環境大臣の指定したものを除く)を使用する作業も、原動機の定格出力が規定以上のものに限り、特定建設作業に定められている。

正答 1

H30−81 A

【問題 195】　指定地域内における特定建設作業の実施の届出に関する記述として、「騒音規制法」上、**誤っているもの**はどれか。

　　ただし、作業はその作業を開始した日に終わらないものとする。

1.　特定建設作業を伴う建設工事を施工しようとする者は、作業の実施の期間や騒音の防止の方法等の事項を、市町村長に届出をしなければならない。

2.　環境大臣が指定するものを除き、原動機の定格出力が80kW以上のバックホウを使用する作業は、特定建設作業の実施の届出をしなければならない。

3.　さく岩機を使用する作業であって、作業地点が連続的に移動し、1日における作業に係る2地点間の距離が50mを超えない作業は、特定建設作業の実施の届出をしなければならない。

4.　構台支持杭を打ち込むため、もんけんを使用する作業は、特定建設作業の実施の届出をしなければならない。

解説

1.　指定地域内において**特定建設作業**を伴う建設工事を施工しようとする者は、当該特定建設作業の開始の日の**7日前**までに、次の事項を**市町村長**に届け出なければならない。

　　・　氏名又は名称及び住所並びに法人にあっては、その代表者の氏名

　　・　建設工事の目的に係る施設又は工作物の種類

　　・　特定建設作業の場所及び実施の期間

　　・　騒音の防止の方法

　　・　その他環境省令で定める事項

2.3. 特定建設作業とは、建設工事として行われる作業のうち、著しい騒音を発生する作業として、下記の作業が定められている。ただし、その作業が作業を開始した日に終わるものは除かれる。

騒音規制法における特定建設作業

特定建設作業	条　　件	適 用 除 外
くい打機、くい抜機又はくい打くい抜機を使用する作業		・くい打機はもんけんを除く。 ・圧入式くい打くい抜機を除く。 ・くい打機をアースオーガーと併用する作業を除く。
びょう打機を使用する作業		
さく岩機を使用する作業	・作業地点が連続的に移動する作業にあっては、1日における当該作業に係る2地点間の最大距離が50mを超えない作業に限る。	
空気圧縮機を使用する作業	・電動機以外の原動機を用いるもので、その原動機の定格出力が15kW以上のものに限る。	・さく岩機の動力として使用する作業を除く。
コンクリートプラント、アスファルトプラントを設けて行う作業	・コンクリートプラントは混練機の混練容量が0.45m³以上のものに限る。 ・アスファルトプラントは混練機の混練重量が200kg以上のものに限る。	・モルタルを製造するためにコンクリートプラントを設けて行う作業を除く。

※バックホウ・トラクターショベル・ブルドーザ（環境大臣の指定したものを除く）を使用する作業も、原動機の定格出力が規定以上のものに限り、特定建設作業に定められている。

4. くい打機、くい抜機又はくい打くい抜機を使用する作業は、特定建設作業の実施の届出が必要である。ただし、くい打機にもんけんを用いた場合、圧入式くい打くい抜機を用いた場合、くい打機をアースオーガーと併用する作業は**除かれる**。

法

規

R05-72 A

【問題 196】 次の作業のうち、「振動規制法」上、特定建設作業に**該当しないもの**はどれか。

ただし、作業は開始した日に終わらないものとし、作業地点が連続的に移動する作業ではないものとする。

1. 油圧式くい抜機を使用する作業
2. もんけん及び圧入式を除くくい打機を使用する作業
3. 鋼球を使用して建築物その他の工作物を破壊する作業
4. 手持式を除くブレーカーを使用する作業

■■■ **解説** ■■■

1. くい抜機を使用する作業は、特定建設作業に該当するが、**油圧式くい抜機**は除かれている。

2. くい抜機を使用する作業は、特定建設作業に該当するが、**もんけん及び圧入式くい打機**は除かれている。

3. **鋼球**を使用して建築物その他の工作物を破壊する作業は、**特定建設作業**に該当する。

4. ブレーカーを使用する作業は、特定建設作業に該当するが、**手持式ブレーカー**を使用する作業は除かれている。

振動規制法における特定建設作業

特定建設作業	条　件	適用除外
① **くい打機、くい抜機又はくい打くい抜機**を使用する作業		・**もんけん及び圧入式くい打機**を除く。 ・**油圧式くい抜機**を除く。 ・**圧入式くい打くい抜機**を除く。
② **鋼球**を使用して建築物その他の工作物を破壊する作業		
③ **舗装版破砕機**を使用する作業	・作業地点が連続的に移動する作業にあっては、1日における当該作業に係る2地点間の最大距離が50mを超えない作業に限る。	
④ **ブレーカー**を使用する作業		・ブレーカーが**手持式の**ものを除く。

正答　**1**

R03−72 A　　　　　　　　　　　CHECK ☐☐☐☐☐

【問題 197】「振動規制法」上、指定地域内における特定建設作業に関する記述として、**誤っ
ているもの**はどれか。

ただし、災害その他非常時等を除くものとする。

1. 特定建設作業の振動が、当該特定建設作業の場所において、図書館、特別養護老
人ホーム等の敷地の周囲おおむね80mの区域内として指定された区域にあっては、
1日10時間を超えて行われる特定建設作業に伴って発生するものでないこと。
2. 特定建設作業の振動が、特定建設作業の場所の敷地の境界線において、85dBを
超える大きさのものでないこと。
3. 特定建設作業の振動が、特定建設作業の全部又は一部に係る作業の期間が当該特
定建設作業の場所において、連続して6日を超えて行われる特定建設作業に伴っ
て発生するものでないこと。
4. 特定建設作業の振動が、良好な住居の環境を保全するため、特に静穏の保持を必
要とする区域として指定された区域にあっては、午後7時から翌日の午前7時ま
での時間において行われる特定建設作業に伴って発生するものでないこと。

■ 解説

1. 特定建設作業の振動が、当該特定建設作業の場合において、学校、保育所、病院、図
書館並びに特別養護老人ホームの敷地の周囲おおむね80mの区域内として指定された
区域内にあっては、1日10時間を超えて行われる特定建設作業に伴って発生するも
のでないこと。
2. 特定建設作業の振動が、特定建設作業の場所の**敷地の境界線**において、**75dB**を超え
る大きさのものでないこと。
3. 特定建設作業の振動が、特定建設作業の全部又は一部に係る作業の期間が当該特定建
設作業の場合において**連続して6日**を超えて行われる特定建設作業に伴って発生する
ものでないこと。
4. 特定建設作業の振動が、良好な住居の環境を保全するため、特に静穏の保持を必要と
する区域として指定された区域にあっては、**午後7時**から**翌日の午前7時**までの時間
において行われる特定建設作業に伴って発生するものでないこと。

正答 2

R01-82 A

【問題 198】「振動規制法」上、指定地域内における特定建設作業の規制に関する基準として、**誤っているもの**はどれか。

ただし、災害その他非常時等を除く。

1. 特定建設作業の振動が、日曜日その他の休日に行われる特定建設作業に伴って発生するものでないこと。

2. 特定建設作業の振動が、特定建設作業の全部又は一部に係る作業の期間が当該特定建設作業の場所において、連続して6日を超えて行われる特定建設作業に伴って発生するものでないこと。

3. 特定建設作業の振動が、特定建設作業の場所の敷地の境界線において、85dBを超える大きさのものでないこと。

4. 特定建設作業の振動が、住居の用に供されているため、静穏の保持を必要とする区域内として指定された区域にあっては、夜間において行われる特定建設作業に伴って発生するものでないこと。

解説

1. **特定建設作業**の振動が、**日曜日**その他の**休日**に行われる特定建設作業に伴って発生するものでないこと。

2. **特定建設作業**の振動が、特定建設作業の全部又は一部に係る作業の期間が当該特定建設作業の場合において連続して**6日**を超えて行われる特定建設作業に伴って発生するものでないこと。

3. **特定建設作業**の振動が、特定建設作業の場所の**敷地の境界線**において、**75dB**を超える大きさのものでないこと。

4. **特定建設作業**の振動が、住居の用に供されているため、静穏の保持を必要とする区域に指定された区域にあっては、**午後7時**から翌日の**午前7時**までの時間において行われる特定建設作業に伴って発生するものでないこと。

R05-70 A　　　　　　　　　　　　　　CHECK ☐☐☐☐☐

【問題 199】　次の記述のうち、「廃棄物の処理及び清掃に関する法律」上、**誤っているも**のはどれか。

　　ただし、特別管理産業廃棄物を除くものとする。

1. 事業者は、産業廃棄物の運搬又は処分を委託した場合、委託契約書及び環境省令で定める書面を、その契約の終了の日から5年間保存しなければならない。

2. 事業者は、工事に伴って発生した産業廃棄物を自ら運搬する場合、管轄する都道府県知事の許可を受けなければならない。

3. 多量排出事業者は、当該事業場に係る産業廃棄物の減量その他その処理に関する計画の実施の状況について、環境省令で定めるところにより、都道府県知事に報告しなければならない。

4. 天日乾燥施設を除く汚泥の処理能力が1日当たり10m³を超える乾燥処理施設を設置する場合、管轄する都道府県知事の許可を受けなければならない。

■　解説

1. **委託契約書**及び**書面**をその契約の終了の日から**5年間保存**すること。

2. 産業廃棄物(特別管理産業廃棄物を除く)の**収集**又は**運搬**を業として行おうとする者は、当該業を行おうとする区域を管轄する**都道府県知事**の**許可**を受けなければならない。ただし、事業者(**自ら**その産業廃棄物を運搬する場合に限る。)、専ら再生利用の目的となる産業廃棄物のみの収集又は運搬を業として行う者その他環境省令で定める者については、**この限りでない。**

3. 事業活動に伴い多量の産業廃棄物または、特別管理産業廃棄物を生じる事業場を設置している多量排出事業者は、当該事業場に係る産業廃棄物の**処理計画書**を作成し、次年度にはその実施状況について**都道府県知事**に**報告**することとなっている。

4. 汚泥の乾燥施設であって、1日当たりの処理能力が10m³(天日乾燥施設にあっては、100m³)を超える産業廃棄物処理施設を設置しようとする者は、当該産業廃棄物処理施設を設置しようとする地を管轄する都道府県知事の許可を受けなければならない。

R03-70 A

【問題 200】　次の記述のうち、「廃棄物の処理及び清掃に関する法律」上、**誤っているも**のはどれか。

ただし、特別管理産業廃棄物を除くものとする。

1. 産業廃棄物の運搬又は収集を行う車両は、産業廃棄物運搬車である旨の事項を表示し、かつ、当該運搬車に環境省令で定める書面を備え付けておかなければならない。

2. 事業者は、産業廃棄物の運搬又は処分を委託した際に産業廃棄物管理票を交付した場合、管理票の写しを、交付した日から5年間保存しなければならない。

3. 事業者は、工事に伴って発生した産業廃棄物を自ら運搬する場合、管轄する都道府県知事の許可を受けなければならない。

4. 汚泥の処理能力が1日当たり10m³を超える乾燥処理施設(天日乾燥施設を除く。)を設置する場合、管轄する都道府県知事の許可を受けなければならない。

■■■■ 解説 ■■■■■■■■

1. 運搬車の車体の外側に、環境省令で定めるところにより、産業廃棄物の収集又は運搬の用に供する運搬車である旨その他の事項を見やすいように表示し、かつ、当該運搬車に環境省令で定める**書面**を備え付けておくこと。

2. 排出事業者および処理業者に、**マニフェスト伝票の5年間**の保存を義務付けている。

3. 産業廃棄物(特別管理産業廃棄物を除く)の収集又は運搬を業として行おうとする者は、当該業を行おうとする区域を管轄する**都道府県知事**の**許可**を受けなければならない。ただし、事業者(自らその産業廃棄物を運搬する場合に限る。)、専ら再生利用の目的となる産業廃棄物のみの収集又は運搬を業として行う者その他環境省令で定める者については、この限りでない。

4. 汚泥の乾燥施設であつて、1日当たりの処理能力が10m³(天日乾燥施設にあつては、100m³)を超える産業廃棄物処理施設を設置しようとする者は、当該産業廃棄物処理施設を設置しようとする地を管轄する都道府県知事の許可を受けなければならない。

R01-80 B　　　　　　　　　　　　　　　　CHECK ☐☐☐☐☐

【問題 201】　次の記述のうち、「廃棄物の処理及び清掃に関する法律」上、**誤っているも**のはどれか。

　　　ただし、特別管理産業廃棄物を除くものとする。

1.　事業者は、工事に伴って発生した産業廃棄物を自ら処理しなければならない。

2.　事業者は、工事に伴って発生した産業廃棄物を自ら運搬する場合、管轄する都道府県知事の許可を受けなければならない。

3.　事業者は、産業廃棄物の運搬又は処分を委託した場合、委託契約書及び環境省令で定める書面を、その契約の終了の日から5年間保存しなければならない。

4.　事業者は、産業廃棄物の運搬又は処分を委託した際に産業廃棄物管理票を交付した場合、管理票の写しを、交付した日から5年間保存しなければならない。

■■■■　解説　■■■■■■■■■■■■■■■■■■■■■■■■■■■■■■■■■■

1.　**事業者**は、その**産業廃棄物**を**自ら処理**しなければならない。

2.　産業廃棄物（特別管理産業廃棄物を除く）の収集又は運搬を業として行おうとする者は、当該業を行おうとする区域を管轄する**都道府県知事**の**許可**を受けなければならない。ただし、事業者（**自ら**その産業廃棄物を運搬する場合に限る。）、専ら再生利用の目的となる産業廃棄物のみの収集又は運搬を業として行う者その他環境省令で定める者については、**この限りでない**。

3.　**委託契約書**及び**書面**をその契約の終了の日から**5年間保存**すること。

4.　排出事業者および処理業者に、**マニフェスト伝票の5年間の保存**を義務付けている。

【問題 202】　次の記述のうち、「建設工事に係る資材の再資源化等に関する法律」上、誤っているものはどれか。

1. 建設資材廃棄物の再資源化等には、焼却、脱水、圧縮その他の方法により建設資材廃棄物の大きさを減ずる行為が含まれる。

2. 建設業を営む者は、建設資材廃棄物の再資源化により得られた建設資材を使用するよう努めなければならない。

3. 対象建設工事の元請業者は、特定建設資材廃棄物の再資源化等が完了したときは、その旨を都道府県知事に報告しなければならない。

4. 分別解体等には、建築物等の新築工事に伴い副次的に生ずる建設資材廃棄物をその種類ごとに分別しつつ当該工事を施工する行為が含まれる。

■■■■　解説　■■■■■■■■■■■■■■■■■■■■■■■■■■■■■■■■■

1. 再資源化等とは、**再資源化**及び**縮減**をいうが、縮減とは、焼却、脱水、圧縮その他の方法により建設資材廃棄物の大きさを減ずる行為をいう。

2. 建設業を営む者は、建設資材廃棄物の再資源化により得られた**建設資材**（建設資材廃棄物の再資源化により得られた物を使用した建設資材を含む。）を使用するよう努めなければならない。

3. **元請業者**は、当該工事に係る特定建設資材廃棄物の再資源化等が完了したときは、その旨を**発注者**に**書面**で**報告**し、**記録**を作成して**保存**しなければならない。

4. **分別解体**等には、新築工事等に伴い副次的に生じる建設資材廃棄物をその種類ごとに分別しつつ工事を施工する行為も含まれる。

R02-80 A　　　　　　　　　　　　　　　　　CHECK ☐☐☐☐☐

【問題 203】「建設工事に係る資材の再資源化等に関する法律」上、特定建設資材を用いた建築物等の解体工事又は新築工事等のうち、分別解体等をしなければならない建設工事に**該当しないもの**はどれか。

1. 建築物の増築工事であって、当該工事に係る部分の床面積の合計が500m²の工事
2. 建築物の大規模な修繕工事であって、請負代金の額が8,000万円の工事
3. 建築物の解体工事であって、当該工事に係る部分の床面積の合計が80m²の工事
4. 擁壁の解体工事であって、請負代金の額が500万円の工事

■■■　解説　■■■

1. 建築物に係る**新築**又は**増築**の工事については、当該建築物の床面積の合計が**500m²以上**であるものは、建設工事に該当する。

2. 建築物に係る新築工事等であって新築又は増築の工事に該当しないもので、その請負代金の額が**1億円以上**であるものは分別解体等をしなければならない対象建設工事となるが、設問は該当しない。

対象建設工事

工事の種類	対象規模
建築物の**解体**	当該解体工事に係る床面積が**80m²以上**
建築物の**新築・増築**	当該工事に係る床面積が**500m²以上**
建築物の**修繕・模様替**(リフォーム等)	請負金額が**1億円以上**
その他の工作物に関する工事	請負金額が**500万円以上**

※ 特定建設資材を用いた建築物等の解体工事と特定建設資材を用する新築工事等に限る。

3. 建築物の**解体工事**ついては、当該解体工事に係る床面積が**80m²以上**であるものは、建設工事に該当する。

4. **建築物以外**のものに係る解体工事又は新築工事等については、その請負代金の額が**500万円以上**であるものは、建設工事に該当する。

正答　2

【問題 204】　特定建設資材を用いた建築物等の解体工事又は新築工事等のうち、「建設工事に係る資材の再資源化等に関する法律」上、分別解体等をしなければならない建設工事に**該当しないもの**はどれか。

1. アスファルト・コンクリートの撤去工事であって、請負代金の額が700万円の工事

2. 建築物の増築工事であって、当該工事に係る部分の床面積の合計が500m²の工事

3. 建築物の耐震改修工事であって、請負代金の額が7,000万円の工事

4. 擁壁の解体工事であって、請負代金の額が500万円の工事

■━ 解説 ■■■

対象建設工事

工事の種類	対象規模
建築物の解体	当該解体工事に係る床面積が80m²以上
建築物の新築・増築	当該工事に係る床面積が500m²以上
建築物の修繕・模様替(リフォーム等)	請負金額が1億円以上
その他の工作物に関する工事	請負金額が500万円以上

※ 特定建設資材を用いた建築物等の解体工事と特定建設資材を用する新築工事等に限る。

1.4. 建築物以外のものに係る解体工事又は新築工事等(建築物等の新築その他の解体工事以外の建設工事をいう。)については、その請負代金の額が500万円以上であるものは、建設工事に該当する。

2. 建築物に係る**新築**又は**増築**の工事については、当該建築物の床面積の合計が500m²以上であるものは、対象建設工事に該当する。

3. 建築物に係る新築工事等であって新築又は増築の工事に該当しないもので、その請負代金の額が**1億円以上**であるものは分別解体等をしなければならない対象建設工事となるが、設問は該当しない。

正答 3

R05-71 A　　　　　　　　　　　　　　　　CHECK ☐☐☐☐☐

【問題 205】　宅地造成工事規制区域内において行われる宅地造成工事に関する記述として、「宅地造成及び特定盛土等規制法(旧宅地造成等規制法)」上、**誤っているもの**はどれか。

なお、指定都市又は中核市の区域内の土地については、都道府県知事はそれぞれ指定都市又は中核市の長をいう。

1.　宅地造成に関する工事の許可を受けていなかったため、地表水等を排除するための排水施設の一部を除却する工事に着手する日の7日前に、その旨を都道府県知事に届け出た。

2.　高さが2mの崖を生ずる盛土を行う際、崖の上端に続く地盤面には、その崖の反対方向に雨水その他の地表水が流れるように勾配を付けた。

3.　宅地造成に伴う災害を防止するために崖面に設ける擁壁には、壁面の面積3m²以内ごとに1個の水抜穴を設け、裏面の水抜穴周辺に砂利を用いて透水層を設けた。

4.　切土又は盛土をする土地の面積が1,500m²を超える土地における排水設備の設置については、政令で定める資格を有する者が設計した。

■ 解説 ■

1. 宅地造成工事規制区域内の宅地において、擁壁、排水施設その他の政令で定める施設（擁壁等）に関する工事その他の工事で政令で定めるものを行おうとする者は、その工事に着手する日の**14日前**までに、国土交通省令で定めるところにより、その旨を**都道府県知事**に届け出なければならない。

2. 宅地造成工事規制区域内において行われる宅地造成に関する工事で、盛土又は切土をする場合、崖の上端に続く地盤面は、特別の事情がない限り、その崖の反対方向に雨水等が流れるように**勾配**をとらなければならない。

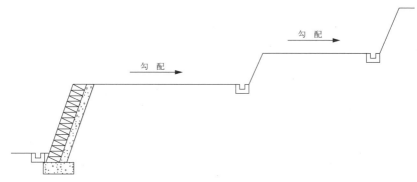

3. 擁壁には、その裏面の排水を良くするため、壁面の面積**3m²以内**ごとに少なくとも1個の内径が**7.5cm以上**の**水抜穴**を設けなければならない。

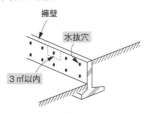

4. 盛土又は切土をする土地の面積が**1,500m²**を超える土地における**排水施設の設置**は、所定の**資格**を有する者の設計によらなければならない。

R03-71 A

【問題 206】　宅地以外の土地を宅地にするため、土地の形質の変更を行う場合、「宅地造成及び特定盛土等規制法」上、**宅地造成に該当しないもの**はどれか。

1.　切土をする土地の面積が300m²であって、切土をした土地の部分に高さが1.5mの崖を生ずるもの

2.　盛土をする土地の面積が400m²であって、盛土をした土地の部分に高さが2mの崖を生ずるもの

3.　切土と盛土を同時にする土地の面積が500m²であって、盛土をした土地の部分に高さが1mの崖を生じ、かつ、切土及び盛土をした土地の部分に高さが2.5mの崖を生ずるもの

4.　盛土をする土地の面積が600m²であって、盛土をした土地の部分に高さが1mの崖を生ずるもの

━━━ **解説** ━━━

宅地造成とは、宅地以外の土地を宅地にするため行う盛土その他の土地の形質の変更で以下のものをいう。

- **盛土**であって、当該切土をした土地の部分に高さ1mを超える崖を生ずることとなるもの
- **切土**であって、当該切土をした土地の部分に高さ2mを超える崖を生ずることとなるもの
- 盛土と切土とを同時にする場合において、当該盛土及び切土をした土地の部分に高さ2mを超える崖を生ずることとなるときにおける当該盛土及び切土
- **盛土**又は**切土**をする土地の面積が500m²を超えるもの

とあり、高さあるいは面積のどちらかが宅地造成に該当する。よって、1.が該当しない。

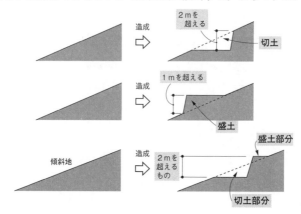

R01-81 A

【問題 207】 宅地造成工事規制区域内において行われる宅地造成工事に関する記述として、「宅地造成及び特定盛土等規制法」上、**誤っているもの**はどれか。

なお、指定都市又は中核市の区域内の土地については、都道府県知事はそれぞれ指定都市又は中核市の長をいう。

1. 宅地において、土地の600m²の面積の部分について盛土に関する工事を行い、引き続き宅地として利用するため、都道府県知事の許可を受けた。

2. 宅地造成に関する工事の許可を受けていなかったため、地表水等を排除するための排水施設の一部を除却する工事に着手する日の7日前に、その旨を都道府県知事に届け出た。

3. 高さが2mの崖を生ずる盛土を行う際、崖の上端に続く地盤面には、その崖の反対方向に雨水その他の地表水が流れるように勾配を付けた。

4. 高さが3mの崖を生ずる切土を行う際、切土をした後の地盤に滑りやすい土質の層があったため、その地盤に滑りが生じないように、地滑り抑止ぐいを設置した。

━━━ 解説 ━━━

1. 宅地造成工事規制区域内において行われる宅地造成に関する工事については、工事主は、原則として、工事に着手する前に都道府県知事の許可を受けなければならない。なお、宅地以外の土地を宅地にする場合、また、宅地において次に示すような土地の形質の変更をする場合を宅地造成という。

   ①**盛土**で**高さ**が**1m**超える崖を生ずるもの

   ②**切土**で**高さ**が**2m**を超える崖を生ずるもの

   ③盛土部分と切土部分の合計が2mを超える崖を生ずるもの

   ④上記以外の盛土や切土で、盛土や切土をする**面積**が**500m²**を超えるもの

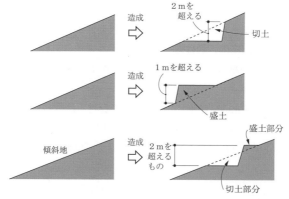

2. 宅地造成工事規制区域内の宅地において、次の造成工事等を行う場合は、許可等を受けた場合を除き、その工事に着手する日の**14日前**までに、**都道府県知事**に届け出なければならない。

　・高さが2mを超える擁壁の全部又は一部の除却

　・地表水等を排除するための排水施設又は地滑り抑止ぐい等の全部又は一部の除却

3. 宅地造成工事規制区域内において行われる宅地造成に関する工事で、盛土又は切土をする場合、崖の上端に続く地盤面は、特別の事情がない限り、その崖の反対方向に雨水等が流れるように**勾配**をとらなければならない。

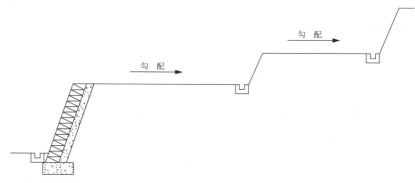

4. 宅地造成工事規制区域内において行われる宅地造成に関する工事で、切土をする場合においては、切土をした後の地盤に滑りやすい土質の層があるときは、その地盤に滑りが生じないように、地滑り抑止ぐい等の設置、土の置換えその他の措置を講ずる。

正答　2

R04-72 B

【問題 208】　貨物自動車を使用して分割できない資材を運搬する際に、「道路交通法」上、当該車両の出発地を管轄する警察署長の**許可を必要とするもの**はどれか。

ただし、貨物自動車は、軽自動車を除くものとする。

1. 長さ11mの自動車に、車体の前後に0.5mずつはみ出す長さ12mの資材を積載して運搬する場合
2. 荷台の高さが1mの自動車に、高さ3mの資材を積載して運転する場合
3. 積載する自動車の最大積載重量で資材を運搬する場合
4. 資材を看守するため必要な最小限度の人員を、自動車の荷台に乗せて運搬する場合

■　解説

1. 積載方法として、車体の前後から車体の長さの0.1倍までの長さが運搬でき、11m×0.1×2＝13.2mまでは許可を必要としない。また、積載物の大きさは、車体の**長さの2/10**の長さを加えたものまでとする。
2. 地面から積載物上までの**高さ**が、**3.8m**からその自動車の積載をする場所の高さを減じたものまで許可を必要としないので、荷台の高さが1mの自動車に、資材の高さが2.8mまでならば、許可を受ける必要がない。したがって、設問は、資材の高さが3mであるので許可を受ける必要がある。
3. 積載する自動車の最大積載重量で資材を運搬する場合は、自動車に定められる**最大積載重量**を超えていないので、許可を受ける必要がない。
4. 貨物を運搬する構造の自動車で貨物を積載している場合、貨物を看守するため必要な**最小限度**の人員をその荷台に乗車させて運転することが許されているので、許可を受ける必要がない。

R02-82 A 　　　　　　　　　　　　　　　CHECK □□□□□

【問題 209】 貨物自動車に分割できない資材を積載して運転する際に、「道路交通法」上、当該車両の出発地を管轄する警察署長の**許可を必要とするもの**はどれか。

ただし、貨物自動車は、軽自動車を除くものとする。

1. 長さ11mの自動車に、車体の前後に0.5mずつはみ出す長さ12mの資材を積載して運転する場合
2. 荷台の高さが１mの自動車に、高さ2.7mの資材を積載して運転する場合
3. 幅2.2mの自動車に、車体の左右に0.25mずつはみ出す幅2.7mの資材を積載して運転する場合
4. 積載された資材を看守するため、必要な最小限度の人員として１名を荷台に乗車させて運転する場合

■■■ 　解説 　■■■

1. 自動車の長さにその**長さの２/10**の長さを加えたものまでが許可を必要としないので、11m×1.2＝13.2mまでは許可を必要としない。また、積載の方法の制限では、自動車の車体の前後から自動車の長さの10分の１の長さを超えてはみ出さないとされている。

2. **高さが3.8m**からその自動車の積載をする場所の高さを減じたものまで許可を必要としないので、荷台の高さが１mの自動車に、高さ2.8mまでの資材を積載して運搬しても許可を受ける必要がない。

3. **積載物の幅**は、**自動車の幅の10分の２の幅**を超えて運搬する場合は、出発地**警察署長の許可**を必要とする。

4. 貨物を運搬する構造の自動車で貨物を積載している場合、貨物を看守するため必要な**最小限度**の人員をその荷台に乗車させて運転することが許されているので、許可を受ける必要がない。

積載方法

【問題 210】　貨物自動車を使用して、分割できない資材を運搬する際に、「道路交通法」上、当該車両の出発地を管轄する警察署長の許可を**必要とするもの**はどれか。

ただし、貨物自動車は、軽自動車を除くものとする。

1. 荷台の高さが1mの自動車に、高さ2.4mの資材を積載して運搬する場合
2. 長さ11mの自動車に、車体の後ろに1mはみ出す長さ12mの資材を積載して運搬する場合
3. 積載物の幅が、自動車の幅にその幅の10分の2の幅を加えたものを超える場合
4. 資材を看守するため必要な最小限度の人員を、自動車の荷台に乗せる場合

解説

1. 高さが3.8mからその自動車の積載をする場所の高さを減じたものまで許可を必要としないので、高さ2.8mまでの資材を積載して運搬しても許可を受ける必要がない。

2. 自動車の長さにその長さの2/10の長さを加えたものまでが許可を必要としないので、11m×1.2＝13.2mまでは許可を必要としない。

3. **積載物の幅**は、**自動車の幅**の10分の2の幅を超えて運搬する場合は、出発地**警察署長の許可**を必要とする。

4. 貨物を運搬する構造の自動車で貨物を積載している場合、貨物を看守するため必要な最小限度の人員をその荷台に乗車させて運転することが許されているので、許可を受ける必要がない。

本試験にチャレンジ !!

【2024年度　一次本試験：午前の部】

　この問題解説集は、出題分野ごとに出題をまとめて編集していますが、ここでは、具体的な本試験の出題形式を知っていただくために、昨年度の本試験問題を、出題順に掲載しています。

　解答の時間配分などの参考として下さい。

午前の部

NO.		問題項目	NO.		問題項目
1	建築学 6/6	室内環境	21	施工・躯体 8/10	仮設工事（乗入れ構台）
2		熱貫流率	22		土質試験
3		鉄筋コンクリート構造	23		山留工事（ソイルセメント山留壁）
4		地盤・基礎構造	24		杭工事（場所打ちコンクリート杭）
5		反　力	25		鉄筋工事（継手・定着）
6		内装材料	26		型枠工事
7	建築学 6/9	換　気	27		コンクリート工事（養生）
8		音	28		鉄骨工事（大空間鉄骨架構）
9		鉄筋コンクリート構造	29		木工事（木質軸組工法）
10		鉄骨構造	30		建設機械
11		座屈荷重	31	施工・仕上 7/10	防水工事（合成高分子系シート防水）
12		曲げモーメント図	32		屋根工事（長尺亜鉛鉄板葺）
13		鋼　材	33		金属工事（軽量鉄骨壁下地）
14		左官材料	34		左官工事（複層仕上塗材）
15		ドアセット	35		建具工事（アルミニウム製建具）
16	共通 5/5	測　量	36		塗装工事
17		避雷設備	37		内装工事（合成樹脂塗床）
18		空気調和設備	38		断熱工事
19		消火設備	39		押出成形セメント板工事
20		積　算	40		外壁改修工事
			41	施工管理法 4/4	施工計画（事前調査）
			42		施工計画
			43		施工管理（工事の記録等）
			44		工程計画

問　　題

※　**問題番号**〔No. 1〕から〔No. 6〕までの**6問題**は、**全問題を解答**してください。
　　問題は**四肢択一式**です。正解と思う肢の番号を**1つ**選んでください。

R06-01

〔No. 1〕　中央管理方式の空気調和設備を設けた建築物における居室の室内環境に関する
　　　　　一般的な記述として、**最も不適当なもの**はどれか。

1. 室内空気中の一酸化炭素の濃度は、6ppm以下とする。

2. 室内空気中の二酸化炭素の濃度は、1,000ppm以下とする。

3. 室内空気の気流の速さは、1.5m/s以下とする。

4. 室内空気の相対湿度は、40%以上70%以下とする。

R06-02

〔No. 2〕　図に示すような鉄筋コンクリート壁の熱貫流率として、**最も近い値**はどれか。
　　　　　ただし、熱伝達率は、放射熱伝達率と対流熱伝達率を合わせたものとする。

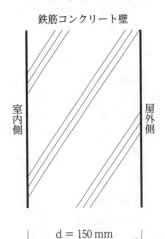

鉄筋コンクリート壁

室内側　　　屋外側

d = 150 mm

鉄筋コンクリート 熱伝導率 [W/(m·K)]	1.6
左図鉄筋コンクリート壁 熱伝導抵抗 [(m²·K)/W]	0.094

	室内側	屋外側
熱伝達率 [W/(m²·K)]	9.0	23.0
熱伝達抵抗 [(m²·K)/W]	0.111	0.043

1. 0.3

2. 1.3

3. 4.0

4. 33.6

〔No.　3〕　鉄筋コンクリート構造に関する一般的な記述として、**最も不適当なもの**はどれか。

1.　柱の主筋はD13以上の異形鉄筋を4本以上とし、その断面積の和は柱のコンクリート全断面積の0.8％以上とする。

2.　柱のせん断補強筋は直径9mm以上の丸鋼又はD10以上の異形鉄筋とし、せん断補強筋比は0.2％以上とする。

3.　梁のせん断補強筋の間隔は、梁せいの$\frac{1}{2}$以下、かつ、250mm以下とする。

4.　梁に孔径が梁せいの$\frac{1}{3}$の円形の貫通孔を2個設ける場合、その中心間隔は両孔径の平均値の2倍以上とする。

〔No.　4〕　地盤及び基礎構造に関する記述として、**最も不適当なもの**はどれか。

1.　圧密沈下の限界値は、独立基礎のほうがべた基礎に比べて大きい。

2.　直接基礎の滑動抵抗は、基礎底面の摩擦抵抗が主体となるが、基礎の根入れを深くすることで基礎側面の受動土圧も考慮できる。

3.　直接基礎の地盤の許容応力度は、基礎荷重面の底面積が同じであっても、その底面形状が正方形の場合と長方形の場合とでは異なる値となる。

4.　基礎梁の剛性を高くすることにより、不同沈下が均等化される。

〔No. 5〕 図に示す3ヒンジラーメン架構の点Cに集中荷重P₁及びP₂が作用したとき、支点Bに生じる水平反力H_Bの値の大きさとして、**正しいもの**はどれか。

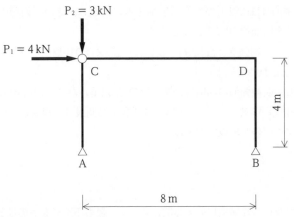

1. $H_B = 0$ kN
2. $H_B = 2$ kN
3. $H_B = 4$ kN
4. $H_B = 6$ kN

〔No. 6〕 内装材料に関する一般的な記述として、**最も不適当なもの**はどれか。

1. 強化せっこうボードは、せっこうボードの芯に無機質繊維等を混入したもので、性能項目として耐衝撃性や耐火炎性等が規定されている。
2. パーティクルボードは、木毛等の木質原料及びセメントを用いて圧縮成形した板で、屋根の下地材等に使用される。
3. コルク床タイルは、天然コルク外皮を主原料として、必要に応じてウレタン樹脂等で加工した床タイルである。
4. クッションフロアは、表面の透明ビニル層の下に印刷層、発泡ビニル層をもったビニル床シートである。

※　問題番号〔No. 7〕から〔No. 15〕までの9問題のうちから、**6問題を選択**し、解答してください。

　なお、**6問題を超えて解答した場合、減点となります**から注意してください。

　問題は**四肢択一式**です。正解と思う肢の番号を1つ選んでください。

R06－07

〔No. 7〕　換気に関する記述として、**最も不適当なもの**はどれか。

1. 機械換気における第3種機械換気方式は、自然給気と排気機による換気方式で、浴室や便所等に用いられる。

2. 室内外の温度差による自然換気の換気量は、他の条件が同じであれば、流入口と流出口の高低差に反比例する。

3. 自然換気における中性帯の位置は、流入口と流出口の開口面積の大きなほうに近づく。

4. 必要換気量が一定の場合、室容積が大きな空間に比べて小さな空間のほうが、必要な換気回数が多い。

R06－08

〔No. 8〕　音に関する記述として、**最も不適当なもの**はどれか。

1. 人が知覚する主観的な音の大小をラウドネスといい、音圧レベルが一定の場合、100Hzの音よりも1,000Hzの音のほうが大きく感じる。

2. 残響時間とは、音源が停止してから音圧レベルが60dB減衰するのに要する時間のことをいう。

3. 1つの点音源からの距離が2倍になると、音圧レベルは3dB低下する。

4. マスキング効果は、マスキングする音とマスキングされる音の周波数が近いほど大きい。

R06-09

〔No. 9〕 鉄筋コンクリート構造の建築物の構造計画に関する記述として、**最も不適当な**ものはどれか。

1. ねじれ剛性は、耐震壁等の耐震要素を、平面上の中心部に配置するよりも外側に均一に配置したほうが高まる。

2. 耐震壁に換気口等の小開口がある場合でも、その壁を耐震壁として扱うことができる。

3. 腰壁、垂れ壁、そで壁等は、柱及び梁の剛性や靭性への影響を考慮して計画する。

4. 柱は、地震時の脆性破壊の危険を避けるため、軸方向圧縮応力度が大きくなるようにする。

R06-10

〔No. 10〕 鉄骨構造の設計に関する記述として、**最も不適当なもの**はどれか。

1. 柱頭が水平移動するラーメン構造の柱の座屈長さは、節点間の距離より長くなる。

2. 梁のたわみは、部材断面と荷重条件が同一の場合、材質をSN400AからSN490Bに変更しても同一である。

3. 柱脚に高い回転拘束力をもたせるためには、根巻き形式ではなく露出形式とする。

4. トラス構造を構成する軸材は、引張りや圧縮の軸力のみを伝達するものとする。

〔No. 11〕 表に示す角形鋼管柱の座屈荷重の値として、**正しいもの**はどれか。

ただし、図に示すとおり、支点は両端固定とし水平移動は拘束されているものとする。

部材長さ L〔m〕	断面二次モーメント I〔mm⁴〕	ヤング係数 E〔N/mm²〕
10	3.0×10^8	2.0×10^5

直角

直角

1. $600\,\pi\,\mathrm{kN}$
2. $600\,\pi^2\,\mathrm{kN}$
3. $2{,}400\,\pi\,\mathrm{kN}$
4. $2{,}400\,\pi^2\,\mathrm{kN}$

〔No. 12〕 図に示す梁のAB間及びAC間に等分布荷重wが作用したときの曲げモーメント図として、**正しいもの**はどれか。

ただし、曲げモーメントは材の引張側に描くものとする。

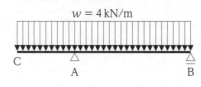

1.

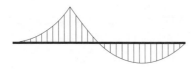

2.

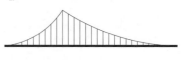

3.

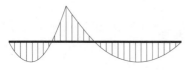

4.

〔No. 13〕 鋼材に関する一般的な記述として、**最も不適当なもの**はどれか。

1. 鋼は、炭素量が多くなると、引張強さは増加し、靱性は低下する。

2. SN490BやSN490Cは、炭素当量の上限の規定がない建築構造用圧延鋼材である。

3. 鋼材の材質を変化させるための熱処理には、焼入れ、焼戻し、焼ならし等の方法がある。

4. 低降伏点鋼は、制振装置に使用され、地震時に早期に降伏させることで制振効果を発揮する。

R06－14

〔No. 14〕 左官材料に関する記述として、**最も不適当な**ものはどれか。

1. 消石灰を混和材として用いたセメントモルタルは、こて伸びが良く、平滑な面が得られる。

2. ドロマイトプラスターは、それ自体に粘りがないため、のりを混ぜる必要がある。

3. メチルセルロースは、水溶性の微粉末で、セメントモルタルに添加することで作業性を向上させる。

4. 適切な粒度分布を持った細骨材は、セメントモルタルの乾燥収縮やひび割れを抑制する効果がある。

R06－15

〔No. 15〕 日本産業規格(JIS)のドアセットに規定されている性能項目に関する記述として、**不適当な**ものはどれか。

1. スイングドアセットでは、日射熱取得性が規定されている。

2. スイングドアセットでは、気密性が規定されている。

3. スライディングドアセットでは、遮音性が規定されている。

4. スライディングドアセットでは、ねじり強さが規定されている。

※ 問題番号〔No. 16〕から〔No. 20〕までの**5問題**は、**全問題を解答**してください。
問題は**四肢択一式**です。正解と思う肢の番号を**1つ**選んでください。

R06－16

〔No. 16〕 測量に関する記述として、**最も不適当な**ものはどれか。

1. 直接水準測量は、レベルと標尺を用いて、既知の基準点から順に次の点への高低を測定して、必要な地点の標高を求める方法である。

2. スタジア測量は、レベルと標尺を用いて、2点間の距離を高い精度で求める方法である。

3. 間接水準測量は、傾斜角や斜距離等を読み取り、計算によって高低差を求める方法である。

4. GNSS測量は、複数の人工衛星から受信機への電波信号の到達時間差を測定して位置を求める方法である。

〔No. 17〕 避雷設備に関する記述として、**最も不適当なもの**はどれか。

1. 避雷設備は、建築物の高さが15mを超える部分を雷撃から保護するように設けなければならない。

2. 避雷設備の構造は、雷撃によって生ずる電流を建築物に被害を及ぼすことなく安全に地中に流すことができるものとしなければならない。

3. 接地極は、建築物を取り巻くように環状に配置する場合、0.5m以上の深さで壁から1m以上離して埋設する。

4. 鉄骨造の鉄骨躯体は、構造体利用の引下げ導線の構成部材として利用することができる。

〔No. 18〕 空気調和設備に関する記述として、**最も不適当なもの**はどれか。

1. 空気調和機は、一般にエアフィルタ、空気冷却器、空気加熱器、加湿器等で構成される装置である。

2. 冷却塔は、温度上昇した冷却水を、空気と直接接触させて気化熱により冷却する装置である。

3. 二重ダクト方式は、2系統のダクトで送られた温風と冷風を、混合ユニットにより熱負荷に応じて混合量を調整して吹き出す方式である。

4. ファンコイルユニット方式における2管式の配管方式は、ゾーンごとに冷暖房の同時運転が可能で、室内環境の制御性に優れている。

R06-19

〔No. 19〕 消火設備に関する記述として、**最も不適当なもの**はどれか。

1. 不活性ガス消火設備は、二酸化炭素等の消火剤を放出するもので、酸素濃度の希釈効果や気化するときの熱吸収による冷却効果により消火するものである。

2. 開放型スプリンクラー設備は、火災感知装置の作動、又は手動起動弁の開放によって放水区域のすべての開放型スプリンクラーヘッドから一斉に散水するものである。

3. 泡消火設備は、特に低引火点の油類による火災の消火に適し、主として泡による窒息効果により消火するものである。

4. 屋外消火栓設備は、散水ヘッドを消火活動が困難な場所に設置し、地上階の連結送水口を通じて消防車から送水して消火するものである。

R06-20

〔No. 20〕 工事費における共通費に関する記述として、「公共建築工事共通費積算基準（国土交通省制定）」上、**誤っているもの**はどれか。

1. 現場事務所、下小屋に要する費用は、共通仮設費に含まれる。

2. 共通的な工事用機械器具（測量機器、揚重機械器具、雑機械器具）に要する費用は、共通仮設費に含まれる。

3. 消火設備等の施設の設置、隣接物等の養生に要する費用は、現場管理費に含まれる。

4. 火災保険、工事保険の保険料は、現場管理費に含まれる。

R06－21

〔No. 21〕　乗入れ構台の計画に関する記述として、**最も不適当なもの**はどれか。

1.　道路から乗入れ構台までの乗込みスロープは、勾配を $\frac{1}{8}$ とした。

2.　クラムシェルが作業する乗入れ構台の幅は、ダンプトラック通過時にクラムシェルが旋回して対応する計画とし、8mとした。

3.　乗入れ構台の支柱の位置は、作業の合理性や安全性を考慮し、使用する施工機械や車両配置を最優先して決めた。

4.　山留めの切梁支柱と乗入れ構台の支柱は、荷重に対する安全性を確認した上で兼用した。

R06－22

〔No. 22〕　土質試験に関する記述として、**最も不適当なもの**はどれか。

1.　圧密試験により、砂質土の沈下特性を求めることができる。

2.　三軸圧縮試験により、粘性土のせん断強度を求めることができる。

3.　原位置における透水試験により、地盤に人工的に水位差を発生させ、水位の回復状況から透水係数を求めることができる。

4.　粒度試験で求められた土粒子粒径の構成により、透水係数の概略値を推定することができる。

〔No. 23〕 ソイルセメント柱列壁工法を用いた山留め壁に関する一般的な記述として、**最も不適当なもの**はどれか。

1. 剛性や遮水性に優れており、地下水位の高い軟弱地盤にも適している。
2. 削孔撹拌速度は土質によって異なるが、引上げ撹拌速度は土質によらずおおむね同じである。
3. 単軸オーガーによる削孔は、大径の玉石や礫が混在する地盤に用いられる。
4. セメント系注入液と混合撹拌する原位置土が粗粒土になるほど、ソイルセメントの一軸圧縮強度は小さくなる。

〔No. 24〕 場所打ちコンクリート杭の施工に関する記述として、**最も不適当なもの**はどれか。

1. 鉄筋かごの主筋と帯筋の交差部は、すべて溶接により接合した。
2. アースドリル工法の掘削深さは、検測器具を用いて、孔底の外周部に近い位置で4か所確認した。
3. 杭頭部の余盛り高さは、孔内水があったため、800mm以上とした。
4. リバース工法における二次孔底処理は、トレミー管とサクションポンプを連結し、スライムを吸い上げた。

〔No. 25〕 異形鉄筋の継手及び定着に関する記述として、**最も不適当なもの**はどれか。

1. 径の異なる鉄筋相互の重ね継手の長さは、太いほうの径により算定する。
2. D35以上の鉄筋には、原則として、重ね継手を用いない。
3. 180°フック付き重ね継手の長さは、フックの折曲げ開始点間の距離とする。
4. 梁の主筋を重ね継手とする場合、水平重ね又は上下重ねのいずれでもよい。

〔No. 26〕 型枠工事に関する記述として、**最も不適当なもの**はどれか。

1. 等価材齢換算式による方法で計算した圧縮強度が所定の強度以上となったため、柱のせき板を取り外した。

2. 合板せき板のたわみは、単純支持で計算した値と両端固定で計算した値の平均値とした。

3. コンクリートの施工時の側圧や鉛直荷重に対する型枠の各部材のたわみの許容値は、2 mm以下とした。

4. 固定荷重の計算に用いる型枠の重量は、0.4kN/m^{2}とした。

〔No. 27〕 コンクリートの養生に関する記述として、**最も不適当なもの**はどれか。

ただし、計画供用期間の級は標準とする。

1. 早強ポルトランドセメントを用いたコンクリートの湿潤養生の期間は、普通ポルトランドセメントを用いた場合と同じである。

2. 連続的に散水を行って水分を供給する方法による湿潤養生は、コンクリートの凝結が終了した後に行う。

3. 打込み後のコンクリートが透水性の低いせき板で保護されている場合は、湿潤養生と考えてもよい。

4. マスコンクリートは、内部温度が上昇している期間は、コンクリート表面部の温度が急激に低下しないように養生を行う。

〔No. 28〕 大空間鉄骨架構の建方に関する記述として、**最も不適当なもの**はどれか。

1. スライド工法は、作業構台上で所定の部分の屋根鉄骨を組み立てた後、所定位置まで順次滑動横引きしていき、最終的に架構全体を構築する工法である。

2. 移動構台工法は、移動構台上で組み立てた屋根鉄骨を、構台と共に所定の位置に移動させ、先行して構築した架構と連結する工法である。

3. ブロック工法は、地組みした所定の大きさのブロックを、クレーン等で吊り上げて架構を構築する工法である。

4. リフトアップ工法は、地上又は構台上で組み立てた屋根等の架構を、先行して構築した構造物等を支えとしてジャッキにより引き上げていく工法である。

R06−29

〔No. 29〕 木質軸組構法に関する記述として、**最も不適当なもの**はどれか。

1. アンカーボルトと土台の緊結は、アンカーボルトのねじ山がナットの外に3山以上出るようにした。
2. 接合に用いるラグスクリューは、先孔にスパナを用いて回しながら締め付けた。
3. ラグスクリューのスクリュー部の先孔の径は、スクリュー径の＋2mmとした。
4. 接合金物のボルトの締付けは、座金が木材へ軽くめり込む程度とした。

R06−30

〔No. 30〕 建設機械に関する記述として、**最も不適当なもの**はどれか。

1. 工事用エレベーターは、定格速度が0.75m/sを超える場合、次第ぎき非常止め装置を設ける。
2. ジブクレーンの定格荷重とは、負荷させることができる最大の荷重から、フック等のつり具の重量に相当する荷重を控除したものをいう。
3. アームを有しないゴンドラの積載荷重とは、その構造上作業床に人又は荷をのせて上昇させることができる最大の荷重をいう。
4. ロングスパン工事用エレベーターは、搬器の傾きが $\frac{1}{8}$ の勾配を超えた場合、動力を自動的に遮断する装置を設ける。

R06-31

〔No. 31〕 合成高分子系ルーフィングシート防水に関する記述として、**最も不適当なもの**はどれか。

1. 加硫ゴム系シート防水の接着工法において、立上り部と平場部の接合部のシートの重ね幅は150mm以上とした。

2. 塩化ビニル樹脂系シート防水の接着工法において、シート相互を熱風融着で接合した。

3. 塩化ビニル樹脂系シート防水の接着工法において、出入隅角の処理は、シートの張付け前に成形役物を張り付けた。

4. エチレン酢酸ビニル樹脂系シート防水の密着工法において、平場部の接合部のシートの重ね幅は、幅方向、長手方向とも100mm以上とした。

R06-32

〔No. 32〕 長尺亜鉛鉄板葺に関する記述として、**最も不適当なもの**はどれか。

1. 塗装溶融亜鉛めっき鋼板を用いた際の留付け用のドリリングタッピンねじは、亜鉛めっき製品を使用した。

2. 心木なし瓦棒葺の通し吊子は、平座金を付けたドリリングタッピンねじで、下葺材、野地板を貫通させて鉄骨母屋に固定した。

3. 横葺の葺板の継手位置は、縦に一直線状とならないように、千鳥に配置した。

4. 平葺の葺板の上はぜと下はぜは、折返し幅を同寸法とした。

R06-33

〔No. 33〕 軽量鉄骨壁下地に関する記述として、**最も不適当なもの**はどれか。

1. 間仕切壁の出入口開口部の縦の補強材は、上端部を軽量鉄骨天井下地に取り付けたランナに固定した。

2. スタッドの高さが4.5mであったため、区分記号90形のスタッドを用いた。

3. スペーサは、スタッドの端部を押さえ、間隔600mm程度に留め付けた。

4. コンクリート壁に添え付くスタッドは、上下のランナに差し込み、コンクリート壁に打込みピンで固定した。

R06-34

〔No. 34〕 防水形合成樹脂エマルション系複層仕上塗材(防水形複層塗材E)仕上げに関する記述として、**最も不適当なもの**はどれか。

1. プレキャストコンクリート面の下地調整において、仕上塗材の下塗材で代用ができたため、合成樹脂エマルションシーラーを省略した。

2. 屋外に面するALCパネル面の下地調整において、合成樹脂エマルションシーラーを塗り付けた上に、下地調整材C-1を塗り付けた。

3. 主材の基層塗りは、1.7kg/m²を1回塗りとし、下地を覆うように塗り付けた。

4. 主材の模様塗りは、1.0kg/m²を1回塗りとし、ローラー塗りによりゆず肌状に仕上げた。

R06-35

〔No. 35〕 アルミニウム製建具工事に関する記述として、**最も不適当なもの**はどれか。

1. 外部建具周囲の充填モルタルは、NaCl換算0.04%(質量比)以下まで除塩した海砂を使用した。

2. 建具枠に付くアンカーは、両端から逃げた位置にあるアンカーから、間隔を600mmで取り付けた。

3. 水切りと下枠との取合いは、建具枠回りと同一のシーリング材を使用した。

4. 建具の組立てにおいて、隅部の突付け小ねじ締め部分にはシーリング材を充填した。

〔No. 36〕 塗装工事に関する記述として、**最も不適当なもの**はどれか。

1. コンクリート面のアクリル樹脂系非水分散形塗料塗りにおいて、下塗り、中塗り、上塗りともに同一材料を使用し、塗付け量はそれぞれ0.10kg/m²とした。

2. 常温乾燥形ふっ素樹脂エナメル塗りにおいて、塗料を素地に浸透させるため、下塗りはローラーブラシ塗りとした。

3. ２液形ポリウレタンエナメル塗りにおいて、気温が20℃であったため、中塗り後から上塗りまでの工程間隔時間を16時間とした。

4. 合成樹脂エマルションペイント塗りにおいて、流動性を上げるため、有機溶剤で希釈して使用した。

〔No. 37〕 合成樹脂塗床に関する記述として、**最も不適当なもの**はどれか。

1. 厚膜型のエポキシ樹脂系塗床の主剤と硬化剤の１回の練混ぜ量は、30分で使い切れる量とした。

2. 弾性ウレタン樹脂系塗床のウレタン樹脂の１回の塗布量は、２kg/m²を超えないようにした。

3. エポキシ樹脂系塗床の流しのべ工法では、塗床材の自己水平性が高いため、下地コンクリートは木ごて仕上げとした。

4. プライマー塗りにおいて、下地への吸込みが激しい部分は、プライマーを再塗布した。

〔No. 38〕 鉄筋コンクリート構造の建物内部の断熱工事に関する記述として、**最も不適当なもの**はどれか。

1. 硬質ウレタンフォーム吹付け工法において、随時吹付け厚さを測定しながら作業し、厚さの許容誤差を－5mmから＋10mmとして管理した。

2. 硬質ウレタンフォーム吹付け工法において、ウレタンフォームには自己接着性があるため、コンクリート面に接着剤を塗布しなかった。

3. 押出法ポリスチレンフォーム張付け工法において、下地面の不陸が最大3mmであったため、接着剤を厚くして調整することで不陸に対応した。

4. 押出法ポリスチレンフォーム打込み工法において、断熱材の継目にコンクリートがはみ出している箇所は、Ｖカットした後に断熱材現場発泡工法により補修した。

〔No. 39〕 外壁の押出成形セメント板横張り工法に関する記述として、**最も不適当なもの**はどれか。

1. 高湿度の環境となる部分に用いるパネル取付け金物(Zクリップ)は、溶融亜鉛めっき処理を行ったものを使用した。

2. パネルは、層間変形に対してスライドにより追随するため、縦目地を15mm、横目地を10mmとした。

3. パネル取付け金物(Zクリップ)は、パネル左右端部の位置に取り付け、下地鋼材に溶接した。

4. パネルは、積上げ枚数5枚ごとに構造体に固定した自重受け金物で受けた。

〔No. 40〕 鉄筋コンクリート構造の建築物の外壁改修工事に関する記述として、**最も不適当なもの**はどれか。

1. 小口タイル張り仕上げにおいて、タイル陶片のみ浮きが発生している部分は、浮いているタイルを無振動ドリルで穿孔して、注入口付アンカーピンニングエポキシ樹脂注入タイル固定工法で改修した。

2. 小口タイル張り仕上げにおいて、下地モルタルを含むタイル陶片の剥落欠損が発生していたため、ポリマーセメントモルタルを用いたタイル張替え工法で改修した。

3. 外壁コンクリート打放し仕上げにおいて、生じたひび割れの幅が2.0mmで挙動のおそれがあったため、可とう性エポキシ樹脂を用いたUカットシール材充填工法で改修した。

4. 外壁コンクリート打放し仕上げにおいて、生じたひび割れの幅が0.1mmで挙動のおそれがなかったため、パテ状エポキシ樹脂を用いたシール工法で改修した。

※ **問題番号〔No. 41〕から〔No. 44〕までの4問題は、全問題を解答**してください。
問題は**四肢択一式**です。正解と思う肢の番号を1つ選んでください。

〔No. 41〕 建築工事における事前調査や準備作業に関する記述として、**最も不適当なもの**はどれか。

1. 掘削深さや地盤条件に応じた山留めを設けることとしたため、隣接建物の基礎構造形式の調査を省略した。

2. 軒の高さが9mの木造住宅の解体工事計画に当たって、石綿等を含有する建材がなかったため、建設工事計画届は提出しないこととした。

3. 敷地内の排水工事計画に当たって、排水管の勾配が公設桝まで確保できるか調査することとした。

4. 請負代金が1,000万円のアスファルト舗装駐車場の撤去工事計画に当たって、再資源化施設の場所を調査することとした。

R06-42

〔No. 42〕 施工計画に関する記述として、**最も不適当なもの**はどれか。

1. 大深度の土工事において、不整形な平面形状であったため、逆打ち工法とした。

2. 土工事において、3次元の測量データ、設計データ及び衛星位置情報を活用するICT建設機械による自動掘削とした。

3. 鉄筋工事において、工期短縮のため、柱や梁の鉄筋を先組み工法とし、継手は機械式継手とする計画とした。

4. 鉄骨工事において、鉄骨の建方精度を確保するため、できるだけ大きなブロックにまとめて建入れ直しを行う計画とした。

R06-43

〔No. 43〕 施工者が作成する工事の記録等に関する記述として、**最も不適当なもの**はどれか。

1. 発注者から直接工事を請け負った建設業者が作成した発注者との打合せ記録のうち、発注者と相互に交付したものではないものは、保存しないこととした。

2. 建設工事の施工において作成した施工体系図は、元請の特定建設業者が当該建設工事の目的物の引渡しをしたときから10年間保存することとした。

3. 建設工事の施工において必要に応じて作成した完成図は、元請の建設業者が建設工事の目的物の引渡しをしたときから5年間保存することとした。

4. 設計図書に定められた内容に疑義が生じたため、監理者と協議を行った結果、設計図書の訂正に至らない事項について、記録を整備することとした。

R06-44

〔No. 44〕 工程の実施計画に関する記述として、**最も不適当なもの**はどれか。

1. 高層集合住宅のタクト手法による工程計画において、作業期間がタクト期間の2倍となる作業には、その作業の作業班を2班投入して、切れ目のない工程とした。

2. 高層事務所ビルの鉄骨建方計画において、タワークレーンによる鉄骨の取付け歩掛りは、1台1日当たり80ピースとして計画した。

3. 一般的な事務所ビルの鉄骨建方計画において、建方用機械の鉄骨建方作業での稼働時間を1台1日当たり5時間30分として計画した。

4. 一般的な事務所ビルの鉄骨建方計画において、タワークレーンの鉄骨建方作業のみに占める時間の割合を、65%として計画した。

本試験にチャレンジ !!

【2024年度　一次本試験：午後の部】

　この問題解説集は、出題分野ごとに出題をまとめて編集していますが、ここでは、具体的な本試験の出題形式を知っていただくために、昨年度の本試験問題を、出題順に掲載しています。

　解答の時間配分などの参考として下さい。

午後の部

NO.		問題項目	NO.		問題項目
45	施工管理法 6/6	品質管理	61	法規 8/12	建築基準法（手続き）
46		安全管理（振動・騒音対策）	62		建築基準法（総則）
47		安全管理（足場）	63		建築基準法（避難施設）
48		安全管理（特定元方事業者の講ずべき措置）	64		建設業法（許可）
49		安全管理（ゴンドラ）	65		建設業法（請負契約）
50		安全管理（酸素欠乏危険作業）	66		建設業法（技術者）
51	応用能力 10/10	鉄筋工事（ガス圧接）	67		労働基準法（年少者等の就業制限）
52		コンクリート工事（運搬・打込み等）	68		労働安全衛生法（安全衛生管理体制）
53		鉄骨工事（加工・組立）	69		労働安全衛生法（就業制限）
54		防水工事（塗膜防水）	70		建設リサイクル法
55		タイル工事	71		騒音規制法
56		内装工事（ボード張り）	72		道路交通法
57		仮設計画			
58		施工計画（工期・費用）			
59		品質管理（試験・検査）			
60		安全管理（労働災害）			

問　　　題

※　**問題番号**〔No. 45〕から〔No. 50〕までの**6問題**は、**全問題を解答**してください。
　問題は**四肢択一式**です。正解と思う肢の番号を1つ選んでください。

R06－45

〔No. 45〕　品質管理に関する記述として、**最も適当なもの**はどれか。

1.　品質管理は、品質計画の目標のレベルに係わらず、緻密な管理を行う。

2.　品質管理は、品質の目標値を大幅に上回る品質が確保されていれば、優れた管理といえる。

3.　品質管理は、品質計画を施工計画書に具体的に記述し、そのとおりに実施することである。

4.　品質管理は、前工程より後工程に管理の重点を置くほうがよい。

R06－46

〔No. 46〕　鉄筋コンクリート構造の建築物の解体工事における振動対策及び騒音対策に関する記述として、**最も不適当なもの**はどれか。

1.　周辺環境保全に配慮し、振動や粉塵の発生が抑えられるコンクリートカッターを用いる切断工法を採用した。

2.　内部スパン周りを先に解体し、外周スパンを最後まで残すことにより、解体する予定の躯体を防音壁として利用した。

3.　振動レベル計の指示値が周期的に変動したため、変動ごとの指示値の最大値と最小値の平均を求め、その中の最大の値を振動レベルとした。

4.　壁等を転倒解体する際の振動対策として、先行した解体作業で発生したガラを床部分に敷き、クッション材として利用した。

R06－47

〔No. 47〕 足場に関する記述として、**最も不適当なもの**はどれか。

1. くさび緊結式足場の建地の間隔は、桁行方向2ｍ、梁間方向1.2ｍとした。

2. つり足場の作業床は、幅を40cm以上とし、かつ、隙間がないようにした。

3. 移動はしごは、丈夫な構造とし、幅は30cm以上とした。

4. 移動式足場の作業床の周囲は、高さ90cmで中桟付きの丈夫な手すり及び高さ10cmの幅木を設置した。

R06－48

〔No. 48〕 特定元方事業者の講ずべき措置として、「労働安全衛生規則」上、**定められていないもの**はどれか。

1. 特定元方事業者と関係請負人との間及び関係請負人相互間における、作業間の連絡及び調整を随時行なうこと。

2. 有機溶剤等を入れてある容器を集積する箇所を統一的に定め、これを関係請負人に周知させること。

3. 関係請負人が新たに雇い入れた労働者に対し、雇入れ時の安全衛生教育を行なうこと。

4. 作業用の仮設の建設物の配置に関する計画の作成を行なうこと。

R06－49

〔No. 49〕 ゴンドラに関する記述として、「ゴンドラ安全規則」上、**誤っているもの**はどれか。

1. ゴンドラを使用して作業するときは、原則として、1月以内ごとに1回、定期に、自主検査を行なわなければならない。

2. ゴンドラを使用する作業を、操作する者に単独で行なわせるときは、操作の合図を定めなくてもよい。

3. ゴンドラを使用して作業を行なう場所については、当該作業を安全に行なうため必要な照度を保持しなければならない。

4. ゴンドラの検査証の有効期間は2年であり、保管状況が良好であれば1年を超えない範囲内で延長することができる。

〔No. 50〕 酸素欠乏危険作業に労働者を従事させるときの事業者の責務に関する記述として、「酸素欠乏症等防止規則」上、**誤っているもの**はどれか。

1. 酸素欠乏危険場所で空気中の酸素の濃度測定を行ったときは、その記録を3年間保存しなければならない。

2. 酸素欠乏危険場所では、原則として、空気中の酸素の濃度を15％以上に保つように換気しなければならない。

3. 酸素欠乏危険作業については、所定の技能講習を修了した者のうちから、酸素欠乏危険作業主任者を選任しなければならない。

4. 酸素欠乏危険作業に就かせる労働者に対して、酸素欠乏危険作業に係る特別の教育を行わなければならない。

※ 問題番号〔No. 51〕から〔No. 60〕までの10問題は**応用能力問題**です。**全問題を解答してください。**
　問題は**五肢択一式**です。正解と思う肢の番号を1つ選んでください。

〔No. 51〕 鉄筋のガス圧接に関する記述として、**最も不適当なもの**はどれか。
　　ただし、鉄筋はSD345とする。

1. 径の異なる鉄筋のガス圧接部のふくらみの直径は、細いほうの径の1.4倍以上とする。

2. 圧接継手において鉄筋の長さ方向の縮み量は、1か所当たり鉄筋径の1.0～1.5倍を見込む。

3. 同一径の鉄筋の圧接部における鉄筋中心軸の偏心量は、鉄筋径の$\dfrac{1}{5}$以下とする。

4. 圧接端面は平滑に仕上げ、ばり等を除去するため、その周辺を軽く面取りを行う。

5. 鉄筋の圧接部の加熱は、圧接端面が密着するまでは中性炎で行い、その後は還元炎で行う。

〔No. 52〕 コンクリートの運搬、打込み及び締固めに関する記述として、**最も不適当なも**
のはどれか。

1. 暑中コンクリートの荷卸し時のコンクリート温度は、35℃以下とした。

2. コンクリートの圧送負荷の算定に用いるベント管の水平換算距離は、ベント管の
   実長の3倍とした。

3. 同一区画のコンクリート打込み時における打重ねは、先に打ち込まれたコンク
   リートの再振動可能時間以内に行った。

4. 梁及びスラブの鉛直打継ぎ部は、スパンの中央付近に設けた。

5. コンクリート内部振動機(棒形振動機)による締固めにおいて、加振時間を1か所
   当たり60秒程度とした。

〔No. 53〕 鉄骨の加工及び組立てに関する記述として、**最も不適当なものは**どれか。

1. 鋼材は、自動ガス切断機で開先を加工し、著しい凹凸が生じた部分を修正した。

2. 鉄骨鉄筋コンクリート構造において、鉄骨柱と鉄骨梁の接合部のダイアフラムに、
   コンクリートの充填性を考慮して、空気孔を設けた。

3. 490N／mm²級の鋼材において、孔あけにより除去される箇所にポンチでけがき
   を行った。

4. 公称軸径が24mmの高力ボルト用の孔あけ加工は、ドリル孔あけとし、径を
   27mmとした。

5. アンカーボルト用の孔あけ加工は、板厚が13mmであったため、せん断孔あけと
   した。

〔No. 54〕 塗膜防水に関する記述として、**最も不適当なもの**はどれか。

1. ウレタンゴム系塗膜防水の絶縁工法において、立上り部の補強布は、平場部の通気緩衝シートの上に100mm張り掛けた。

2. ウレタンゴム系塗膜防水の絶縁工法において、平場部の防水材の総使用量は、硬化物比重が1.3だったため、3.9kg/m²とした。

3. ウレタンゴム系塗膜防水の絶縁工法において、通気緩衝シートの重ね幅は、50mmとした。

4. ゴムアスファルト系塗膜防水工法において、補強布の重ね幅は、50mmとした。

5. ゴムアスファルト系防水材の室内平場部の総使用量は、固形分60％のものを使用するため、4.5kg/m²とした。

〔No. 55〕 セメントモルタルによる壁タイル後張り工法に関する記述として、**最も不適当なもの**はどれか。

1. 改良積上げ張りの張付けモルタルは、下地モルタル面に塗厚4mmで塗り付けた。

2. 密着張りの張付けモルタルは、1回の塗付け面積を2m²以内とした。

3. モザイクタイル張りの張付けモルタルは、下地面に対する塗付けを2度塗りとし、1層目はこて圧をかけて塗り付けた。

4. マスク張りの張付けモルタルは、ユニットタイルの裏面に厚さ4mmのマスク板をあて、金ごてで塗り付けた。

5. 改良圧着張りの張付けモルタルは、下地面に対する塗付けを2度塗りとし、その合計の塗厚を5mmとした。

〔No. 56〕 内装工事におけるボード張りに関する記述として、**最も不適当なもの**はどれか。

1. せっこうボードを軽量鉄骨壁下地に張り付ける際、ドリリングタッピンねじの留付け間隔は、周辺部200mm程度、中間部300mm程度とした。

2. せっこうボードを軽量鉄骨天井下地に張り付ける際、ドリリングタッピンねじの長さは、下地材の裏面に5mm以上の余長が得られる長さとした。

3. せっこうボードを軽量鉄骨壁下地に張り付ける際、ボードの下端と床面の間を10mm程度浮かして張り付けた。

4. ロックウール化粧吸音板を天井せっこうボード下地に重ね張りする際、吸音板の目地は、下地ボードの目地と重ならないよう、50mm以上ずらして張り付けた。

5. 厚さ9.5mmのせっこうボードを厚さ12.5mmの壁せっこうボード下地に接着剤を用いて重ね張りする際、併用するステープルの足の長さを20mmとした。

〔No. 57〕 仮設計画に関する記述として、**最も不適当なもの**はどれか。

1. 傾斜地に設置する仮囲いの下端の隙間を塞ぐため、土台コンクリートを設ける計画とした。

2. 仮囲いは、工事現場の周辺や工事の状況により危害防止上支障がなかったため、設けない計画とした。

3. 仮囲いは、道路管理者や所轄警察署の許可を得て、道路の一部を借用して設置する計画とした。

4. 女性用便所は、同時に就業する女性労働者が45人見込まれたため、便房を2個設置する計画とした。

5. ガスボンベ類の貯蔵小屋は、通気を良くするため、壁の1面を開口とし、他の3面は上部に開口部を設ける計画とした。

〔No. 58〕 建築工事における工期と費用に関する一般的な記述として、**最も不適当なもの**はどれか。

1. 総工事費は、工期に比例して増加する。
2. 間接費は、工期の長短に相関して増減する。
3. 直接費と間接費の和が最小となるときが、最適な工期となる。
4. ノーマルタイム(標準時間)とは、直接費が最小となるときに要する工期をいう。
5. クラッシュタイム(特急時間)とは、どんなに直接費を投入しても、ある限度以上には短縮できない工期をいう。

〔No. 59〕 躯体工事における試験及び検査に関する記述として、**最も不適当なもの**はどれか。

1. フレッシュコンクリートの荷卸し地点での検査において、スランプ試験は、試料をスランプコーンに詰める際、ほぼ等しい量の3層に分けて詰めた。
2. フレッシュコンクリートの荷卸し地点での検査において、スランプ18cmのコンクリートのスランプの許容差は、±2.5cmとした。
3. フレッシュコンクリートの荷卸し地点での検査において、1回の試験における塩化物含有量は、同一試料からとった3個の分取試料についてそれぞれ1回ずつ測定し、その平均値とした。
4. 鉄筋工事のガス圧接継手の超音波探傷試験において、抜取りの1ロットの大きさは、1組の作業班が1日に施工した圧接か所とした。
5. 鉄筋工事のガス圧接継手の超音波探傷試験において、抜取りは、1ロットに対して無作為に3か所抽出して行った。

R06－60

〔No. 60〕 労働災害に関する用語の説明として、**最も不適当なもの**はどれか。

1. 労働災害とは、業務に起因して、労働者が負傷し、疾病にかかり、又は死亡することで、公衆災害は含まない。

2. 休業日数は、労働災害により労働者が労働することができない日数で、休日であっても休業日数に含める。

3. 強度率とは、労働者1,000人当たり1年間に発生した死傷者数を示す。

4. 度数率とは、災害発生の頻度を表すもので、100万延労働時間当たりの労働災害による死傷者数を示す。

5. 労働損失日数は、死亡及び身体障害が永久全労働不能の場合、1件につき7,500日とする。

※ 問題番号〔No. 61〕から〔No. 72〕までの**12問題**のうちから、**8問題**を選択し、解答してください。

なお、**8問題**を超えて解答した場合、**減点**となりますから注意してください。

問題は**四肢択一式**です。正解と思う肢の番号を**1つ**選んでください。

R06－61

〔No. 61〕 次の記述のうち、「建築基準法」上、**誤っているもの**はどれか。

1. 高さが4mを超える広告塔を設置しようとする場合においては、確認済証の交付を受けなければならない。

2. 床面積の合計が5m²の建築物を除却しようとする場合においては、当該除却工事の施工者は、その旨を都道府県知事に届け出る必要はない。

3. 防火地域及び準防火地域内に建築物を増築しようとする場合においては、その増築部分の床面積の合計が10m²以内のときは、建築確認を受ける必要はない。

4. 木造3階建ての戸建て住宅について、大規模の修繕をしようとする場合においては、確認済証の交付を受けなければならない。

〔No. 62〕 次の記述のうち、「建築基準法」上、**誤っているもの**はどれか。

1. 特定行政庁は、建築物の工事施工者に対して、当該工事の施工の状況に関する報告を求めることができる。

2. 特定行政庁は、原則として、建築物の敷地について、そのまま放置すれば保安上危険となり、又は衛生上有害となるおそれがあると認める場合、所有者に対して、その敷地の維持保全に関し必要な指導及び助言をすることができる。

3. 建築主は、延べ面積が1,000m²を超え、かつ、階数が2以上の建築物を新築する場合、一級建築士である工事監理者を定めなければならない。

4. 建築主は、軒の高さが9mを超える木造の建築物を新築する場合においては、二級建築士である工事監理者を定めなければならない。

〔No. 63〕 避難施設等に関する記述として、「建築基準法施行令」上、**誤っているもの**はどれか。

1. 小学校の児童用の廊下の幅は、両側に居室がある場合、1.8m以上としなければならない。

2. 集会場で避難階以外の階に集会室を有するものは、その階から避難階又は地上に通ずる2以上の直通階段を設けなければならない。

3. 回り階段の部分における踏面の寸法は、踏面の狭いほうの端から30cmの位置において測らなければならない。

4. 建築物の高さ31m以下の部分にある3階以上の階には、原則として、非常用の進入口を設けなければならない。

R06-64

〔No. 64〕 建設業の許可に関する記述として、「建設業法」上、**誤っているもの**はどれか。

1. 内装仕上工事等の建築一式工事以外の工事を請け負う建設業者であっても、特定建設業の許可を受けることができる。

2. 特定建設業の許可を受けようとする者は、発注者との間の請負契約で、その請負代金の額が8,000万円以上であるものを履行するに足りる財産的基礎を有していなければならない。

3. 特定建設業の許可を受けた者でなければ、発注者から直接請け負った建設工事を施工するために、建築工事業にあっては下請代金の額の総額が7,000万円以上となる下請契約を締結してはならない。

4. 建設業の許可を受けようとする者は、複数の都道府県の区域内に営業所を設けて営業をしようとする場合、それぞれの都道府県知事の許可を受けなければならない。

R06-65

〔No. 65〕 請負契約に関する記述として、「建設業法」上、**誤っているもの**はどれか。

1. 元請負人は、その請け負った建設工事を施工するために必要な工程の細目、作業方法その他元請負人において定めるべき事項を定めようとするときは、あらかじめ、注文者の意見をきかなければならない。

2. 特定建設業者は、当該特定建設業者が注文者となった下請契約に係る下請代金の支払につき、当該下請代金の支払期日までに一般の金融機関による割引を受けることが困難であると認められる手形を交付してはならない。

3. 元請負人は、下請負人に対する下請代金のうち労務費に相当する部分については、現金で支払うよう適切な配慮をしなければならない。

4. 注文者は、請負人に対して、建設工事の施工につき著しく不適当と認められる下請負人があるときは、あらかじめ注文者の書面等による承諾を得て選定した下請負人である場合を除き、その変更を請求することができる。

〔No. 66〕 工事現場に置く技術者に関する記述として、「建設業法」上、**誤っているもの**はどれか。

1. 発注者から直接建築一式工事を請け負った特定建設業者は、下請契約の総額が7,000万円以上の工事を施工する場合、監理技術者を工事現場に置かなければならない。

2. 特定専門工事の元請負人が置く主任技術者は、当該特定専門工事と同一の種類の建設工事に関し1年以上指導監督的な実務の経験を有する者でなければならない。

3. 工事一件の請負代金の額が7,000万円である事務所の建築一式工事において、工事の施工の技術上の管理をつかさどるものは、工事現場ごとに専任の者でなければならない。

4. 専任の者でなければならない監理技術者は、当該選任の期間中のいずれの日においても国土交通大臣の登録を受けた講習を受講した日の属する年の翌年から起算して5年を経過しない者でなければならない。

〔No. 67〕 次の記述のうち、「労働基準法」上、**誤っているもの**はどれか。

1. 満18才に満たない者を、原則として午後10時から午前5時までの間において使用してはならない。

2. 満18才に満たない者を、高さが5m以上の場所で、墜落により危害を受けるおそれのあるところにおける業務に就かせてはならない。

3. 満18才以上で妊娠中の女性労働者を、動力により駆動される土木建築用機械の運転の業務に就かせてはならない。

4. 満18才以上で妊娠中の女性労働者を、足場の組立て、解体又は変更の業務のうち地上又は床上における補助作業の業務に就かせてはならない。

R06-68

〔No. 68〕 建設業の事業場における安全衛生管理体制に関する記述として、「労働安全衛生法」上、**誤っているもの**はどれか。

1. 統括安全衛生責任者を選任した特定元方事業者は、元方安全衛生管理者を選任しなければならない。
2. 安全衛生責任者は、安全管理者又は衛生管理者の資格を有する者でなければならない。
3. 元方安全衛生管理者は、その事業場に専属の者でなければならない。
4. 統括安全衛生責任者は、その事業の実施を統括管理する者でなければならない。

R06-69

〔No. 69〕 労働者の就業に当たっての措置に関する記述として、「労働安全衛生法」上、**正しいもの**はどれか。

1. 事業者は、建設業の事業場において新たに職務に就くこととなった作業主任者に対し、作業方法の決定及び労働者の配置に関する事項について、安全又は衛生のための教育を行なわなければならない。
2. 就業制限に係る業務に就くことができる者が当該業務に従事するときは、これに係る免許証その他その資格を証する書面の写しを携帯していなければならない。
3. 作業床の高さが10m以上の高所作業車の運転の業務には、高所作業車運転技能講習を修了した者を就かせなければならない。
4. つり上げ荷重が5t以上の移動式クレーンの運転の業務には、クレーン・デリック運転士免許を受けた者を就かせなければならない。

R06-70

〔No. 70〕 特定建設資材を用いた次の工事のうち、「建設工事に係る資材の再資源化等に関する法律」上、分別解体等をしなければならない建設工事に**該当しないもの**はどれか。

1. 建築物の増築工事であって、当該工事に係る部分の床面積の合計が500m²の工事
2. 建築物の耐震改修工事であって、請負代金の額が8,000万円の工事
3. 擁壁の解体工事であって、請負代金の額が500万円の工事
4. 建築物の解体工事であって、当該工事に係る部分の床面積の合計が80m²の工事

〔No. 71〕 指定地域内における特定建設作業において、「騒音規制法」上、実施の届出を**必要としないもの**はどれか。

　　ただし、作業はその作業を開始した日に終わらないものとする。

1. 環境大臣が指定するものを除き、原動機の定格出力が80kW以上のバックホウを使用する作業
2. 環境大臣が指定するものを除き、原動機の定格出力が70kW以上のトラクターショベルを使用する作業
3. さく岩機の動力として使用する作業を除き、電動機以外の原動機の定格出力が15kW以上の空気圧縮機を使用する作業
4. さく岩機を使用する作業であって、作業地点が連続的に移動し、1日における当該作業に係る2地点間の距離が50mを超える作業

〔No. 72〕 政令で定める積載物の重量や大きさ等の制限を超えて車両を運転する際の対応として、「道路交通法」上、**誤っているもの**はどれか。

1. 制限外許可証は、当該車両の出発地を管轄する警察署長から交付を受ける。
2. 積載した貨物の長さが制限を超えたときは、昼間にあっては、その貨物の見やすい箇所に、白い布をつける。
3. 積載した貨物の長さ又は幅が制限を超えたときは、夜間にあっては、その貨物の見やすい箇所に、反射器をつける。
4. 積載した貨物の幅が制限を超えたときは、夜間にあっては、その貨物の見やすい箇所に、赤色の灯火をつける。

解　　説

〔No.　1〕　正答───3

1. 2.　一酸化炭素濃度は、6 ppm（0.0006％）以下二酸化炭素濃度（含有率）は、1,000ppm（0.1％）以下である。

3. 4.　室内の気候条件は下表の範囲が適当である。

温度18〜28℃	相対湿度40〜70％	気流0.5m／sec以下

〔No.　2〕　正答───3

　熱貫流率Kとは、熱貫流抵抗R_tの逆数として求められ、室内側及び屋外側の表面での熱伝達と壁面を構成している各部材の熱伝導を含む、壁体全体の単位面積当たりの伝熱の割合である。

$$R_t = \frac{1}{K} = \frac{1}{\alpha_i} + \left(\frac{d_1}{\lambda_1} + \frac{d_2}{\lambda_2} \cdots\cdots + \frac{d_n}{\lambda_n} \right) + \frac{1}{\alpha_0} \ (\mathrm{m}^2 \cdot \mathrm{K/W})$$

R_t：熱貫流抵抗　　　　　K：熱貫流率

α_i：室内側の熱伝達率　　α_0：室外側の熱伝達率

d：壁体各部の厚さ　　　λ：壁体各部の熱伝導率

$\dfrac{d_1}{\lambda_1} \sim \dfrac{d_n}{\lambda_n}$：壁体各部の熱伝導抵抗

題意より、$\alpha_i = 0.111$　　$d/\lambda = 0.094$　　$1/\alpha_0 = 0.043$

$R = 0.111 + 0.094 + 0.043 = 0.248$

$K = 1/0.248 \fallingdotseq 4.0 \ [\mathrm{W/(m \cdot K)}]$

〔No. 3〕 正答——— 4

1. 梁の主筋はD13以上の異形鉄筋とし、その配置は、特別な場合を除き2段以下とする。また、主筋の断面積の合計は、コンクリート断面積の0.8%以上とする。

2. 梁のあばら筋や柱の帯筋は、ともにせん断力に抵抗させるために、主筋に直角に配置する。ともに直径9mm以上の丸鋼、またはD10以上の異形鉄筋とする。また、せん断補強筋比（あばら筋比もしくは帯筋比）は、0.2%以上としなければならない。

3. 梁のあばら筋（せん断補強筋）の間隔は、直径9mmの丸鋼又はD10の異形鉄筋を用いる場合、梁せいの1／2以下、かつ、250mm以下とする。

4. 梁に2個以上の貫通孔を設ける場合、孔径は、梁せいの1／3以下とし、孔の中心間隔は孔径の3倍以上とすることが望ましい。

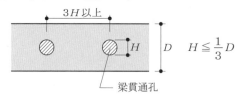

〔No. 4〕 正答——— 1

1. 圧密沈下の許容値（限界値）は、独立基礎の場合5cm、べた基礎の場合15cmとされており、独立基礎の方がべた基礎より小さい。

2. 直接基礎の滑動抵抗は、基礎底面の摩擦抵抗が主体となり、基礎の根入れを深くすることで、地盤面からより深くなり、基礎側面の受動土圧も期待できる。

3. 地盤の許容応力度は、所定の算定式により求めることができるが、基礎底面の形状が正方形と長方形では、形状係数が異なるので、許容応力度も異なる。

4. 圧密沈下が生じる可能性がある地盤では、不同沈下のおそれがある。独立フーチング基礎の基礎梁を剛強にすることは、建築物の不同沈下を防ぐ上で効果的である。

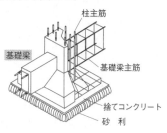

〔No. 5〕 正答──── 3

　スリーヒンジラーメンは、両方の支点がともに「ピン支点」なので、合計 4 つの反力を持つ。

　図のように鉛直反力V_A、V_B、水平反力H_A、H_Bを仮定する。

　これが、力のつり合い条件となり、さらに中間にあるヒンジ(C点)が回転に抵抗できないためモーメントは 0 になる。

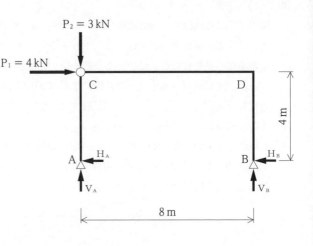

●$\Sigma M_A = 0$より、

$-V_B \times 8\,m + 4\,kN \times 4\,m = 0$

$8\,V_B \cdot m = 16\,kN \cdot m$

$V_B = 2\,kN$

●$\Sigma M_C = 0$（右側）より、

$-V_B \times 8\,m + H_B \times 4\,m = 0$

$4\,H_B \cdot m = V_B \times 8\,m$

$4\,H_B \cdot m = 2\,kN \times 8\,m$

$4\,H_B \cdot m = 16\,kN \cdot m$

$\therefore H_B = 4\,kN$

〔No. 6〕 正答──── 2

1.　強化せっこうボードは、ボードの芯材に無機質繊維等を混入し、性能項目として耐衝撃性や耐火炎性等が規定されている。

2.　パーティクルボードは、木材などの小片を主な材料として、接着剤を用いて成形熱圧した板で、下地材、造作材などに使用される。

3.　コルク床タイルは、主原料にコルク粉、粘結材にウレタン又はアクリル樹脂で加工した床タイルである。

4. クッションフロアは、発泡複層ビニル床シートに比較し、密度が小さく単位面積当たりの重量が軽い。発泡層を有しているため、断熱性に優れ、主に、住宅の台所、洗面所、トイレなどの水回りに使用される。

〔No. 7〕 正答 ―― 2
1. 第3種機械換気方式は、自然給気と機械排気による換気方式で、室内は負圧になるので、汚染室に適し、浴室・便所・湯沸室・コピー室等に用いられる。

第1種換気方式　　　　第2種換気方式　　　　第3種換気方式

2. 温度の高い空気は密度が小さいため上昇し、温度の低い空気は下降するため、温度差による換気量は、流入口と流出口との高低差が大きいほど多くなる。
温度差換気(重力換気)の基本式は、次式で示される。

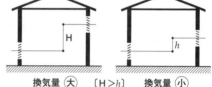

換気量 大　〔H>h〕　換気量 小

$$Q_g = \alpha \cdot A \sqrt{2gh\left(\frac{t_i - t_o}{273 + t_i}\right)}$$

Q_g：温度差による換気量　　　h：上下開口部の中心間の垂直距離
α：流量係数　　　g：重力加速度
A：開口部面積　　　t_i：室温　　　t_o：外気温

したがって、換気量は室内外温度差の平方根および上下開口部の中心部相互の垂直距離(h)の平方根に比例する。

3. 温度差換気において、室内外の気圧の差が等しくなる位置(高さ)を中性帯という。上下の開口部の大きさが異なる場合には、開口部の大きさが等しいときよりも、中性帯は大きい開口部のほうに近づく。これは、大きい開口部の位置での内外圧力差が小さくなることによる。

307

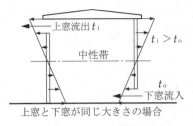 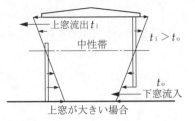

| 上窓と下窓が同じ大きさの場合 | 上窓が大きい場合 |

開口部の大きさと中性帯の位置

4. 室内の空気が1時間に入れ替わった回数を換気回数といい、1時間の換気量をその室の容積で除した値である。

$$換気回数〔回/h〕 = \frac{1時間の換気量〔m^3/h〕}{室の面積〔m^3〕}$$

〔No. 8〕 正答—— 3

1. 音圧レベルや音の強さのレベルが等しくても、周波数が異なれば人の耳に聞こえる「音の大きさ(ラウドネス)」は変化し、一般に、周波数が1,000Hz程度の高音のほうが、100Hz程度の低音よりも大きく聞こえる。

2. 残響時間とは、音源が停止した瞬間の音圧レベルから60dB減衰するのに要する時間をいう。

3. 音の強さは、音源の出力の大きさに比例し、点音源からの距離の2乗に反比例する。図に示すように、1つの点音源からの距離が2倍になると、音の拡散する面積が4倍となるため音の強さが1/4となり、音の強さのレベルは6dB減少する。

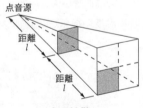

音の拡散

4. 聞こうとしている音が、それ以外の音の影響によって聞きにくくなる現象をマスキング現象という。一般に、暗騒音(バックグラウンドノイズ:特定の音を対象として考える場合、その場所における対象音以外の全ての騒音)が大きいほど、また、目的音の周波数に近いほど、マスキング効果は大きくなる。

〔No. 9〕 正答───4

1. 耐震壁等の耐震要素を、可能な限り各階での剛性をできるだけ均一化する。平面上では、耐震壁等をバランスよく配置する。平面上の中心部に集中して配置するよりも外側に均一に配置したほうが耐震要素は高まる。

2. 壁に小さな開口がある場合でも、開口補強筋により補強することで、耐震壁として扱うことができる。

3. 垂れ壁や腰壁があると、支点間距離の短い短柱となり、地震時に水平力が集中するので、せん断破壊を起こしやすくなる。そのため、柱と壁の間にスリット等を設ける。

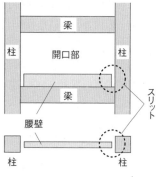

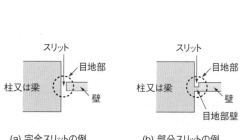

(a) 完全スリットの例　　　　(b) 部分スリットの例

4. 柱の軸方向圧縮応力度が大きい場合、地震力に対して変形能力が小さくなり、脆性破壊の危険性が高くなるため、軸方向圧縮応力度を小さくして、柱のじん性を高める。

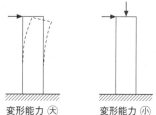

〔No. 10〕 正答 —— 3

1. 柱頭が水平移動するラーメンの柱材の座屈長さは、支点間距離より短くはならない。
2. 梁のたわみδは、以下の式で求められる。

$$\delta = C \times \frac{Pl^3}{EI}$$

   C：支点と荷重の状況によって定まる定数　　P：荷重　　l：スパン長さ

   E：ヤング係数　　I：断面二次モーメント

   梁の材質をSN400からSN490に変える（高強度の鋼材を用いる）と強度は異なるが、たわみなどの弾性変形を小さくする効果はない。したがって、部材断面と荷重条件が同一の場合、**梁のたわみは同一**である。
3. 鉄骨造の柱脚の形式には、露出形式、根巻き形式、埋込み形式があり、構造計算上、露出形式はピン支点、根巻き形式は半固定支点、埋込み形式は固定支点としている。柱脚に高い拘束力があるのは、埋込み形式である。

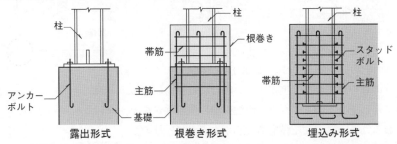

4. トラス構造は、一般に、各節点がピンで接合され、各部材が三角形を構成する構造で、引張りや圧縮の軸力のみを伝達するものである。

〔No. 11〕　正答 —— 4

座屈荷重P_kは、次式から求める。

$$P_k = \frac{\pi^2 EI}{l_k{}^2}$$

π：円周率（定数）　　　E：ヤング係数

I：断面二次モーメント

l_k：座屈長さ（支持条件により図のように決められている）

座屈長さl_k（l：材長）

移動に対する条件	拘　　　　束			自　　　由		1端自由他端固定
回転に対する条件	両端ピン	両端固定	1端ピン他端固定	両端固定	1端ピン他端固定	
座屈形						
l_k 理論値	l	$0.5l$	$0.7l$	l	$2l$	$2l$

1）座屈長さl_kを求める

角形鋼管柱は両端固定、水平移動が拘束されているから、座屈長さl_kは0.5Lとなる。

$l_k = 0.5\mathrm{L} = 0.5 \times 10\mathrm{m} = 5\,\mathrm{m}$

$= 5 \times 10^3\,(\mathrm{mm})$

2）座屈荷重P_kを求める

$$P_k = \frac{\pi^2 EI}{l_k{}^2}$$

$$= \frac{\pi^2 \times (2 \times 10^5) \times (3 \times 10^8)}{(5 \times 10^3)^2}\ (\mathrm{N})$$

$$= \frac{6 \times 10^5 \times 10^8}{25 \times 10^6}\,\pi^2\,(\mathrm{N})$$

$$= \frac{600 \times 10^5 \times 10^6}{25 \times 10^6}\,\pi^2\,(\mathrm{N})$$

$$= 24 \times 10^5\,\pi^2\,(\mathrm{N})$$

$$= 2{,}400 \times 10^3\,\pi^2\,(\mathrm{N})$$

$$= 2{,}400\,\pi^2\,(\mathrm{kN})$$

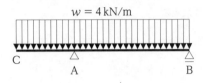

●それぞれの荷重ごとに分けて考える

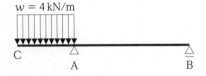

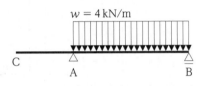

●C〜A間の等分布荷重 による
　曲げモーメント図

$$M_A = \frac{wl^2}{2}$$

$$= \frac{4\,\text{kN/m} \times (2\,\text{m})^2}{2}$$

$$= 8\,\text{kN·m}$$

●A〜B間の等分布荷重 による
　曲げモーメント図

$$M_{AB中央} = \frac{wl^2}{8}$$

$$= \frac{4\,\text{kN/m} \times (4\,\text{m})^2}{8}$$

$$= 8\,\text{kN·m}$$

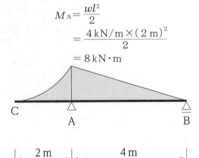

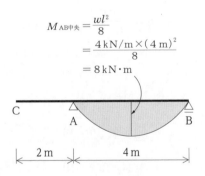

●2つの曲げモーメント図を重ね合わせる

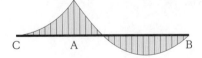

〔No. 13〕 正答 ── 2

1. 鋼材は、炭素量を増すと引張強度と硬度は増加するが、じん性や伸びは低下する。
2. B種及びC種は、溶接合することを目的に改善されたもので、炭素当量の上限が規定されている。
3. 鋼材の材質を変化させるための熱処理には、焼入れ、焼戻し、焼ならし、焼なましなどの方法がある。
4. 低降伏点鋼は、添加元素を極力低減した純鉄に近いものであり、従来の軟鋼に比べ強度が低く、延性が極めて高い鋼材で、制振装置に使用される。

〔No. 14〕 正答 ── 2

1. 混和材としての消石灰は、こて伸びを良くし、平滑な面が得られ、セメントモルタルも貧調合にすることができるため、収縮によるひび割れを少なくすることができる。
2. ドロマイトプラスターはそれ自体に粘性があるため、のりを必要としない。
3. 合成樹脂系混和剤の水溶性樹脂としてはメチルセルロース(MC)などがあり、白色微粉末でセメントモルタルなどに添加すると水量を減らすことができ、貧調合でも作業性がよく、吸水の大きい下地への使用、平滑な下地面の処理に用いる。
4. 適切な粒度分布を持った細骨材は、セメントモルタルの乾燥収縮やひび割れを抑制する効果がある。

〔No. 15〕 正答 ―― 4

　スイングドアセットとは、主に枠の面外に戸が移動する開閉形式のドアセットで、スライディングドアセットとは、主に枠の面内を戸が移動する開閉形式のドアセットである。ドアセットの用途に応じて下表に示す性能項目から必要な項目を選定して適用する。

検 査 項 目

性能項目	スイングドアセット	スライディングドアセット
ねじり強さ	◎	－
鉛直荷重強さ	◎	－
開閉力	◎	◎
開閉繰り返し	◎	◎
耐衝撃性	◎	－
耐風圧性	○	○
気密性	○	○
水密性	○	○
遮音性	○	○
断熱性	○	○
日射熱取得性	○	○
面内変形追随性	○	－

◎：必須の性能項目　　○：用途に応じて必要な等級を適用　　－：適用しない

〔No. 16〕 正答────2

1. 直接水準測量は、レベルと標尺を用いて、地上の2点間の高低差を求めるものである。

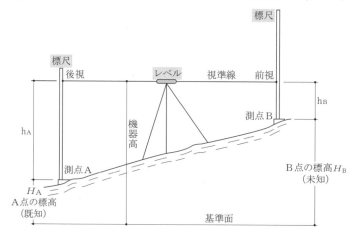

2. スタジア測量は、トランシットと標尺を利用して、間接的に水平距離と高低差を同時に求めるものである。

3. 代表的な間接水準測量の方法としては、2点間の鉛直角と水平距離または斜距離を測定し、三角法により高低差を求める三角水準測量があるが、直接水準測量より測定精度がかなり低くなる。直接水準測量を行うことができない渡海水準測量や渡河水準測量などで行われている。

4. 全地球測位システムなどの衛星測位システムを用いて、地上の位置関係を求める測量作業。角度や距離を測る光学機器による測量と比べ、観測点間の見通しが不要で、天候にも左右されないため、効率的に実施できる。

〔No. 17〕 正答────1

1. 高さ20mを超える建築物には、有効な避雷針を設けなければならない（周囲の状況によって安全上支障のない場合を除く）。

2. 避雷設備の構造は、雷撃によって生ずる電流を建築物に被害を及ぼすことなく安全に地中に流すことができるものとしなければならない。

3. 接地極は、建築物を取り巻くように環状に配置する場合、0.5m以上の深さで壁から1m以上離して埋設する。

4. 引下げ導線システムには、避雷導体によって直接接続するものや、建築物等の鉄骨や鉄筋を利用する構造体利用引下げ導体がある。

〔No. 18〕　正答 ─── 4

1. 空気調和機は、温湿度を調整した空気を室に送る機器で、エアフィルタ、空気冷却器、空気加熱器、加湿器、送風機で構成されている。

2. 冷却塔は、冷凍機内で温度上昇した水を空気と直接接触させて、冷却水の一部の蒸発による気化熱を用いて、残りの冷却水の水温を下げる装置である。

3. 二重ダクト方式は、冷風、温風を2系統のダクトに送り、末端の混合ボックスにより冷風と温風を混合調節して吹き出し、室温を制御する方式である。

4. ファンコイルユニット方式の2管式は、基本的に中央制御で、室ごとに温度調整はできるが、冷暖房同時運転はできない。

〔No. 19〕　正答 ─── 4

1. 不活性ガス消火設備は、二酸化炭素や窒素等の不活性剤を空気中に放出することにより、酸素濃度の希釈作用による窒息効果と気化時の熱吸収作用による冷却効果で消火する。

2. 開放型スプリンクラー設備は、ヘッド部分に感熱部がなく、散水口が常時開放しており、起動弁の操作(火災感知器連動または手動)により一斉開放弁を開いて散水する方式である。

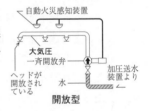
開放型

3. 泡消火設備は、燃焼物を空気又は炭酸ガスを含む泡で覆い、空気を遮断し、窒息と冷却効果で消火するもので、引火点の低い油類による火災の消火に適している。

4. 設問は、連結散水設備の記述である。連結散水設備は、散水ヘッドを消火活動が困難な場所に設置する。例えば、地下街や地下階で火災が発生すると、煙が充満して消火活動が困難な場所に設ける。連結送水管は、消防隊専用の消火設備で、消防隊が高層階や地下街にホースを延長する作業にかえて、各階の放水口まであらかじめ送水管を配管しておき、消防ポンプ車が送水口から送水することにより、放水口にホース、ノズルが接続され消火活動を行う。

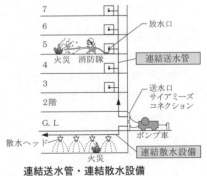
連結送水管・連結散水設備

〔No. 20〕 正答 —— 3

　安全標識、消火設備等の施設の設置、交通誘導・安全管理等の要員、隣接物の養生などに要する費用(環境安全費)は、「共通仮設費」に含まれる。

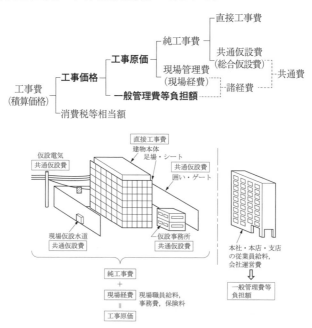

〔No. 21〕 正答 —— 3

1. 乗込みスロープの勾配は、急になると工事用機械や車両の出入りに支障を生じるおそれがあるので、1/10～1/6程度とする。

2. 構台の幅員は、施工機械や乗り入れる車両の大きさ、車両の使用状況や進行頻度等を考慮して、4～10mとするが、幅が狭いときは、車両が曲がるための隅切りを設ける。最小限1車線で4m、2車線で6m程度は必要である。最近の大規模掘削では、8mや10mの幅員の乗入れ構台が設けられるようになった。

3. 乗入れ構台の支柱の位置は、基礎梁、柱、梁などの位置と重ならないように配置し、間隔は3～6m程度とする。

4. 山留めの切梁支柱と構台支柱を兼用する場合、切梁から伝達される荷重に乗入れ構台の自重と、その他の積載荷重を合せた荷重の安全性を構造計算で確認し施工する。

1. 圧密試験とは、供試体に荷重を加え、その圧縮状態から土の沈下性状(圧縮指数、圧密係数等)を求める試験である。この試験から求められる圧縮性と圧密速度から、粘性土地盤の沈下量と沈下時間の推定に利用される。

2. 三軸圧縮試験は、圧密時とせん断時の排水条件及び隙間水圧の測定を組み合わせて、原位置の状態に近い条件で試験を行い、土の強度・変形特性を求める試験である。粘性土のせん断強さを求めることができる。

3. 透水係数は、土中の自由水の移動のしやすさ、すなわち透水性の大小を表すもので、一般には揚水試験(多孔式透水試験)やボーリング孔を利用した透水試験を実施して求める。

4. 粒度試験は、土の粒度組成を数量化し、土を構成する土粒子粒径の分布状態を把握する試験である。この試験の結果から、土質分類、液状化判定のための指標に利用でき、透水係数の推定、締固め特性の判定などに利用される。

1. ソイルセメント柱列山留め壁は、比較的山留め壁の剛性・止水性に優れているので、地下水位が高い砂層地盤や砂礫地盤から軟弱地盤まで広い範囲に適している。

2. ソイルセメント山留め壁は、掘削撹拌(かくはん)機や回転チェーンカッター機により、原位置土とセメント系懸濁液を混合かく拌してソイルセメントを造成する止水性のある山留め壁で、ソイルセメントだけで造る場合と、その中にH形鋼・鋼管などの応力材を挿入する場合がある。掘削・撹拌(かくはん)を行うための通りやレベルの確認はガイド定規を敷設して行う。標準の掘削・かく拌速度は表のとおりである。

標準掘削・撹拌速度

土質	掘削・撹拌速度(m/min)	引き上げ撹拌速度(m/min)
粘性土	0.5〜1.0	
砂質土	0.1〜1.5	
砂礫土		1〜2
粘土および特殊土	現場状況による	

3. 設問のとおり。なお、先行削孔併用方式とは、始めに単軸機で一定間隔に先行掘削し、その後多軸機により先行部分とオーバーラップさせて施工する方式をいう。

4. ソイルセメントの一軸圧縮試験による圧縮強度は、土全体の粗粒分が大きいほど大きくなる。

〔No. 24〕 正答——— 1

1. 鉄筋かごの主筋と帯筋は、原則として、鉄線で結束する。また、帯筋の継手は、片面10d以上のフレア溶接とする。

2. アースドリル工法の掘削深さは、検測テープにより深度を検測する。その場合、孔底の4箇所以上で行う。

3. 杭頭部の余盛りの高さは、孔内水が多い場合には800mm以上、少ない場合には500mm以上とする。

4. リバース工法の2次スライム処理は、一般的には、トレミー管とサクションポンプを連結してスライムを吸い上げて排出する方法か、水中ポンプによる方法がある。

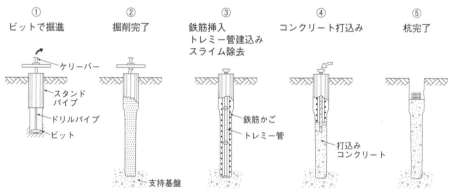

① ビットで掘進　② 掘削完了　③ 鉄筋挿入 トレミー管建込み スライム除去　④ コンクリート打込み　⑤ 杭完了

ケリーバー／スタンドパイプ／ドリルパイプ／ビット／支持基盤／鉄筋かご／トレミー管／打込みコンクリート

リバースサーキュレーション工法

〔No. 25〕 正答——— 1

1. 主筋等の継手の重ね長さは、径の異なる主筋等を継ぐ場合、細い方の径を用いて算定する。

2. 太径の異形鉄筋の重ね継手は、かぶり部分のコンクリートの割裂を伴いやすいので、D35以上の異形鉄筋には原則として重ね継手を設けてはならない。

3. 180°に限らず、フック付き重ね継手の長さは、鉄筋の折曲げ開始点間の距離とし、折曲げ開始点以降のフック部は継手長さに含まない。

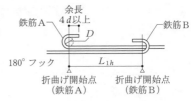

フック付き重ね継手の長さ L_{1h}

4. 梁主筋の重ね継手は、水平重ね、上下重ねのいずれでもよいが、重ね部分のかぶり厚さが一方に偏らないように注意する。

〔No. 26〕 正答 ―― 2

1. 等価材齢換算式とは、コンクリートの圧縮強度に応じて、基礎、はり側、柱及び壁のせき板を取り外す場合の当該コンクリート強度の確認方法として、従来、実施してきたJISによる方法に加えて、コンクリートの温度の影響を等価な材齢に換算した式により計算する方法。

2. 型枠架構のたわみの計算条件は、単純支持で計算したものと両端固定で計算したものの平均値とすることを基本とする。ただし、せき板に合板を用いる場合は転用などによる劣化のため、剛性低下を考慮し、安全側となる単純支持とする。

3. 各部材の許容たわみは3 mm以下とするが、できれば計算上のたわみ設定は2 mm以下を目安とすることが望ましい。

4. 型枠に作用する鉛直荷重のうち、打込み時の鉄筋、コンクリート及び型枠の自重は固定荷重に相当し、型枠の計算に用いる普通コンクリートの重量は、一般の場合、鉄筋を含んだ単位容積重量を23.5 kN/m³と考えてよい。また、鉄筋の単位容積重量は1.0 kN/m²、型枠の重量は0.4 kN/m²と考えてよい。

〔No. 27〕 正答 ——— 1

1. コンクリートは、早強ポルトランドセメントを用いた場合は、普通ポルトランドセメントを用いた場合より湿潤養生の期間を短くすることができる。

湿潤養生の期間

計画供用期間の級 / セメントの種類	短期 および 標準	長期 および 超長期
早強ポルトランドセメント	3日以上	5日以上
普通ポルトランドセメント	5日以上	7日以上
その他のセメント	7日以上	10日以上

2. 湿潤養生の開始時期に関しては、コンクリート上面ではブリーディング水が消失した時期以降にコンクリートが乾燥の影響を受けるので、湿潤養生はこの時期から開始するのがよい。

3. コンクリートの凝結終了後に行う湿潤養生には、連続又は断続的に散水又は噴霧を行い、水分を供給する方法の他、いくつかの方法があるが、打込み後のコンクリートが、透水性の小さいせき板で保護されている場合は、湿潤養生と考えてもよい。

4. マスコンクリートの表面ひび割れ低減のため、部材表面部の急激な冷却防止対策として、保温養生を行うことがある。保温養生の例として、保温性の良い型枠の使用、部材表面部を断熱材、シート、水などによって覆うことなどがある。

〔No. 28〕 正答 ——— 2

1. スライド工法は、地上及び一部分にステージを組み、ステージ上でその範囲内の大きさに屋根鉄骨を組立て、組立てられた屋根鉄骨を軒梁などに沿って移動し、それに接続し後方の屋根鉄骨を組立てる。以後この作業を繰り返し全体のトラス組立てを完了させる。

2. 移動構台工法は、移動構台上で所定の部分の屋根鉄骨を組み立てたのち、構台を移動させ、順次架構し構築することで、工期短縮、コストダウン、危険作業の減少などにつながる工法である。屋根鉄骨は移動させない。

3. ブロック工法は、地組みした所定の大きさのブロックを、クレーン等で吊り上げて架構を構築する工法である。

4. 吊上げ・押上げ方式（リフトアップ・プッシュアップ方式）とは、大空間の建物等で、あらかじめ地上で組み立てた構造物を、ジャッキなどの装置を用いて鉛直方向に吊り上げ、あるいは押上げで架構する方式である。

〔No. 29〕 正答 ── 3

1. アンカーボルトのコンクリートへの埋込み長さは250mm以上とし、アンカーボルトの先端は、土台の上端よりナットの外にねじが3山以上出るように固定する。

2. 接合に用いるラグスクリューの締付けは、その先穴にレンチなどで回しながら挿入する。ハンマーなどで打込んではならない。

3. ラグスクリューの胴部の孔あけは、胴部径と同径とし、その長さは胴部長さまでとする。

4. ボルトの締め付けは、ボルトに適切な引張力が生じるように行い、通常、座金が木材にわずかにめり込む程度とする。なお、工事中、木材の乾燥収縮により緩んだナットは締め直す。

〔No. 30〕 正答 ── 4

1. 工事用エレベーターには、次第ぎき非常止め装置を設けなければならない。ただし、定格速度が0.75メートル毎秒以下のエレベーターにあっては、早ぎき非常止め装置とすることができる。早ぎき非常止め装置は、それぞれの異常を感知すると同時に作動し、ほぼ瞬時にかごを停止させる。ただし高速のエレベーターを瞬時に停止させると、かごへの衝撃が大きいため、この装置は低速エレベーターに限って取り付けられる。高速のエレベーターには、制動力を徐々に高め、一定速度以下に減速させてから制動力を一気に高めて停止させる次第ぎき非常止め装置が取り付けられる。

2. クレーンでジブを有しないものの定格荷重とは、つり上げ荷重からフックやグラブバケット等のつり具重量に相当する荷重を除いた荷重をいう。

3. ゴンドラの積載荷重は、下記のとおり。

 ・アームを有するゴンドラ：アームを最小の傾斜角にした状態において、その構造上作業床に人又は荷をのせて上昇させることができる最大荷重

 ・アームを有しないゴンドラ：その構造上作業床に人又は荷をのせて上昇させることができる最大荷重

4. ロングスパン工事用エレベーターは、次の安全装置を備えなければならない。

①搬器の昇降を知らせるための警報装置

②搬器の傾きを容易に矯正できる装置

③搬器の傾きが1/10の勾配を超えないうちに動力を自動的に遮断する装置

④遮断設備が設けられているものにあっては、遮断設備が閉じていない場合には、搬器を昇降させることができない装置

⑤走行式のものにあっては、搬器を最下部に下げた状態でなければ走行させることができない装置

〔No. 31〕 正答──── 3

1.4. シート防水は、合成ゴム系または合成樹脂系シート1層で防水層をつくる工法で、シートの接合幅は、表による。

シート相互の接合幅(mm)

シート種類	平場	平場・立上り
加 硫 ゴ ム 系	100	150
塩 化 ビ ニ ル 樹 脂 系	40	40
エチレン酢酸ビニル樹脂系	100	100

また、原則として水上側のシートが水下側のシートの上になるように張り重ねる。

2. 塩化ビニル樹脂系シート防水接着工法では、シート相互の接合部は、熱風融着又は接着剤により行う。

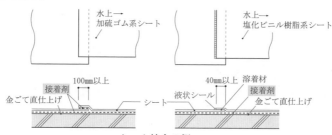

シート接合の例

3. 塩化ビニル樹脂系シートは、出入隅角にはシートに切込みを入れて張り付けるため、シートの張付け後、その上に成形役物を張り付け、水密性を確保する。

〔No. 32〕 正答 —— 4

1. 固定釘は、屋根材の材質に適したものを用い、釘と屋根材との間に異種金属間の電食が極力起こらないようにする。塗装溶融亜鉛めっき鋼板を用いた金属板葺きの留付け用くぎ・固定ボルト・ドリリングねじは、亜鉛めっき製を使用する。

2. 通し吊子をマーキングに合わせて、平座金を付けたドリリングタッピンねじで、下葺、野地板を貫通させ、母屋に固定する。

3. 横葺の葺板の継手位置は、目違い継ぎ、一文字継ぎ、廻し継ぎとし、直線継ぎは施工性(雨水の排水)が悪いので、使用しない。

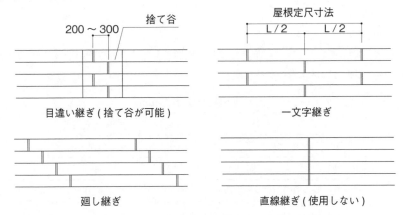

葺板の継手位置

4. 平葺の葺板の周囲四辺ははぜを付ける。上はぜは15mm、下はぜは18mm程度とする。

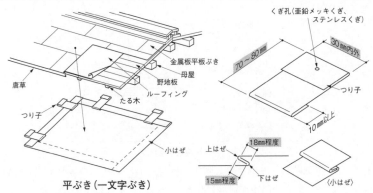

〔No. 33〕 正答——— 1

1. 垂直方向の補強材は、床から梁下またはスラブ下に達する長さのものとする。補強材の上下端部は、あと施工アンカーなどで固定した取付け用金物に溶接又はボルトの類で取り付ける。

2. 壁張りに適用するスタッドは、金属板張りの場合を除き、4.0mを超え4.5m以下の高さの場合は90形を用いる。

3. スペーサーは、スタッドの強度を高め、ねじれを防止し、振止めを固定するために用いる。スペーサーは各スタッドの端部を押さえ、間隔600mm程度に留め付ける。

4. スタッドがコンクリート壁等に添え付く場合は、ランナーと同様に、振れ止め上部(間隔約1.2m程度)を打込みピン等で固定する。

〔No. 34〕 正答——— 3

1. 下地調整塗材以外の下地調整材には、合成樹脂系シーラー及び合成樹脂パテがある。なお、合成樹脂系シーラーは、仕上塗材の下塗材で代用できる場合は省略することができたり、合成樹脂エマルションパテは外部に使用できないなどの適用条件がある。

2. ALCパネル面の下地調整は、合成樹脂エマルションシーラーを全面に塗り付ける。屋外は、仕上塗材の製造所の仕様により下地調整材C-1又は下地調整材Eを全面に塗り付けて、平滑にする。

3. 4. 防水形複層塗材E(凸部処理、凹凸模様／吹付け)

種類	呼び名	仕上げ形状	工法	所要量(kg/m²)	塗り回数
複層仕上塗材	防水形複層塗材E	凸部処理凹凸模様	下塗材	0.1〜0.3	1
			増塗材	0.9〜1.2	1
			主材基層	1.7〜2.0	2
			主材模様	0.9〜1.2	1
			上塗材	0.25〜0.35	2

3.の主材の基層塗りは、所要量を1.7〜2.0kg/m²とし、2回塗りとする。

〔No. 35〕　正答 —— 2

1. 外部建具周囲の充填モルタルに海砂を用いる場合は、NaCl換算0.04％以下まで除塩したものを使用する。

2. 建具枠のアンカーは、枠を確実に固定できる構造とし、枠の隅より150mm内外を端とし、間隔は500mm以下に取り付ける。

3. 水切りと下枠との取合いは、建具枠まわりと同一のシーリング材を用いる。

4. 建具の隅の収まりは、一般に、素材を仕口の形に合わせて加工し、突付け、小ねじ留めとしている。突付け部は、漏水防止のためのシーリング材またはシート状の止水材を使用する。

〔No. 36〕　正答 —— 4

1. アクリル樹脂系非水分散形塗料塗りにおいて、下塗り、中塗り、上塗りは同一材料を使用し、塗付け量はそれぞれ0.10kg/m²とする。

2. 常温乾燥形ふっ素樹脂エナメル塗りの下塗りにおいて、塗装方法は、はけ塗り、ローラーブラシ塗り若しくは吹付け塗りとする。

3. ２液形ポリウレタンエナメル中塗り後から上塗りの標準工程間隔時間は、16時間以上７日以内である。

4. 合成樹脂エマルションペイント塗りは、水系塗料であり、水による希釈が可能で加水して塗料に流動性をもたせる。（有機溶剤で希釈は不可）

〔No. 37〕　正答 —— 3

1. エポキシ樹脂塗り床の主剤と硬化剤などの１回の練混ぜ量は、使用する材料が通常30分以内に使い切れる量とする。夏期は硬化反応が早くなるので、これよりも短時間に可使時間を設定する。

2. ウレタン樹脂の１回の塗付け量は、２kg/m²以下とする。これを超える場合は、塗り回数を増やす。

3. 流しのべ工法は、調合した流しのべ材（エポキシ樹脂ペースト）を下地塗布面に金ごてなどで１〜３mm程度の厚みに塗布し、材料の自己流動性で平滑な塗膜を得る工法で、仕上がり面が平滑で安全な樹脂塗膜であることから、性能上の特長として耐薬品性、耐摩耗性、清潔性、美観性に優れている。

4. プライマーの吸込みが激しく塗膜を形成しない場合は、全体が硬化した後、吸込みが止まるまで数回にわたり塗る。

〔No. 38〕　正答────1

1. 吹付け作業は、総厚さが30mm以上の場合は多層吹きとし、各層の厚さは各々30mm以下とする。随時、厚さを測定しながら作業し、吹付け厚さの許容誤差は0から＋10mmとする。

2. 硬質ウレタンフォーム吹付け工法の現場発泡断熱材は、自己接着性があるので接着剤は必要ない。

3. 断熱材張付け工法において、下地面の不陸が、数mm程度であれば接着剤を厚くして調整する。調整可能な不陸は、長さ2m当たり3mm程度以下である。

4. 型枠取外し後、継目の中にコンクリートがはみ出しているときは、断熱材現場発泡工法によりそのまま補修する。ただし、継目の隙間が大きい場合にはVカットしたうえで補修する。

〔No. 39〕　正答────4

1. 取付け金物の表面処理は、電気亜鉛めっき処理を原則とする。ただし、常に湿度が高い環境や雨水が掛かる屋外に暴露した所に用いる場合は、溶融亜鉛めっき処理等を行う。

2. パネル相互の目地幅は、縦張り工法でも横張り工法でも、短辺の方を大きな目地幅とする。縦張り工法の場合は、縦目地幅より横目地幅の方を大きくする。

	A種	B種
工　法	パネル四隅の取付け金物で支持部材に取り付け、躯体の層間変位に対しロッキングにより追随させる工法	パネル四隅の取付け金物で支持部材に取り付け、躯体の層間変位に対しスライドすることにより追随させる工法
荷重受け	各段ごとに荷重受け部材が必要	パネル2〜3段ごとに荷重受けが必要
目　地	パネル間は伸縮目地とし、縦目地は8mm以上、横目地は15mm以上とする	パネル間は伸縮目地とし、縦目地は15mm以上、横目地は8mm以上とする

3. 縦張りロッキング工法の取付け金物（Zクリップ）は、パネルの上下端部に、ロッキングできるように取り付ける。横張りスライド法の取付け金物（Zクリップ）は、パネルの左右端部に、スライドできるように取り付ける。

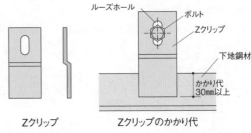

Zクリップ　　Zクリップのかかり代

ルーズホール　ボルト
Zクリップ
下地鋼材
かかり代
30mm以上

4. 横張り工法において、パネルはパネル積上げ枚数3枚以下ごとに、自重受け金物で受け、取付け金物で下地鋼材に取り付ける。

〔No. 40〕　正答 ――― 3

1. 小口タイル張り仕上げにおいて、タイル陶片のみ浮きが発生している部分は、注入口付アンカーピンニングエポキシ樹脂注入タイル固定工法が適用する。

2. 小口タイル張り仕上げにおいて、下地モルタルを含むタイル陶片の剥落欠損が発生した場合、ポリマーセメントモルタルを用いたタイル張替え工法が適用する。

3. 4. 外壁のコンクリート打放し仕上げのひび割れ部の改修工法は、次表による。ひび割れ幅が2mmで挙動するひび割れ部は、シーリング材を用いたUカットシール材充填工法が適用する。また、ひび割れ幅が0.1mmで挙動のおそれがない場合は、パテ状エポキシ樹脂を用いたシール工法が適用する。

改修工法	ひび割れ	特　徴	
樹脂注入工法	0.2mm以上 1.0mm以下	挙動あり：軟質形エポキシ樹脂 挙動なし：硬質形エポキシ樹脂	
Uカットシール材充填工法	1.0mm超	挙動あり：シーリング材	
	0.2mm以上 1.0mm以下	挙動あり	可とう性エポキシ樹脂
	1.0mm超	挙動なし	
		挙動あり	シーリング材
シール工法	0.2mm未満	挙動なし	パテ状エポキシ樹脂
		挙動あり	可とう性エポキシ樹脂

〔No. 41〕　正答──── 1

1. 根切り、山留め工事は、周辺環境に対して影響を及ぼすことが多いことから、周辺構造物、埋設物等について事前に調査する。

2. 建設工事計画届において、石綿等を除去する場合、仕事の開始日の14日前までに届け出なければならないが、設問は該当しない。

3. 排水管の配管計画は、屋内排水設備からの排出箇所、接続ます等の排水施設の位置及び敷地の形状等を考慮して定める。管径及び勾配は、排水を支障なく流下させるように定める。

4. アスファルトは、特定建設資材であり、500万円以上の対象建設工事に該当するので、再資源化に努めなければならない。

〔No. 42〕　正答──── 4

1. 逆打ち工法は、山留め壁を本設躯体の床・梁の大きな面架構で支持するため、安全性が高く、山留め壁の変形による周辺地盤への影響が少なく、地下平面が不整形で掘削進度が深く軟弱地盤の場合でも適用できる。

2. 土工事に限らず、3次元の測量データ、設計データ及び衛星位置情報を活用した施工、出来形管理等、ICT(情報通信技術)の活用が推進されている。

3. 先組み工法は、地上で柱や梁などの鉄筋を先行して組み立てることで、この組み立てられた鉄筋を、所定の位置まで揚重して、セット・接合することにより工期の短縮が可能となる。また、その鉄筋同士の接合には、機械式継手を用いることが一般的である。

4. 部材の剛性が小さい鉄骨の建入れ直しは、ワイヤを緊張しても部材が弾性変形をするだけで修正されない場合があるので、できるだけ小ブロックごとに決めるようにする。

〔No. 43〕　正答──── 3

1. 双方で確認した打合せの記録を保管することができるシステムにする。施工者が発注者と相互に交付したものではないものは、保存しなくてもよい。

2.3.　建設業者は、営業所ごとに帳簿及び営業に関する図書(完成図、打合せ記録、施工体系図)を請け負った建設工事ごとに、目的物の引渡しをしたときから10年間保存する。

4. 設計内容に定められた内容に疑義が生じた場合又は現場のおさまり、取合い等の関係で、設計図書によることが困難若しくは不都合が生じた場合は、監理者と協議する。その結果、設計図書の訂正又は変更に至らない事項については、記録を整備する。

〔No. 44〕 正答 ──── 2

1. タクト手法は、同種作業を繰返し実施する場合、作業の所要期間を一定にして順次作業が連続実施できるようにした工程手法である。タクト期間で終わらない一部の作業は、作業期間をタクト期間の整数倍(2倍又は3倍)に設定する。

2. タワークレーンの揚重ピース数は、高層建築の場合、1台1日当たり40～45ピース程度とされている。

1日あたりの鉄骨取付歩掛り

構　造		建方機械	ピース数(P/日)	重量(t/日)
工　場	重　量	トラッククレーン	30～45	25～30
	軽　量	トラッククレーン		10～15
重層建築		タワークレーン	40～45	35～40
		トラッククレーン	30～35	25～30

3.4. 建方用機械の鉄骨建方のみに占める割合は、おおむね60％前後とされている。下の表に鉄骨建方作業占有率の計画を示す。

建方機械の稼働率

作業別	比率	時間 (時間：分)
鉄 骨 建 方 作 業	0.62	5：34
積 み 荷 卸 し 作 業	0.19	1：41
建方に関係のない作業	0.07	0：39
中　　　　　　　断	0.01	0：06
休　　　　　　　憩	0.11	1：00
合　　　計	1.00	9：00

〔No. 45〕　正答──── 3

1. 品質管理は、全ての品質について同じレベルで行うよりは、重点指向により重点的な管理等を行うことが要求品質に合致したものを作ることにつながる。
2. 品質の目標値を大幅に上回る品質は、過剰品質で優れた品質管理とはならない。最小のコストで目標値を確保することが最良の管理となる。
3. 品質管理は、施工計画書に記載された品質計画に基づき実施する。品質計画は、設計図書で要求された品質実現のため、施工の目標とする品質、品質管理及び体制等を具体的に記述する。
4. 品質管理は、品質に与える影響が大きい上流管理(生産工程の上流でできるだけ手を打つこと)を行うことが望ましく、施工段階より計画段階で検討する方が効果的である。

〔No. 46〕　正答──── 3

1. 周辺環境保全に配慮し、振動や粉塵の発生はほとんどない、コンクリートカッター、ワイヤソーなどを用いて、騒音は防音装置で低減できる切断工法とする。
2. 基本的に外壁を残しながら中央部分の解体を先行する。こうすることにより、外周方向への飛散物の減少や騒音拡散の防止を図りながら作業することが可能になる。
3. 指示値が周期的または間欠的に変動する場合は、変動ごとの最大値の平均値で表示する。
4. 解体工における振動防止技術として、下記のようなものがある。
　・高所からのガラ落としは小さい塊にして下に落とす。
　・ブレーカを圧砕機に変更する。
　・解体で発生したガラをクッション材に使う。
　・壁倒しは柱2本を基本とし最小限の大きさで倒す。

〔No. 47〕　正答──── 1

1. くさび緊結式足場の支柱の間隔は、桁行方向1.85m以下、梁間方向1.5m以下とする。
2. つり足場の作業床は、幅を40cm以上とし、かつ、すき間がないようにする。
3. 移動はしごの幅は、30cm以上とする。
4. 移動式足場の作業床の周囲には、高さ90cm以上で中桟付きの丈夫な手すり及び高さ10cm以上の幅木を設ける。

1. 特定元方事業者は、作業間の連絡及び調整については、特定元方事業者と関係請負人との間及び関係請負人相互間における連絡及び調整を行なわなければならない。
2. 有機溶剤等を入れてある容器を集積する箇所を統一的に定め、これを関係請負人に周知させることは、特定元方事業者の講ずべき措置に含まれる。
3. 特定元方事業者は、関係請負人が行う労働者の安全又は衛生のための教育に対する指導及び援助を行うこととはあるが、雇入れ時の安全衛生教育を行う規定はない。
4. 特定元方事業者は、仕事の工程に関する計画及び作業場所における機械、設備等の配置に関する計画を作成しなければならない。

1. 事業者は、ゴンドラについて、1月以内ごとに1回、定期に、自主検査を行なわなければならない（一月をこえる期間使用しないゴンドラの当該使用しない期間を除く）。なお、自主検査を行なつたときは、その結果を記録し、これを3年間保存しなければならない。
2. ゴンドラを使用して作業を行うときは、ゴンドラの操作について一定の合図を定め、合図を行う者を指名して、その者に合図を行わせなければならないが、ゴンドラを操作する者に単独で作業を行わせるときは、この限りでない。
3. 事業者は、ゴンドラを使用して作業を行う場所については、当該作業を安全に行うため必要な照度を保持しなければならない。
4. 検査証の有効期間は、1年であり、その間の保管状況が良好であると都道府県労働局長が認めたものについては、当該ゴンドラの検査証の有効期間を製造検査又は使用検査の日から起算して2年を超えず、かつ、当該ゴンドラを設置した日から起算して1年を超えない範囲内で延長することができる。

1. 事業者は、酸素の濃度の測定を行ったときは、そのつど記録し、3年間保存しなければならない。
2. 事業者は、酸素欠乏危険作業に労働者を従事させる場合は、当該作業を行う場所の空気中の酸素濃度を18%以上に保つように換気しなければならない。
3. 事業者は、酸素欠乏危険作業については酸素欠乏危険作業主任者を選任しなければならない。

4. 事業者は、酸素欠乏危険作業に係る業務に労働者を就かせるときは、当該労働者に対し、特別の教育を行わなければならない。

〔No. 51〕 正答——— 5

1. 圧接部の膨らみの直径は、鉄筋径(径の異なる場合は、細い方の鉄筋径)の1.4倍以上、膨らみの長さはその径の1.1倍以上とする。

2. 圧接継手の1箇所当たりのセットアップ(縮み)は、鉄筋径の1～1.5倍程度で、縮み代を見込んで加工する。

3. 鉄筋中心軸の偏心量は$(1 / 5)d$以下、圧接面のずれは$(1 / 4)d$以下とする。

4. 圧接端面を平滑に仕上げることが良好な圧接継手とする基本であり、冷間直角切断機等を使用して切断することが望ましい。また、ばり等がきょう雑物として圧接端面に入り込まないように軽く面取りを行う必要がある。

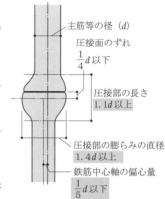

5. 鉄筋の圧接には、酸素及びアセチレンガスの混合ガスによる酸素・アセチレン炎が用いられる。このガス炎は、それぞれのガスの供給量の割合に応じて中性炎(標準炎)、還元炎(アセチレン過剰炎)、酸化炎(酸素過剰炎)に分類される。圧接の初期加熱時には圧接端面間の隙間が閉じるまでは加熱中における圧接端面の酸化を防ぐために鉄筋の中心まで届くフェザー長さの還元炎で端面を完全に覆うようにして加熱し、端面相互が密着したあとは、火力の強い中性炎で圧接面を中心としてバーナーを左右に揺動しながら加熱する。

〔No. 52〕 正答——— 5

1. 暑中コンクリートの荷卸し時のコンクリートの温度は、35℃以下とする。コンクリート温度が高くなるにしたがって、コールドジョイントやひび割れが発生しやすくなるので、荷卸し時のコンクリート温度は、できるだけ低い温度にすることが望ましい。

2. ベント管1箇所当りの長さを1mとみなして、水平換算係数の3を掛けて、ベント管1箇所当りの水平換算長さを3mとして計算する。したがって、ベント管の水平換算長さは、ベント管の実長の3倍とする。

3. 打重ね時間間隔は、一律に定めることが難しいが、一般的には、外気温が25℃未満の場合は150分、25℃以上の場合は120分を目安とし、先に打ち込んだコンクリートの再振動可能時間内とする。

4. 壁・梁及びスラブなどの鉛直打継ぎ部は、欠陥が生じやすいので、できるだけ設けないほうがよい。やむを得ず設ける場合は、構造部材の耐力への影響の最も少ない位置とし、梁、床スラブ・屋根スラブの鉛直打継ぎ部は、スパンの中央または端から1/4付近に設ける。

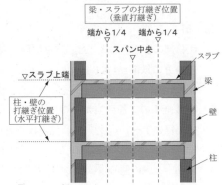

5. コンクリート内部振動機（棒形振動機）で締め固める場合、過剰加振による材料分離防止上、加振時間は、1か所5〜15秒の範囲とするのが一般的である。

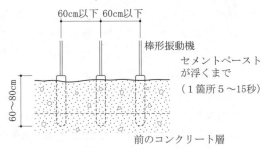

〔No. 53〕 正答 ——— 4

1. 自動ガス切断機による開先加工において、凹凸等、切断面の精度が確保できないものについては、グラインダー等により修正する。

2. 鉄骨鉄筋コンクリート造のコンクリートの充填性を考慮して、最上部柱頭のトッププレートに、空気孔を設けることは有効である。

3. 490N／mm²級以上の高張力鋼及び曲げ加工される400N／mm²級鋼などの軟鋼の外面には、ポンチ・たがねによる打痕を残してはならない。ただし、切断、孔あけ、溶接などにより除去される場合はこの限りではない。

4.5. 高力ボルト用の孔あけ加工は、板厚には関係なく、ドリルあけとする。高力ボルト以外のボルト、アンカーボルト、鉄筋貫通孔はドリルあけを原則とするが、板厚が13mm以下のときは、せん断孔あけとすることができる。また、公称軸径が27mm未満の場合の高力ボルトの孔径は、公称軸径＋2mmであるから、24mmの高力ボルトの孔径は、26mmである。

種　　　類	孔径D	公称軸径d
高力ボルト	$d + 2.0$ $d + 3.0$	$d < 27$ $27 \leq d$
ボルト	$d + 0.5$	—
アンカーボルト	$d + 5.0$	—

ボルト径と孔径

d：ボルト径
D：孔　　径

〔No. 54〕 正答 ——— 3

1. 立上り部における補強布は、平場の通気緩衝シートの端部をシールした上に100mm程度張り掛けて防水材を塗布する。
2. ウレタンゴム系防水材の平場部の総使用量は、硬化物密度(比重)が1.3のものを使用する場合、標準使用量は3.9kg/m²、立上り部では標準使用量は2.6kg/m²とする。

硬化物密度(Mg/m³)	絶縁工法(kg/m²) 密着工法(kg/m²)	立上り部(kg/m²)
1.0	3.0	2.0
1.1	3.3	2.2
1.2	3.6	2.4
1.3	3.9	2.6
1.4	4.2	2.8

3. 通気緩衝シートの継ぎ目は突付けとし、突付け部分は50mm以上の幅の接着剤付きポリエステル不織布あるいは織布のテープを張り付ける。
4. 防水材の塗継ぎの重ね幅を100mm以上とし、補強布の重ね幅は50mm以上とする。
5. ゴムアスファルト系室内仕様の防水材の総使用量は、固形分60％(質量)のものを使用し、4.5kg/m²とする。

〔No. 55〕 正答 ——— 1

1. 小口タイルの改良積上げ張りの張付けモルタルは、タイル裏面全面に7mm程度の厚さになるように塗り付ける。

2. 密着張りの張付けモルタルは、2度塗りとし、1度に塗り付ける面積は、一人が施工可能な面積として2m²/人以内に張り付けられる面積とする。

3. モザイクタイル張りの張付けモルタルの塗付けは、下地モルタル面の微妙な凹凸にまで、張付けモルタルが食い込むように、いかに薄くとも2度塗りとし、1度目は薄く下地面にこすりつけるように圧をかけて塗る。

4. マスク張りの張付けモルタルは、タイル裏面に張り付けるためのモルタル厚が4mm程度となるマスク板を用いて塗る。

5. 改良圧着張りの下地面への張付けモルタルは2度塗りとし、張付けモルタルを下地面側に4～6mmにむらなく塗り、定規ずりによって平坦にならす。

〔No. 56〕 正答 ——— 2

1. 軽量鉄骨壁下地に直接ボードを張り付ける場合のドリリングタッピンねじの留め付け間隔は、中間部300mm程度、周辺部200mm程度とする。

2. 軽量鉄骨下地にボードを直接張り付ける場合、ドリリングタッピンねじは、下地の裏面に10mm以上の余長の得られる長さのものを用い、頭がせっこうボードの表面から少しへこむように確実にねじ込む。

3. せっこう系接着材による直張り工法では、床面の水分の吸上げ防止、接着材の乾燥を考慮して、ボード下端と床面の間にスペーサーを置いて、10mm程度浮かして張り付ける。

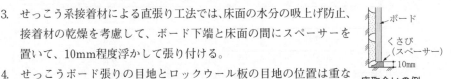

床取合いの例

4. せっこうボード張りの目地とロックウール板の目地の位置は重ならないように、50mm以上ずらす。

5. せっこうボードの留付けには、4□J・足の長さ20mmのステープルなどが用いられるが、保持力は低いので、接着剤による取付け時の仮留め金物とするのが適切である。

〔No. 57〕　正答 —— 4

1. 傾斜している道路等に設置する仮囲いで、下端にすき間が生じる時は、木製の幅木を取付けたり、コンクリートを打つなどして、すき間をふさぐ。

2. 仮囲いと同等以上の効力を有する他の囲いがある場合又は工事現場の周辺若しくは工事の状況により危害防止上支障がない場合においては、設けなくてもよい。

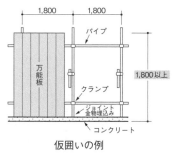

仮囲いの例

3. 仮囲いを設置する場合、道路管理者による道路の占用の許可のほかに、道路交通法の規定により所轄警察署長から「道路使用許可」を受ける必要がある。

4. 女性用便所の便房の数は、同時に就業する女性労働者20人以内ごとに１個以上とする。45人の場合は、３個設置する。

5. ボンベ類の貯蔵小屋は、通気のため、壁の１面は開口とし、他の３面の壁は上部に開口部を設ける。

ボンベ類貯蔵所

〔No. 58〕　正答 —— 1

1. 総工事費は、直接費と間接費とを合わせた費用であり、工期に比例しては増加しない。

2. 間接費は、一般に工期の長短に相関して増減する。工期の短縮によって完成が早くなれば、その分減少する。

3. 最適工期とは、経済速度で工事の施工を行う最も経済的な工期であり、直接費と間接費とを合わせた総工事費が最小になるときの工期である。

4. 直接費が最小となるときに要する工期を、ノーマルタイム(標準時間)という。

5. どんなに費用をかけても作業時の短縮には限度があり、その限界の作業時間のことをクラッシュタイムという。特急時間ともいう。

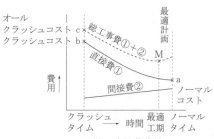

工期・建設費曲線

〔No. 59〕 正答 ──── 5

1. 試料をスランプコーンに
詰める時は、ほぼ等しい量
の３回に分けて詰め、各層
は突き棒で均した後、25
回一様に突く。

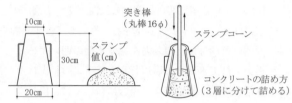

2. スランプ８cm以上18cm以下のコンクリートの荷卸し地点におけるスランプの許容差
は、±2.5cmとする。

指定したスランプ(cm)	許容差(cm)
5、6.5	± 1.5
8以上18以下	± 2.5
21	± 1.5 *

*呼び強度27以上で高性能AE減水剤を使用する場合は、±２とする。

3. 塩化物量の簡易試験方法の測定は、同一試料から採った３個の分取試料について各１
回測定し、その平均値を測定値とする。

4. １検査ロットの大きさは、１組の作業班が１日に実施した圧接箇所とする。

5. 抜取検査の超音波探傷試験は、非破壊試験で、１検査ロットに対して30箇所行う。

抜取検査による超音波探傷試験

検査数量	１検査ロットからランダムに30箇所
判　定	不合格箇所数が１箇所以下のとき、そのロットを合格とする。
	不合格箇所数が２箇所以上のとき、そのロットを不合格とする。

〔No. 60〕 正答 ──── 3

1. 労働災害には、単なる物的災害、公衆災害は含まれず、就業場所等に起因して、労働
者が負傷や疾病にかかったり、死亡する場合をいう。

2. 休業日数とは、休業事由(災害等)が発生した日は含めず、その翌日からカウントされ
る日数のこと。休業を要する期間内に休日等が含まれる場合には、休日等を含めた暦
日数が休業日数となる。

3. 強度率は次式で示され、1,000労働時間当たりの労働損失日数により、災害の程度を示したものである。

強度率＝労働損失日数／延労働時間数×1,000（小数点3位以下四捨五入）

なお、設問は、年千人率の記述である。

4. 度数率は次式で表され、災害発生の頻度を示し、100万延労働時間当たりの死傷者数を示したものである。

度数率＝死傷者数／延労働時間×1,000,000（小数点3位以下四捨五入）

5. 労働損失日数を算出する基準では、死亡及び永久全労働不能障害の場合、1件につき7,500日と定められている。

〔No. 61〕 正答 ── 3

1. 広告塔、広告板、装飾塔等で、高さが4mを超える場合は、確認済証の交付を受けなければならない。

2. 床面積の合計が10m²を超える建築物の除却届は、除却の工事を施工する者が、建築主事を経由して、都道府県知事に届け出なければならない。

3. 防火及び準防火地域外において、建築物を増築、改築、移転しようとする場合、その部分の床面積の合計が10m²以内のときは、建築物の確認申請を受けなくてよいが、設問は該当しない。

4. 木造3階建の戸建て住宅において、建築物を大規模な修繕をする場合、確認済証の交付を受ける必要がある。

〔No. 62〕 正答 ── 4

1. 特定行政庁、建築主事又は建築監視員は、当該工事施工者に、工事の施工の状況に関する報告を求めることができる。

2. 特定行政庁は、原則として、建築物の敷地について、そのまま放置すれば保安上危険となり、又は衛生上有害となるおそれがあると認める場合、所有者に対して、その敷地の維持保全に関し必要な指導及び助言をすることができる。

3. 延べ面積が1,000m²を超え、かつ、階数が2以上の建築物を新築する場合は、1級建築士である工事監理者を定めなければならない。

4. 木造の建築物で、高さが13m又は軒の高さが9mを超えるものは、1級建築士である工事監理者を定めなければならない。

延べ面積 （A）m²		高さ13m、かつ軒高9m以下					高さ>13m 又は、 軒高>9m
		木　　造			RC造、S造、CB造等		
		階数 1	階数 3	階数 3以上	階　数 1・2	階数 3以上	
A≦30m²							
30m²＜A≦100m²							
100m²＜A≦300m²							
300m²＜A≦500m²							
500m²＜A ≦1,000m²	一般の建築物						
	特殊建築物			1級建築士でなければできない 設計、工事監理			
1,000m²＜A	一般の建築物						
	特殊建築物						

〔No. 63〕　正答 ────── 1

1. 小学校の児童用の廊下の幅は、両側に居室がある場合、2.3m以上としなければならない。片側に居室がある場合は、1.8m以上としなければならない。

2. 劇場、映画館、集会場等の用途に供する階でその階に客席を有するものは、その階から避難階又は地上に通ずる2以上の直通階段を設けなければならない。

3. 回り階段の部分における踏面（ふみづら）の寸法は、踏面の狭い方の端から30cmの位置において測るものとする。

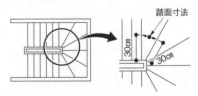

踏面寸法

4. 建築物の高さ31m以下の部分にある3階以上の階には、非常用の進入口を設けなければならない。非常用エレベーターを設置している場合は、非常用の進入口を設けなくてもよい。

〔No. 64〕 正答―――4

1. 一定金額以上の下請契約を締結して施工する者は、特定建設業の許可を受けていればその業を営むことができるので、建築一式工事以外の専門業者でもなることができる。

2. 特定建設業の許可を受けようとする者は、発注者との間の請負契約でその請負代金の額が8,000万円であるものを履行するに足りる財産的基礎を有することが条件となる。

3. 発注者から直接請け負った建設工事を施工するに当たり、建築工事業において、下請代金額が7,000万円(その他4,500万円)以上となる下請契約を締結する場合は、特定建設業の許可を受けた者でなければならない。

4. 建設業を営む者で、2以上の都道府県に営業所を設けて営業する場合は国土交通大臣の、一の都道府県に営業所を設けて営業する場合は都道府県知事の許可を受ける。

〔No. 65〕 正答―――1

1. 元請負人は、建設工事を施工するために必要な工程の細目、作業方法等、元請負人が定めるべき事項を定めるときは、あらかじめ、下請負人の意見をきかなければならない。

2. 特定建設業者は、当該特定建設業者が注文者となった下請契約に係る下請代金の支払につき、当該下請代金の支払期日までに一般の金融機関による割引を受けることが困難であると認められる手形を交付してはならない。

3. 元請負人は、下請負人に対する下請代金のうち労務費に相当する部分については、現金で支払うよう適切な配慮をしなければならない。

4. 注文者は、請負人に対して、建設工事の施工につき著しく不適当と認められる下請負人があるときは、その変更を請求することができる。ただし、あらかじめ注文者の書面による承諾を得て選定した下請負人については、この限りでない。

〔No. 66〕 正答———— 3

1. 下請契約の金額が7,000万円以上なので、監理技術者を置かなければならない。

2. 設問のとおり。なお、特定専門工事の元請負人及び建設業者である下請負人は、その合意により、元請負人が置いた主任技術者が、その下請負に係る建設工事について主任技術者の行うべき職務を行うことができる場合、当該下請負人は主任技術者を置くことを要しない。

3. 公共性のある施設・工作物、又は多数の者が利用する施設・工作物に関する重要な建設工事で政令で定めるものについては、工事1件の請負金額が4,000万円（建築一式工事の場合は8,000万円）以上のものについては、工事の安全かつ適正な施工を確保するために、工事現場ごとに専任の主任技術者又は監理技術者を置かなければならない。

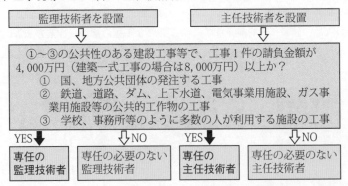

4. 専任の者でなければならない監理技術者は、監理技術者資格者証の交付（資格者証の有効期間は5年）を受けている者であって、国土交通大臣の登録を受けた講習（講習を受講した日から5年間有効）を受講したもののうちから、これを選任しなければならない。

〔No. 67〕 正答──── 4

1. 使用者は、満18歳に満たない者を午後10時から午前5時までの間において使用してはならない。ただし、交代制によって使用する満16歳以上の男性については、この限りではない。

2. 満18才に満たない者を、高さが5m以上の場所で、墜落により危害を受けるおそれのあるところにおける業務に就かせてはならない。

3. 4. 満18才以上で妊娠中の女性労働者を、動力により駆動される土木建築用機械の運転の業務に就かせてはならない。また、妊娠中の女性に、足場の組立て、解体又は変更の業務に就かせてはならないが、地上又は床上における補助作業の業務は除かれている。その他の就業制限は以下に記す。

危険有害業務の就業制限

危険有害業務	就業制限の内容		
	妊娠中	産後1年以内	その他の女性
1. 有害物のガス、蒸気又は粉塵を発散する場所における業務	×	×	×
2. さく岩機、びょう打機等身体に著しい振動を与える機械器具を用いて行う業務	×	×	○
3. つり上げ荷重5t以上のクレーン、デリックの運転業務	×	△	○
4. クレーン、デリックの玉掛けの業務(2人以上の者によって行う、玉掛けの業務における補助作業の業務を除く)	×	△	○
5. 足場の組立て、解体又は変更の業務(地上又は床上における補助作業の業務を除く)	×	△	○
6. 土砂が崩壊するおそれのある場所又は深さが5m以上の地穴もおける作業	×	○	○
7. 高さが5m以上の場所で、墜落により労働者が危害を受けるおそれのあるところにおける業務	×	○	○

〔No. 68〕　正答──── 2

1.3.　統括安全衛生責任者を選任した事業者で、建設業その他政令で定める業種に属する
　　　事業を行うものは、厚生労働省令で定める資格を有する者のうちから、厚生労働省令
　　　で定めるところにより、元方安全衛生管理者を選任(専属)し、その者に特定元方事業
　　　者等の講ずべき措置のうち技術的事項を管理させなければならない。

2.　統括安全衛生責任者を選任すべき事業者以外の請負人から、安全衛生責任者を選任す
　　ることになっているが、安全衛生責任者、衛生管理者の資格についての規定はない。

4.　特定元方事業者は、常時50人以上の労働者が同一の場所において行われることによっ
　　て生ずる労働災害を防止するため、統括安全衛生責任者を選任し、その者に元方安全
　　衛生管理者の指揮をさせるとともに、必要な事項を統括管理させなければならない。

〔No. 69〕　正答──── 3

1.　事業者は、その事業場の業種が政令で定めるものに該当するときは、新たに職務につ
　　くこととなった職長その他の作業中の労働者を直接指導又は監督する者(作業主任者
　　を除く。)に対し、厚生労働省令で定めるところにより、安全又は衛生のための教育を
　　行なわなければならない。よって、作業主任者は除かれる。

2.　事業者は、就業制限に係る業務につくことができる者が当該業務に従事するときは、
　　これに係る免許証その他その資格を証する書面を携帯していなければならない。書面
　　の写しでは、携帯していることにはならない。

3.　作業床の高さが10m以上の高所作業車の運転の業務は、技能講習が必要である。

4.　つり上げ荷重が5t以上の移動式クレーンの運転業務は、都道府県労働局長の当該業
　　務に係る免許が必要である。

〔No. 70〕 正答──── 2

1. 建築物に係る新築又は増築の工事については、当該建築物の床面積の合計が500m²以上であるものは、建設工事に該当する。

2. 建築物に係る新築工事等であって新築又は増築の工事に該当しないもので、その請負代金の額が1億円以上であるものは分別解体等をしなければならない対象建設工事となるが、設問は該当しない。

3. 建築物以外のものに係る解体工事又は新築工事等については、その請負代金の額が500万円以上であるものは、建設工事に該当する。

4. 建築物の解体工事ついては、当該解体工事に係る床面積が80m²以上であるものは、建設工事に該当する。

対象建設工事

工事の種類	対象規模
建築物の**解体**	当該解体工事に係る床面積が80m²以上
建築物の**新築・増築**	当該工事に係る床面積が500m²以上
建築物の**修繕・模様替**(リフォーム等)	請負金額が1億円以上
その他の工作物に関する工事	請負金額が500万円以上

※ 特定建設資材を用いた建築物等の解体工事と特定建設資材を用する新築工事等に限る。

〔No. 71〕 正答——— 4

1. バックホウを使用する作業は、原動機の定格出力が80kW以上の場合は、原則として、特定建設作業の実施の届出が必要である。

2. 環境大臣が指定するものを除き、原動機の定格出力が70kW以上のトラクターショベルを使用する作業は、特定建設作業の実施の届出が必要である。

3. 電動機以外の原動機の定格出力が15kW以上の空気圧縮機を使用する作業は、原則として、特定建設作業の実施の届出が必要である。

4. さく岩機を使用する作業で、作業地点が連続的に移動する作業にあっては、1日における当該作業に係る2地点間の最大距離が50mを超えない作業に限り、騒音規制法における特定建設作業の実施の届出をしなければならない。設問は、2地点間の距離が50mを超えているので、届出は不要である。

〔No. 72〕 正答——— 2

1. 制限外許可証は、当該車両の出発地を管轄する警察署長から交付を受けなければならない。

2.～4. 積載した貨物の長さ又は幅が所定の制限を超えるものであるときは、その貨物の見やすい箇所に、昼間にあっては0.3m²以上の大きさの赤色の布を、夜間にあっては赤色の灯火又は反射器をつけなければならない。

2025年度　日建学院受験対策スケジュール

	1級建築施工管理技術検定 試験日程	日建学院受験者応援サービス ー最寄りの各校で受付ー	
1月		**願書取寄せサービス** ご自宅や職場へ願書のお届けを いたします。お知り合いの方の分も ご一緒にお取り寄せできます。 ＊願書代金がかかります。 ＊受験申込期間に間に合うよう、 お早めにお申し込みください。	（3月 基本
2月	願書配布・申込み（2月下旬～3月上旬）		（4月 午前
3月			
4月			（6月 午後
5月			（6月 集中
6月			
	一次試験受検票発送（7月上旬）		
7月	**一次試験日（7月第3日曜日）**	**無料セミナー** 「施工経験記述ポイント講習会」 二次試験のキーポイントとも言える 経験記述に関するポイント解説 7月下旬～8月末	
8月	一次合格発表（8月下旬） 一次合格者二次試験受験料払込 （8月下旬～9月上旬）		
9月	二次試験受検票発送（9月下旬）		
10月	**二次試験日（10月第3日曜日）**		
11月			
12月		**二次本試験問題・ 解答参考例無料進呈**	
1月	二次合格発表（1月上旬）	二次試験を振り返るために最適の資料です。 お近くの各校、またはHPでご請求ください。	
2月			
3月			

建学院講座スケジュール

二次対策

|月中旬)|
|ける|

| A |
|月上旬)|
|学習|

| B |
|月中旬)|
|学習|

|月中旬)|
|擬試験|

二次本科速修コース
〈32回〉
（6月下旬〜10月中旬）

二次範囲全体の対策講義
添削指導：11回
公開模擬試験

二次コース
〈16回〉
（9月上旬〜10月中旬）

二次範囲全体の対策講義
公開模擬試験

1級建築施工管理技士　一次試験対策

試験範囲から重要項目をピックアップし
4カ月で効率的に学習します。

1級建築施工管理技士 一次コース
※教育訓練給付金対象講座

受講料 **308,000円** (税込)
【受講講義】基礎講座、合格講座A・B、直前講座

実力確認と弱点分野の明確化に役立ちます。

一次公開模擬試験
受講料 **5,500円** (税込)
試験日 6月下旬

1級建築施工管理技士　二次試験対策

映像講義と講師による直接指導

1級建築施工管理技士二次本科速修コース
※教育訓練給付金対象講座

受講料 **253,000円** (税込)

日建学院では、全国各校で各種講習を実施しています。
お問い合わせ・資料のご請求はお気軽にお近くの日建
学院各校、または、HPでどうぞ。

- ●監理技術者講習
- ●建築士定期講習
- ●宅建登録講習
- ●宅建実務講習
- ●マンション管理士法定講習
- ●評価員講習会
- ●第一種電気工事士定期講習

日建学院 本校教室一覧

北海道・東北地区

札　幌	☎	011-251-6010
苫小牧	☎	0144-35-9400
旭　川	☎	0166-22-0201
青　森	☎	017-774-5001
弘　前	☎	0172-29-2561
八　戸	☎	0178-70-7500
盛　岡	☎	019-659-3900
水　沢	☎	0197-22-4551
仙　台	☎	022-267-5001
秋　田	☎	018-801-7070
山　形	☎	023-622-5100
酒　田	☎	0234-26-3351
郡　山	☎	024-941-1111

北陸地区

新　潟	☎	025-245-5001
長　岡	☎	0258-25-8001
上　越	☎	025-525-4885
富　山	☎	076-433-2002
金　沢	☎	076-280-6001
KIT教教室	☎	076-293-0821
福　井	☎	0776-21-5001

関東地区

水　戸	☎	029-305-5433
つくば	☎	029-863-5015
宇都宮	☎	028-637-5001
小　山	☎	0285-31-4331
群　馬	☎	027-330-2611
太　田	☎	0276-58-2570
大　宮	☎	048-648-5555
川　口	☎	048-499-5001
川　越	☎	049-243-3611
所　沢	☎	04-2991-3759
朝霞台	☎	048-470-5501
南越谷	☎	048-986-2700
熊　谷	☎	048-525-1806
千　葉	☎	043-244-0121
船　橋	☎	047-422-7501
成　田	☎	0476-22-8001
木更津	☎	0438-80-7766
柏	☎	04-7165-1929
新松戸	☎	047-348-6111
浦　安	☎	047-397-6780
池　袋	☎	03-3971-1101
新　宿	☎	03-6894-5800
上　野	☎	03-5818-0731
新　橋	☎	03-6858-4650
吉祥寺	☎	0422-28-5001
立　川	☎	042-527-3291
八王子	☎	042-628-7101
北千住	☎	03-6850-0120
町　田	☎	042-728-6411
武蔵小杉	☎	044-733-2323
横　浜	☎	045-440-1250
厚　木	☎	046-224-5001
藤　沢	☎	0466-29-6470
山　梨	☎	055-263-5100
長　野	☎	026-244-4333
松　本	☎	0263-41-0044

東海地区

静　岡	☎	054-654-5091
浜　松	☎	053-546-1077
沼　津	☎	055-954-3100
富　士	☎	0545-66-0951
名古屋	☎	052-541-5001
北愛知	☎	0568-75-2789
岡　崎	☎	0564-28-3811
豊　橋	☎	0532-57-5113
岐　阜	☎	058-216-5300
四日市	☎	059-349-0005
津	☎	059-291-6030

近畿地区

京　都	☎	075-221-5911
福知山	☎	0773-23-9121
滋　賀	☎	077-561-4351
梅　田	☎	06-6377-1055
なんば	☎	06-4708-0445
枚　方	☎	072-843-1250
堺	☎	072-228-6728
岸和田	☎	072-436-1510
橿　原	☎	0744-28-5600
奈　良	☎	0742-34-8771
神　戸	☎	078-230-8331
姫　路	☎	079-281-5001
和歌山	☎	073-473-5551
田　辺	☎	0739-22-6665

中国地区

岡　山	☎	086-223-8860
倉　敷	☎	086-435-0150
福　山	☎	084-926-0570
広　島	☎	082-223-2751
岩　国	☎	0827-22-3740
山　口	☎	083-972-5001
徳　山	☎	0834-31-4339
松　江	☎	0852-27-3618
島　取	☎	0857-27-1987
米　子	☎	0859-33-7519

四国地区

松　山	☎	089-924-6777
西　条	☎	0897-55-6770
高　松	☎	087-869-4661
高　知	☎	088-821-6165
徳　島	☎	088-622-5110

九州地区

北九州	☎	093-512-7100
博　多	☎	092-233-1278
天　神	☎	092-762-3170
久留米	☎	0942-33-9164
大牟田教室	☎	0944-32-8915
佐　賀	☎	0952-31-5001
長　崎	☎	095-820-5100
佐世保	☎	0956-87-0627

大　分	☎	097-546-05
中　津	☎	0979-25-00
熊　本	☎	096-241-88
宮　崎	☎	0985-50-00
延　岡	☎	0982-34-7
都　城	☎	0986-88-40
鹿児島	☎	099-808-25
沖　縄	☎	098-861-60
うるま	☎	098-916-74
名　護	☎	0980-50-9

日建学院 認定校 日建学院 認定校
日建学院 公認スクール 日建学院 公認スクール

受講者の生活スタイルは様々です。できることなら通学時間は短い方がいい。そんな思いで「日建学院認定校」と「日建学院公認スクール」を全国に展開しています。「日建学院認定校」では建築士と土木施工管理技士を中心に運営、「日建学院公認スクール」でも多くの講座を運営しています。提供される講座は、本校と同じカリキュラム、同じ教材でクオリティの高い授業が提供されています。日建学院ホームページの全国学校案内であなたの近くの日建学院をお探し下さい。

講座一覧

※認定校及び公認スクールでは取扱講座が異なりますので詳しくは最寄り校へご確認下さい。

建築関連
1級建築士
2級建築士
インテリアコーディネーター
建築設備士
構造設計1級建築士

不動産関連
宅地建物取引士（宅建）
賃貸不動産経営管理士
管理業務主任者
土地家屋調査士
測量士補

建設関連
1級建築施工管理技士
2級建築施工管理技士
1級土木施工管理技士
2級土木施工管理技士
1級管工事施工管理技士
2級管工事施工管理技士
1級造園施工管理技士
2級造園施工管理技士
給水装置工事主任技術者

第三種電気主任技術者
1級エクステリアプランナー
2級エクステリアプランナー
コンクリート主任技士
コンクリート技士
CPDS

税務・ビジネス・介護・福祉
ファイナンシャルプランナー2級（AFP）
ファイナンシャルプランナー3級
日商簿記2級
日商簿記3級
秘書検定
2級建設業経理士
福祉住環境コーディネーター
介護福祉士

就職・スキルアップ
JW-CAD
Auto-CAD
DRA-CAD
建築CAD検定
Office
SPI

実務
構造計算関連

職業訓練
介護職員初任者研修
介護福祉士実務者研修 通学
全国の職業訓練（ハロトレ）

法定講習一覧

（株）日建学院 実施

建築士定期講習
宅建登録講習
宅建実務講習
監理技術者講習
評価員講習会
第一種電気工事士定期講習
マンション管理士法定講習

1級建築施工管理技士『一次対策問題解説集』購入者限定！

【正誤等に関するお問合せについて】

　本書の記載内容に万一、誤り等が疑われる箇所がございましたら、**郵送・FAX・メール等の書面**にて以下の連絡先までお問合せください。その際には、お問合せされる方のお名前・連絡先等を必ず明記してください。また、お問合せの受付け後、回答には時間を要しますので、あらかじめご了承いただきますよう、お願い申し上げます。

　なお、正誤等に関するお問合せ以外のご質問、受験指導および相談等はお受けできません。そのようなお問合せにはご回答いたしかねますので、あらかじめご了承ください。

お電話によるお問合せは、お受けできません。

【郵送先】

〒171-0014

東京都豊島区池袋2-38-1　日建学院ビル　3F

建築資料研究社 出版部

「令和7年度版　1級建築施工管理技士 一次対策問題解説集」正誤問合せ係

【FAX】

　03-3987-3256

【メールアドレス】

seigo@mx1.ksknet.co.jp

【本書の法改正・正誤情報等について】

　本書の記載内容について発生しました法改正・正誤情報等は、下記ホームページ内でご覧いただけます。

　なおホームページへの掲載は、対象試験終了時ないし、本書の改訂版が発行されるまでとなりますので、あらかじめご了承ください。

https://www.kskpub.com ➡ 訂正・追録

令和7年度版　**1級建築施工管理技士 一次対策問題解説集②**

2024年12月10日　初版第1刷発行

編　　著	日建学院教材研究会	
発 行 人	馬場 栄一	
発 行 所	**株式会社建築資料研究社**	
	〒171-0014　東京都豊島区池袋2-38-1	
	日建学院ビル　3F	
	TEL 03-3986-3239　FAX 03-3987-3256	
	https://www.kskpub.com	
表　　紙	齋藤 知恵子(sacco)	
印刷・製本	**株式会社埼京印刷**